銀河英雄伝説5
風雲篇

田中芳樹

フェザーン自治領（ランド）を掌中に収めた帝国軍は，自由惑星同盟（フリー・プラネッツ）の首都ハイネセンの目前まで迫っていた。ヤンは躊躇（ためら）うことなくイゼルローン要塞の放棄を決断，民間人を保護しつつ首都へ向かう。同盟が勝利するための唯一の方策，即ちラインハルトを直接戦場で討ち取るために。数に於いて圧倒的優勢を誇る帝国軍に対して，ヤンは力量の差を見せつけるように，奇策を用いて帝国の智将たちを破っていく。そしてヤンの思惑を見抜いたラインハルトは，あえて正面決戦を選んだ。かくして“常勝”と“不敗”は再び戦火を交える。勝者となるのは果たしてどちらか？

銀河英雄伝説 5

風雲篇

田　中　芳　樹

創元ＳＦ文庫

LEGEND OF THE GALACTIC HEROES V

by

Yoshiki Tanaka

1985

目次

登場人物

●銀河帝国

ラインハルト・フォン・ローエングラム……帝国軍最高司令官。帝国宰相。公爵
パウル・フォン・オーベルシュタイン……宇宙艦隊総参謀長。統帥本部総長代理。上級大将
ウォルフガング・ミッターマイヤー……艦隊司令官。上級大将。〝疾風ウォルフ（ウォルフ・デア・シュトルム）〟
オスカー・フォン・ロイエンタール……艦隊司令官。上級大将。金銀妖瞳（ヘテロクロミア）の提督
フリッツ・ヨーゼフ・ビッテンフェルト……〝黒色槍騎兵（シュワルツ・ランツェンレイター）〟艦隊司令官。大将
エルネスト・メックリンガー……帝国軍統帥本部次長。大将。〝芸術家提督〟
ウルリッヒ・ケスラー……憲兵総監兼帝都防衛司令官。大将
ザムエル・ワーレン……艦隊司令官。大将
コルネリアス・ルッツ……艦隊司令官。大将
ナイトハルト・ミュラー……艦隊司令官。大将
ヘルムート・レンネンカンプ……艦隊司令官。大将
アーダルベルト・フォン・ファーレンハイト……艦隊司令官。大将
アルツール・フォン・シュトライト……ラインハルトの主席副官。少将

ヒルデガルド・フォン・マリーンドルフ……宰相主席秘書官。〝ヒルダ〟
ハインリッヒ・フォン・キュンメル……ヒルダの従弟。男爵
アンネローゼ……ラインハルトの姉。グリューネワルト伯爵夫人
エルウィン・ヨーゼフ二世……第三七代皇帝。〝廃帝〟
カザリン・ケートヘン一世……第三八代皇帝。女帝
ルドルフ・フォン・ゴールデンバウム……銀河帝国ゴールデンバウム王朝の始祖

†墓誌
ジークフリード・キルヒアイス……アンネローゼの信頼に殉ず

●自由惑星同盟
ヤン・ウェンリー……イゼルローン要塞司令官、駐留艦隊司令官大将
ユリアン・ミンツ……ヤンの被保護者。少尉
フレデリカ・グリーンヒル……ヤンの副官。大尉
アレックス・キャゼルヌ……イゼルローン要塞事務監。少将
ワルター・フォン・シェーンコップ……要塞防御指揮官。少将
フィッシャー……要塞艦隊副司令官。艦隊運用の達人
ムライ……参謀長。少将

パトリチェフ……………………副参謀長。准将
ダスティ・アッテンボロー……分艦隊司令官。ヤンの後輩。少将
オリビエ・ポプラン……………要塞第一宙戦隊長。少佐
アレクサンドル・ビュコック…宇宙艦隊司令長官。大将
ルイ・マシュンゴ………………ヤンの護衛役。准尉
ウォルター・アイランズ………国防委員長
チュン・ウー・チェン…………総参謀長
ヨブ・トリューニヒト…………国家元首。最高評議会議長
ウィリバルト・ヨアヒム・フォン・メルカッツ……〝銀河帝国正統政府〟軍務尚書
ベルンハルト・フォン・シュナイダー……メルカッツの副官。中佐

●フェザーン自治領（ラント）

アドリアン・ルビンスキー……第五代自治領主（ランデスヘル）。〝フェザーンの黒狐〟
ニコラス・ボルテック…………帝国駐在の弁務官。前補佐官
アルフレット・フォン・ランズベルク……亡命してきた伯爵
レオポルド・シューマッハ……元帝国軍大佐
ボリス・コーネフ………………独立商人。ヤンの旧知。駐ハイネセン弁務官オフィスの一員
マリネスク………………………ベリョースカ号事務長。

デグスビイ……………………地球からルビンスキーの監視に派遣された主教

地球教大主教……………………ルビンスキーの影の支配者

†墓誌

ルパート・ケッセルリンク……………………ルビンスキーの息子。父を殺害せんとして失敗

注／肩書き階級等は［策謀篇］終了時、もしくは［風雲篇］登場時のものです

銀河英雄伝説5

風雲篇

第一章　寒波到る

Ⅰ

宇宙暦七九九年、帝国暦四九〇年を数十秒後にひかえて、ラインハルト・フォン・ローエングラム公爵がふりあおいだ夜空は、彼がはじめて目にする星座のかずかずを、濃藍色の面に乱舞させていた。あらたな年にようやく二三歳を迎える若い征服者は、蒼氷色の瞳から夜空へむかって氷の矢を射こむような視線を放った。それは無言の宣告であった。彼の視線の彼方につらなる星々は、彼の征服と支配の対象としてのみ存在を許されるであろうことを、彼は硬質ガラスの天蓋をとおして語りかけたのである。ラインハルトが豪奢な黄金の髪を揺らしつつ大広間に参集した帝国軍の将帥たちにむきなおったとき、音響システムをくみこんだ四方の壁から鐘の音が奔流となってながれだし、旧い年のカレンダーが使命を終えたことを告げた。ラインハルトが自分のテーブルに歩みより、シャンペンをみたしたクリスタル・グラスを高くかかげると、将帥たちもそれに応じ、反射光の波でたがいの視界をみたしあった。

「プロージット！」

「プロージット！　あらたなる年に――」

「プロージット！　もたらさるべき武勲に――」

　覇気に富んだ乾杯の声が交錯するなかで、ひときわよくとおる声が、一同の鼓膜を力強く圧してひびきわたった。

「プロージット！　自由惑星同盟最後の年に――！」

　集中する視線のなかで、声の主はラインハルトを見やりつつ、高々とグラスをさしあげた。その声と表情は、昂然と傲然との境界線にきわどく立つものだった。ラインハルトが端麗な口もとに微笑をひらめかせてグラスをかかげかえすと、歓声と拍手がわきおこり、発言者はおおいに面目をほどこしたかたちとなって頬を紅潮させた。

　イザーク・フェルナンド・フォン・トゥルナイゼン中将が彼の名である。少壮ぞろいのラインハルト軍のなかにあってひときわ若く、主君と同年であった。幼年学校では首席のラインハルトにつぐ優等生集団の一角をしめ、さらに士官学校にすすんで俊英の名が高かったが、中途退学して前線に身を投じ、実戦指揮官あるいは作戦参謀として武勲をかさねた青年士官である。帝国暦四八八年のリップシュタット戦役において、幼年学校でラインハルトとともに学んだ貴族の子弟たちが多く門閥貴族軍に投じ、自滅を余儀なくされたのにたいし、彼は〝金髪の孺子〟に与することで判断力の正確さをしめし、故カール・グスタフ・ケンプの下ですくなからぬ功績をあげた。戦役後はケンプから離れてラインハルトの直属となったが、そのために、その後ケンプが自由惑星同盟軍のヤン・ウェンリー提督に敗死した際、敗軍の一員となる運命からまぬがれたのである。これは人知をこえたレベルでの守護者の存在を、彼自身と周囲の者に信じさせるに充分であった。かくして彼は、みずからをえらばれた者の一員と確信し、超越者の恩寵に応えるべく意識して万事に歩調を早めたのだった。彼はこれから多くの人々においつき、おいこさねばならず、戦場においてもそれ以外の場所においても、可能なかぎり目立つ必要があるのだ。

彼の覇気は、同年の主君ラインハルトにとって不快なものではないはずだったが、このようなタイプの人物を見ると、けっして好んでめだとうとはしなかった故人のことを連想してしまうラインハルトだった。ジークフリード・キルヒアイス、みずからを犠牲にして彼の生命を救ってくれた赤毛の友なら、このようなかたちでめだつことを肯んじなかったにちがいない、と思う。比較してはならないということは承知しているのだが、意志や理念ではどうしようもない心のはたらきが、ラインハルトにそうさせるのだった……。

盛大なパーティーだが、華麗さよりも力を感じさせるのは、出席者たちが略礼服すら着用しておらず、そのまま戦場へと出立しうる軍服姿のままであったからであろう。占領地における新年のパーティーで、華美なよそおいをこらすことをラインハルトが好まなかったためでもあるが、参列する将帥たちのなかには、パーティーの終了と同時に、実際、戦場へ出立する者もいたのである。遠征軍の先鋒部隊を指揮するウォルフガング・ミッターマイヤー上級大将と、第二陣を統率するナイトハルト・ミュラー大将がそうであった。

帝国軍最年少の大将であるナイトハルト・ミュラーは、今年二九歳を迎える。砂色の髪と砂色の瞳をもつ青年で、その長身は、正面から精密に観察すると、こころもち左肩がさがっている。それは、若さに似あわぬ戦歴の古さと負傷の回数をしめすものだが、それをのぞけば、せいぜい参謀型の軍人としかみえないおだやかな外見の所有者であり、攻勢における精悍さと守勢におけるねばりとが高い評価をえている。

　その傍にいるミッターマイヤーは、現在イゼルローン要塞攻略の指揮をとっているオスカー・フォン・ロイエンタール上級大将とともに、帝国軍の双璧とうたわれる用兵家であり、〝疾風ウォルフ〟の異名をえている。どちらかといえば小柄だが均整がとれてひきしまった機能的な身体は、体操選手を思わせる。ラインハルトより八歳、ミュラーより二歳の年長だが、本来、社会一般にはまだ青二才よばわりされる若さである。

「若い連中は元気があっていい」

　にもかかわらず、そう憎まれ口をたたくミッターマイヤーだった。彼は今回のフェザーン回廊通過作戦に従事する提督たちのなかでは最大の武勲の所有者であり、それだけに苦戦の経験も多く、より若い提督たちの大言壮語が、ときとして若さより幼さを暴露するものに思えるのである。

「私も若いですが、あれほどの元気はありませんよ」

　応じたミュラーの声に、彼らしからぬ皮肉のひびきがあった。彼らより若い軍人たちのあいだには、ときとして焦慮めいた感情のうごきがみられるのだった。野心家は安定より変化を、平和より乱世を好む。それが、栄達の速度をはやめ、しかもその幅を大きくすることを彼らは知っていた。ミッターマイヤーといい、ミュラーといい、生きた実例が彼らの眼前にあるのだ。

ローエングラム公ラインハルトの覇業が急速な完成をみようとする現在、若い彼らが武勲をたてる機会は加速度的に減少しつつある。すくなくとも、野心の壁で狭窄化された彼らの視野に、栄達へつうじる門は扉を閉ざしかけたように映るのだ。このような心理のおもむくところ、同僚や先輩は生死をともにする戦友というより、深刻な競争者としての色彩をおびてこざるをえない。とくにミュラーは、ミッターマイヤーやロイエンタールほどには声価を確立していないため、露骨な〝追いこし狙い〟の対象とされがちであったのだ。

「まあ、そんなことはおいて……同盟軍は、おそらく宇宙艦隊司令長官がみずから出馬してくるだろうな」

「アレクサンドル・ビュコック提督でしたな、たしか……」

「老練な男だ。卿とおれと、それにロイエンタールとビッテンフェルト……四人の軍歴をあわせても、あの老人ひとりにおよばない。呼吸する軍事博物館だな」

ミッターマイヤーは、尊敬に値する敵将にたいして賞賛をおしまない男だった。ミュラーはこの二歳年長の僚友を知ったときから、意識してその美点を見習おうとつとめているが、表現力のゆたかさでおよばないことを自覚している。

「話がはずんでいるようだな」

その声にふたりの提督は顔のむきを変え、恐縮の表情とともに一礼した。クリスタル・グラスを片手に、彼らの若い主君が立っている。

二、三、言葉をまじえたのち、ラインハルトは〝疾風ウォルフ〟に問いかけた。
「稀代の用兵巧者たる卿に、いまさら私から言うこともないが、同盟軍は窮鼠と化してわが軍を迎えるだろう。いかに対処するか、一応、卿の思うところを聞いておきたいが……」

空になったグラスが、若い帝国軍最高司令官の不敵な眼光を淡い虹色に映しだしていた。

「もし同盟軍に充分な兵力があり、人的あるいは物的な損害を意に介する必要がなければ、彼らはフェザーン回廊の同盟側の出口に縦深陣をしき、正面からの決戦を挑んでくるものと思われます。わが軍としてはそれに対抗する手段は中央突破しかありませんが、相応の損害と、なによりも時間の消費を覚悟せねばなりません。すると当然ながら、わが軍の後方を扼するフェザーンの動向が気になりますし、悪くすれば集中心を欠いて劣勢においこまれることもありましょう」

ミッターマイヤーの分析は的確で、表現は明晰であり、聞く者をうなずかせるのに充分な説得力を有していた。

「ですが、今回、この方法をとるには、同盟軍の兵力はすでにすくなくなっているはずです。一戦して敗れればあとはなく、彼らの首都にいたるまで、広大な領土が無防備にさらけだされることになりましょう。そうなれば彼らとしては、最初の戦いが最後になり、降伏以外に道はなくなります。正面決戦をしたくともやれないわけです」

ひと息ついて、ミッターマイヤーはつづける。

「そこで、彼らとしてはわが軍を深く領内へひきずりこみ、行動の限界点に達したところで補給路を途絶し、通信を妨害して各部隊を孤立させ、各個撃破をかけてくるでしょう。つまり三年ほど前のアムリッツァの会戦を、ほぼ攻守ところを変えて再現することになります。したがって、軍列をいたずらに長くすれば敵の思惑(おもわく)にのることになりましょう。ですが、小官としてはそこにこそわが軍の勝機があると考えます」

ミッターマイヤーが口を閉ざし、ラインハルトを見つめると、若い主君は、鋭敏さと優美さが絶妙に融合した笑顔をつくり、部下の能力にたいする満足の意を表した。

「卿の狙いは、双頭の蛇だな」

「御意(ぎょい)……」

ミッターマイヤーもまた主君の洞察力に賞賛の意をしめした。

「ミュラー提督はどう思う?」

ラインハルトが蒼氷色(アイス・ブルー)の瞳のむきをやや変えて問うと、帝国軍最年少の大将はかるく一礼した。

「ミッターマイヤー提督のお考えに、小官も賛同します。ただ、同盟軍の作戦行動が一糸も乱れないものにはなりえないかもしれません」

「敵の姿を見てその場で戦わないのは卑怯だ、などと考える近視眼の低能が、どこにもいるからな」

ラインハルトが架空の敵将を、そう冷笑してみせた。

「そうなれば吾々(われわれ)としては重畳(ちょうじょう)きわまりないことです。ずるずると彼らをひきずりこみ、戦略目的のないまま消耗戦においこめば、いやでも勝利の女神はとりすがってきます」

「だが、それでは興がなさすぎる」

　つぶやいたラインハルトの表情は、彼でなければ不遜きわまるものにみえたことであろう。かつてアスターテ星域において二倍の敵を撃滅し、アムリッツァ星域では兵員三〇〇〇万という自由惑星同盟空前の大軍を完敗せしめた戦争の天才だからこそ許される発言であった。無能な味方と同等に、あるいはそれ以上に、無能な敵を憎悪するラインハルトなのである。

「ぜひ敵に秩序ある行動をのぞみたいものだ……」

　そう言い残すと、ラインハルトはミッターマイヤーらの前を離れて、べつの談笑の輪へと歩みさった。

　ラインハルトの秘書官、マリーンドルフ伯爵令嬢ヒルダがワインの酔いを冷たいアップルジュースでさましていると、空のグラスをおきにきたトゥルナイゼン中将が、美貌と智略で知られる伯爵令嬢に機嫌のよい声をかけてきた。

「お嬢さん、後世の歴史家が羨望するでしょうな。このパーティーにまぎれこんで、歴史の証人になりたかったものだ、と……」

　昂然たる自負を若々しい顔にみなぎらせて、トゥルナイゼン中将が賛同をもとめるようにヒルダを見やった。ヒルダは、そうでしょうね、と答えはしたが、内心で肩をすくめないでもない。彼女はトゥルナイゼンが無能だとは思わないが、彼の言動がラインハルトを必要以上に意識していることに、いささかの危惧と苦笑を禁じえないのだ。ラインハルトは天才であり、天才は学習や模倣の対象としてはかならずしも適当ではない。学ぶならミュラーやワーレンの堅実さやねばりであるべきだと思うのだが、トゥルナイゼンはラインハルトの、余人にはない華麗な光彩の部分に目を奪われているように思われるのだった。

やがて年があらたまって二時間が経過すると、ウォルフガング・ミッターマイヤー上級大将がワイン・グラスをテーブルのひとつにおき、律動的な歩調で若い主君の前に歩みよった。

「では、閣下、お先に……」

ミッターマイヤーが敬礼した。ラインハルトはかるく片手をあげて答えた。

「武運を祈る。惑星ハイネセンで卿らと再会しよう」

ラインハルトの不敵な微笑に、〝疾風ウォルフ(ウォルフ・デア・シュトルム)〟も同様の表情で応じ、あらためて敬礼すると、黒と銀の制服につつまれた身体を、シャンデリアの光彩の外へはこんでいく。ドロイゼン、ビューロー、バイエルライン、ジンツァーら彼の麾下(きか)の将帥たちが、勇将の誉(ほまれ)高い上官のあとを追ってつぎつぎと退出していった。ついでナイトハルト・ミュラーが若い主君の前に立って出発の敬礼をほどこし、部下をしたがえて会場を立ちさった。

参列者の三割が姿を消すと、活発な談笑は木々の梢(こずえ)を鳴らす風がおさまるように沈静していった。ラインハルトも、おもだった提督たちとのいささか儀礼的な会話をすませると、広間の隅におかれた椅子のひとつに腰をおろし、長い脚をくんだ。

ラインハルトの心の平原を、一瞬、朔風(さくふう)めいた感情がよぎった。征服のための壮大な戦いを前に昂揚した心は、急速に減圧され、視野に映る光景は彩りを失いつつあった。

彼は不安を感じたのである。それは他人には説明することも納得させることもおそらくは不可能な心のうごきだった。ラインハルトは思ったのだ――フェザーンを占領し、自由惑星同盟(フリー・プラネッツ)を征服して全宇宙の覇者となったとして、そのあと、自分は、敵が存在しないという状態にたえうるだろうか。

ラインハルトがこの世に生をうけたとき、帝国と同盟とのあいだにまじえられた戦火は一三〇年、一一四万時間の長きにわたってつづいていた。ラインハルトは戦争をしか実感として知らなかった。彼にとって平和とは、戦いという厚いパンにはさまれたハムの薄い一片でしかなかった。だが、ラインハルトがあらゆる敵を打倒し、宇宙を統一し、あたらしい王朝を開いたあと、彼は知能と勇気をふるって戦うべき相手を失うのである。

戦い、勝利し、征服するために生まれ、生きつづけてきた黄金の髪の若者は、みずからがきずいた平和の重さと退屈さにたえる準備をしなくてはならないようであった。

だが――ラインハルトは不意に苦笑した。自分が先走りすぎたことに気づいたのである。まだ彼が勝つとはかぎらない。悲愴(ひそう)な弔歌(ちょうか)は、彼のためにこそ奏(かな)でられるかもしれないではないか。連戦して連勝しながら、ただ最後の一戦において敗れ、舞台から退場していった野心家たちの、いかに数多いことであろう。いまだ終わらぬ今日を無事にすごしたつもりで明日に目をむけ、彼らの轍(てつ)を踏むようなことがあってはならなかった。あの日、あのときから彼ひとりの生命ではなくなっているものを……。

午前四時、パーティーは解散し、人々は征服への戦いにそなえるため、それぞれの宿舎に足をむけた。その時刻、すでにウォルフガング・ミッターマイヤー上級大将の艦隊は、明けやらぬ天空の高みへむけて、フェザーンの中央宇宙港からつぎつぎと飛翔を開始している。〝疾風ウォルフ〟の、この年最初の任務は、後続の大軍のためにフェザーン回廊の同盟側出口を確保することにあった。

Ⅱ

いっぽうは征服することをのぞんでいたが、いっぽうは征服されることを願っていなかった。

宇宙暦七九九年の到来にたいして心からの祝杯をあげた自由惑星同盟の高官の数は、皆無ではないにしても、ごく少数であったろう。たいはんの者は、恐慌寸前の多忙さの渦中にたたきこまれ、新年の到来する瞬間を確認することすらかなわなかった。帝国軍がフェザーンを武力占領したという報道は、ひとたびは管制下におかれたものの、網をかけられた猛獣のように秘匿のヴェールを喰いやぶって人々に襲いかかり、たけだけしいエネルギーで同盟の情報系統を満杯にしてしまった。政府首脳部が、厚い壁にかこまれた会議場に青ざめた顔をならべて、報道管制を解除する時期について協議をはじめたころ、彼らの円卓から一キロも離れていない街角では、フェザーン方面から帰った宇宙船乗りたちが、大声で危機の到来をふれまわっていたのである。

有効な防御手段を見いだしえぬうちに、堤防は決潰し、マス・ヒステリーとパニックの濁流が公平に同盟全土をのみこんだ。かろうじて同盟政府の威信を救ったのは、報道管制期間中に自分や家族だけの逃亡をはかった高官がいなかったという事実である。もっとも、安全な地域の所在が明確であればそのかぎりではなかっただろう、というのが一般の風評で、同盟政府はまず当事者能力の点から失った市民の信頼を、モラルの面でもかならずしも回復しえなかったわけである。

そして市民たちは、感情のはけ口を政府当局にむけた。それ以外の場にむけようがなかったのである。

「なんとかしろ！」

と、彼らは対策をもとめて叫び、そのあとに、〝無能者〟とか〝給料どろぼう〟とかいったたぐいの罵声をつけくわえた。

当時の同盟政府は、〝華麗なる詭弁家〟ヨブ・トリューニヒト最高評議会議長の指導下にあった。彼は政治家としては少壮と呼ばれる年代で、すぐれた容姿と順風満帆の経歴を有し、女性層を中心に選挙民の人気もあり、軍需産業を背景としてゆたかな政治資金力を誇っていた。失点となるべき救国軍事会議のクーデターによっても、ほとんど傷をおわなかった。市民は、弁舌にふさわしい彼の華麗なる指導力に期待していたのだ。それが、口先だけで解決しえない状況が到来すると、直接的にも間接的にも、彼は〝愛する市民〟の前に姿をあらわさなくなり、政府報道官をつうじて、

「責任の重さを痛感する」
などと言うだけで、所在すら明確にせず、市民の疑惑を深刻につのらせていた。ヨブ・トリューニヒトとは、古典文明の当時から存在した、口先だけの煽動政治家であって、危急の事態に対処する能力など、じつはなかったのではないだろうか、と……。

もっとも、トリューニヒトを徹底的に嫌っているイゼルローン要塞司令官ヤン・ウェンリー大将は、市民たちとことなる見解を有していたことであろう。彼は、トリューニヒトにたいして、〝どんな状況にあっても傷つかない男〟という印象をいだいている。これはヤンの観察であって、過大あるいは過小な評価であるかもしれないのだが、さしあたりトリューニヒトが市民の短期的な期待にそむき、失望をかっていることは事実であった。それでもなお、トリューニヒトを政界の希望の星として紹介し、彼を賞賛することによって市民を惹きつけてきた商業ジャーナリズムは、〝議長ひとりの責任ではない、全市民の責任と自覚を必要とする〟という論法で、最高権力者を免罪し、責任を拡散することによってその所在を不明確にする方法をとった。批判の鋒先はむしろ〝政府にたいして協力の姿勢をかき、権利ばかりを主張する〟市民にむけられていた……。

国防委員長ウォルター・アイランズは、平和な時代にあってはヨブ・トリューニヒトの子分であったにすぎず、しかもかならずしも信任あつい同志と看なされてはいなかった。トリューニヒトが彼を国防委員長の座につけていたのは、独裁者の出現を危惧した同盟の先人たちが、評議会議長と各委員会委員長との兼職を例外なく禁止し、法によってきびしくそれをさだめたからである。だが、事実は、〝トリューニヒト委員長、アイランズ委員長代理〟との蔭口が証明するように、彼はトリューニヒトと事務部局および軍部との連絡役でしかなかった。独自の識見や政策をしめしたことなど一度もなく、トリューニヒトと軍需企業群とのあいだにかたくむすばれた利権のコンベアーベルトからわずかなおあまりをかすめとるだけの三流の政治業者と目され、彼自身もその評価に甘んじていたのである。

ところが、帝国軍のフェザーン侵攻以後、定着したかにみえたこの評価が、大規模な修正をしいられるにいたったのだ。

ヨブ・トリューニヒトが、後世から悪しざまにののしられる要因となった無責任さを発揮して、自分ひとりの楽園に埋没してしまうと、狼狽する同僚たちを叱咤して閣議をリードし、つぎつぎと政治上の措置をとって同盟政府の自壊を防いだのが、彼、ウォルター・アイランズだった。五〇代もなかばをすぎて、はじめて閣僚の座についた彼だが、難局にたって、一〇歳以上も若返ったかにみえた。背すじが伸び、皮膚に光沢がさし、歩調は力強く律動的になった――ひとたび失われた頭髪がよみがえることはなかったけれども。

「戦闘指揮は制服の専門家にまかせるとして、吾々が決断しなくてはならないことは、降伏か抗戦かということだ。つまり、国家のすすむべき方向を決定し、明示し、軍部を協力させなくてはならない。吾々がいたずらに混乱し、おうべき責任を回避すれば、事態は最前線の軍人のレベルで推移し、無益な流血のはてに無秩序な瓦解を招くだろう。それは同時に民主政治の自殺を意味する。絶対にさけねばならないのだ」

降伏を主張する者はひとりもいなかったので、国防委員長は議題をうつした。

「では抗戦するとして、同盟の全領土が焦土と化し、全国民が死滅するまで侵略軍と戦うのか。それとも、講和ないし和平を目的として、なるべく有利な条件がえられるための政治的環境をととのえる——その技術的な手段として武力を選択するのか。そのあたりを確認する必要があると思うが……」

他の閣僚たちは困惑の表情をつくって沈黙していたが、彼らの困惑の原因は、事態の深刻さよりもむしろ国防委員長の沈着さと明晰さが彼らの固定観念に非礼な直撃をあびせたことにあったであろう。つい先刻まで、〝伴食(ばんしょく)〟という辞書の項目の生きた実例であった国防委員長が、いまや正確きわまる洞察力と認識力によって事態を把握し、最善の解決へといたる最短の道を同僚たちに提示しようとしているのだ。それもきわめて格調高い弁舌を武器として。

平和な時代におけるアイランズの存在は、権力機構の薄よごれた底部にひそむ寄生虫でしかなかった。それが危機にのぞんだとき、彼の内部で死滅していたはずの民主主義政治家としての精神が、利権政治業者の灰のなかから力強くはばたいて立ちあがったのである。そして彼の名は、半世紀の惰眠(だみん)よりも半年間の覚醒によって後世に記憶されることになる。

七〇歳をすぎた同盟軍宇宙艦隊司令長官アレクサンドル・ビュコック大将はかなりの皮肉屋であり毒舌家であったが、だからといってその人柄から公正さがそこなわれているということはなかった。老提督は、国防委員長が政治家としてのみならず人間として保有するかぎりのエネルギーを短期間に燃焼しつくそうとしていることを悟り、協力をおしまなかった。彼はつい先日まで国防委員長の無気力と不見識をにがにがしく批判していたが、いまや気力にあふれたアイランズ委員長が親しく宇宙艦隊司令部をおとずれ、先日までの自己の態度を率直に自己批判したのである。そこまではビュコックも半信半疑だったが、国防委員長が、〝講和のための条件をととのえる〟ために軍部の協力を要請すると、識見のうえでも委員長はめざめたものと考えざるをえなかった。

話合いを終えて帰る委員長の後ろ姿を見送って、老提督はつぶやいた。

「国防委員長の守護天使が、突然、勤労意欲にめざめたらしいな。そうならないよりも、けっこうなことだて」

ビュコックの高級副官ファイフェル少佐は、上官の意見にかならずしも同意しなかった。彼にはむしろ腹だたしさがあるので、どうせならなぜもっと早く目がさめなかったのか、という、建設的でない不平を抑えきれない。

「言ってはならないことですが、私はときどき思いますよ。いっそ一昨年の救国軍事会議のクーデター、あれが成功していればよかったかもしれない、そうすれば国防体制の強化が効率的に実行されていたかもしれません」

「そして、帝国の専制主義と同盟の軍事独裁政権とが、宇宙の覇権を賭けて戦うのかね……？救いようがないと思わんか」

老提督の口調は、皮肉というには酸味が強すぎた。黒ベレーが老人の白髪をいちだんと白くみせていた。

「わしに誇りがあるとすれば、民主共和政において軍人であったということだ。わしは、帝国の非民主的な政治体制に対抗するという口実で、同盟の体制が非民主化することを容認する気はない。同盟は独裁国となって存続するより、民主国家として滅びるべきだろう」

少佐が身じろぎしたのを見て、老提督はいたずらっぽく笑った。

「わしはかなり過激なことを言っておるようだな。だが、実際、建国の理念と市民の生命とがまもられないなら、国家それじたいに生存すべき理由などありはせんのだよ。で、わしとしては、建国の理念、つまり民主政治と、市民の生命をまもるために戦おうと思っておるのさ」

アレクサンドル・ビュコックは、彼にとって唯一の制服組の上司である統合作戦本部長ドーソン大将のもとをおとずれ、顔色も食欲も失った状態にある小役人タイプの本部長を、なだめすかしたり激励したりして、本部の秩序と機能を回復させた。そして時間が許すかぎり精密な防衛作戦の準備をととのえにかかった。

同盟軍首脳部は兵力をかき集めた。それは、パエッタ提督の指揮する第一艦隊のほか、昨年以来緊急に編成されたいくつかの小艦隊、星間巡視隊（パトロール）や各星系警備隊（ガーズ）のなかの重装部隊などからなるもので、数だけは合計三万五〇〇〇隻に達した。建造後、試運転すらおこなわれていない新造艦艇、あるいはその逆に解体を予定されていた老朽艦もふくまれていたが、そのような艦艇でも連絡や陽動作戦における使用にはたえるとして、数のうちにいれられたのである。ビュコックは、第一艦隊に属しない二万隻の混成艦隊を二分して、第一四・第一五の両艦隊に再編し、前者の司令官にライオネル・モートン、後者の司令官にラルフ・カールセンを任命するよう統合作戦本部に具申し、少将であったふたりはこれによって中将に昇進することができた。もっとも、その代償として、彼らは無秩序かつ未熟な兵士と不充分な装備で、強大きわまる帝国軍と戦わねばならないのであったが。

　ビュコックは三名の艦隊司令官および宇宙艦隊総参謀長とともに、帝国軍を迎撃する作戦の立案をおこなった。出発は不吉であった。総参謀長オスマン中将が急性脳出血で倒れ、会議の場から軍病院へ直行するはめになったのである。不運な総参謀長はベッドのなかで更迭され、事務処理にあたっていたまだ三〇代の副参謀長チュン・ウー・チェンが昇格を命じられて会議室に駆けつけた。彼は三週間前に同盟軍士官学校戦略研究科の教授から転じたばかりで、英才ぞろいの教授たちのなかでも若い部類に属したが、風貌はというと、気楽なパン屋の二代目というところであった。二年前、〝救国軍事会議〟のクーデターに際して、首都を占拠したクーデター部隊の監視のなかを悠然と往来し、軟禁されたビュコックと面会までやってのけた。なにしろ、私服姿の彼がおんぼろの紙袋を小脇にかかえ、めずらしげに周囲を見まわしながら歩いていると、ちょっととろいおのぼりの民間人としかみられなかったのである。

　重要な会議の席についたチュン・ウー・チェンは、口のなかでなにやらあいさつしながら先輩たちに一礼したが、軍服の胸のポケットから食べかけのハム・サンドが恥ずかしそうに姿をみせたので、豪胆で鳴らす偉丈夫カールセン中将もおどろいた。彼の視線に気づいた新任の総参謀長は、相手の懸念をうちけすように悠然と笑ってみせた。

「ああ、気になさらないでください。多少時間がたったパンでも、ちょっと湯気にあてると、けっこうおいしく食べられるものです」

論点が完全にずれている、と、カールセンは思ったが、深く追及する気にもむろんなれず、巨体ごと議長席のビュコックにむきなおった。

結論は早々にでた。フェザーン回廊の出口で正面から侵攻軍に決戦を挑むのは不利であり、敵の行動線と補給線が限界に達するのを待ってその側背をつき、指揮系統・通信・補給を混乱させ、撤退させる——というのである。これは帝国軍首脳部が洞察したとおりの作戦だが、基本的な戦略としては、じつのところ、これ以外に存在しえないのである。短期間にフェザーン回廊の出口に大兵力を展開する余裕など現在の同盟軍にはないのだった。

「イゼルローン要塞にいるヤン・ウェンリー提督を呼びもどしてはいかがでしょうか」

食べかけのハム・サンドを胸ポケットからのぞかせたまま、新任の総参謀長チュン・ウー・チェンが提案すると、他の出席者たちは、提案の内容の重大さと、のんびりとすら聞こえる口調との落差におどろかされた。ビュコックは白い眉をあげることで、彼に提案の内容のくわしい説明をもとめた。

「ヤン提督の智略と、彼の艦隊の兵力とは、わが軍にとってきわめて貴重なものですが、このような状況下で彼をイゼルローンにとどめておくのは、焼きたてのパンを冷蔵庫のなかで堅くしてしまうようなものです」

このような比喩をもちいるものだから、新任の総参謀長は、〝パン屋の二代目〟などと評されるのだが、当人はすましてつづける。

「イゼルローン要塞は、回廊の両端にことなった軍事勢力が存在するときにこそ、無限の戦略的価値を有するのです。ところが、両端が同一の勢力にしめられてしまえば、イゼルローンは袋に封じこめられたも同様。敵にしてみれば難攻不落の要塞をわざわざ血を流して攻略せずとも、回廊の両端さえおさえておけば、戦わずして要塞を無力化できるのです。フェザーン回廊を敵が通過してきた以上、イゼルローン回廊のみを確保しておいても無意味ですよ」

「……それは貴官の言うとおりかもしれんが、ヤン提督はイゼルローンで帝国軍の別動隊と対峙している。うかつにうごける状態ではないぞ」

パエッタが気むずかしげに指摘したが、チュン・ウー・チェンは意に介しなかった。

「ヤン提督なら、なんとかするでしょう。彼がいなければ、純軍事的に吾々はきわめて不利です」

率直すぎる意見だが、反論する者は誰もいなかった。ヤン・ウェンリーの名は同盟軍にとって勝利の代名詞となっている。かつてヤンの上司であったパエッタなどは、アスターテ会戦においてヤンに自分自身と部隊の命運を救われたのである。

「どうにか講和にもちこんだとしても、どうせ帝国軍はその条件としてイゼルローン要塞の返還をもちだしてくるでしょう。とすれば、イゼルローンをそれまで堅守したところで、ヤン個人の武名があがるだけのこと、彼の智略も兵力も、同盟全体になんら益をもたらしません。わが軍に充分な兵力と時間があればともかく、そうではないのですから、彼には最大限に働いてもらわねばなりますまい」

「……彼に、イゼルローンを放棄するよう命令しろというわけかね」

「いえ、司令長官閣下、具体的な命令は必要ありません。ヤンに訓令すればよいのです。責任は宇宙艦隊司令部全体でとる、最善と信じる方策をとるように――とね。おそらくヤンはイゼルローン要塞をまもることにこだわらないでしょうよ」

大胆な提案をし終えたチュン・ウー・チェン氏は、やおら胸のポケットから食べかけのハム・サンドをとりだすと、無邪気な表情で、中断させられた昼食を再開したのだった。

Ⅲ

惑星ハイネセンにおいて最大の衝撃をうけた人々は、つい半年たらず前に〝銀河帝国正統政府〟の誕生を誇り高く宣言した亡命者の一群であったかもしれない。

帝都オーディンから〝脱出〟させた幼帝エルウィン・ヨーゼフを擁し、自由惑星同盟の武力を借りてラインハルト・フォン・ローエングラムの軍事独裁体制を打倒する。同盟との協約上、立憲体制に移行するのはやむをえないが、その形式下で旧貴族の支配権と特権を回復し、ことに亡命を余儀なくされた彼らがかつて失ったものを数倍にして奪回しなくてはならない。彼らの決意と打算には、それなりの根拠があったのだが、彼らが絵を描きあげないうちに、キャンバスが切り裂かれてしまったのである。夢多き画家たちは、呆然自失と周章狼狽のふたつの靴に両足をつっこんだまま、破滅へのダンスを乱舞することになった。

「絵具を砂糖水にとかして甘い絵を描こうとした無能者どもには当然の末路だ」

ひややかにそう考えたのは、〝正統政府〟から中佐の階級をあたえられたベルンハルト・フォン・シュナイダーであった。怜悧な彼は、希望的観測のみできずきあげられた亡命貴族たちの空中楼閣にたいして半グラムの幻想もいだいてはいなかったから、いまさら失望も絶望もしなかったが、高みから気楽に笑劇の見物を決めこむこともできなかった。彼の忠誠心の対象であるウィリバルト・ヨアヒム・フォン・メルカッツは、帝国から亡命したのち、客員提督の待遇をうけたが、現在は心ならずも〝正統政府〟の軍務尚書として、あらたな軍隊の編成をおこなっている。副官として彼を補佐する激務のあいだにも、シュナイダーは将来への思案をめぐらしていた。

帝国軍がフェザーン回廊から侵攻してくるとなれば、同盟軍の勝算はすくない。ヤン・ウェンリーの比類ない智略をもってしても、状況を五分五分にもちこめるかどうかというところであろう。そして、おそらくそれがシュナイダーにとっては最悪の結果を生じかねないのだ。

なぜなら、状況が五分にちかくなれば、それ以上の絶対的な勝利をのぞみえない同盟としては、休戦と講和をのぞむことになるであろうから。そして、講和の条件としては、かならず、〝正統政府〟の要人たちにたいする処罰がしめされるであろうからだ。講和はいずれ一時的なものにすぎないが、軍隊の再建のために時間が必要になれば、それをえるために同盟は講和し、国家エゴイズムのおもむくところ、〝正統政府〟を犠牲の羊とするだろう。七歳の幼帝エルウィン・ヨーゼフもまた羊の背にのって刑場へむかわざるをえないかもしれぬ。

不幸な幼帝のことを思うと、シュナイダーの胸はむろん傷む。みずからの意思を無視されて、おとなたちの政略や野心の小道具にされた七歳の幼児は、同情に値する存在である。だが、現在のシュナイダーには、幼帝の将来まで考慮する余裕はなかった。彼としては、至近に迫った政治的なサイクロンからメルカッツをまもることに能力のすべてを投入しなくてはならないのだ。まして、そのメルカッツが、自分ひとりの安全をまもることをいさぎよしとしない性格の所有者であるからには、シュナイダーは自分の内心をメルカッツに知られないよう配慮する必要もあるのだった。シュナイダーの表情は厳しさと鋭さをました。一日、鏡をのぞきこんだ青年士官は、帝国首都オーディンにあった当時、貴族の令嬢たちから「甘いハンサム」などと言われていたことを想いおこし、破産した老人が若き日の栄華をなつかしむのと似た心情で憮然としたのであった。

シュナイダーには、それでも自発的な責任と将来への展望があったが、大部分の者は、明日どころか今日なにをなすべきかさえ把握することができないでいた。正統政府の首班たるレムシャイド伯ヨッフェンですら、予測をこえた事態の展開に失った顔色を、幾日たてば回復しうるものか想像がつかなかった。レムシャイド伯にひきずられ、楽観の花園で午睡をむさぼっていた定見を欠く亡命貴族たちは、シュナイダーの冷笑まじりの観察の対象となる以上に、なんらの存在価値もなくなってしまった。

　幼帝エルウィン・ヨーゼフを帝国首都オーディンからつれだし、現在は正統政府軍務次官の職にあるランズベルク伯アルフレットは、幼帝とゴールデンバウム王家にたいして揺るがぬ忠誠心をいだいていたが、心情だけでなく頭脳もたぶんに韻文的な彼は、王家を守護するための具体的な方策を見いだしえず、心を傷めるだけであった。彼とともに帝都に潜入した経験を有するレオポルド・シューマッハもと大佐は、歴史的な存在意義を失ったゴールデンバウム王家にたいする感傷はすくなかったが、フェザーンに残してきた旧部下たちの安否を気づかって、平静ではいられなかった。彼らに共通しているのは無力感であって、そこから恐怖や不安の成分を除去すると、虚無の深淵が彼らの精神的な投身を待ちかまえているだけだった。

　新年早々、〝正統政府〟の閣議が開かれたが、七名の閣僚のうち財務尚書シェッツラー子爵と司法尚書ヘルダー子爵の両名は姿をみせず、五名の出席者のなかで宮内尚書ホージンガー男爵は酒の泉をまもるドラゴンのような息を吐いていた。彼はウイスキーの小瓶を片手につかみ、口と会議用円卓の上とを黙々と往復させており、軍務尚書メルカッツ〝元帥〟も重い沈黙をまもっていたため、亡命政権の将来にかんする討議は、首相兼国務尚書レムシャイド伯爵、内務尚書ラートブルフ男爵、内閣書記官長カルナップ男爵の三名のあいだでかわされた。無精卵をあたためるにも似た、真剣だが無益な討議は、宮内尚書のヒステリックな笑い声で中断させられた。怒りと非難の視線をそそがれたホージンガーは、青黒く変色した顔をむしろ誇示するように前につきだした。

「本音を言ったらどうかね、高潔なる愛国者、気高い忠臣諸君。あんたたちが心配しているのはゴールデンバウム王家の運命などではない、うかうかとローエングラム公に——金髪の孺子にさからってしまった自分たち自身の安全だ、と。金髪の孺子が勝利者としてこの惑星の土を踏んだとき、どうやって処罰をまぬがれるかだ、とね」

「ホージンガー男爵、卿はただ一度の泥酔行為で過去の名声をみずから汚すつもりか」

「私には傷つくような名声のもちあわせはないのでね、首相閣下。あなたとはちがう」

毒々しい笑い声とアルコールの臭気。

「だから、あなたたちが外聞をはばかって言えずにいることも声を大にして言えるわけだ。たとえば、ローエングラム公の歓心をかうため、幼い皇帝陛下を自分たちの手でローエングラム公につきだそう、とか……」

彼はわざとらしく口を閉ざし、無形のナイフで心臓を突き刺された同志たちの反応を興味深げに観察した。メルカッツでさえ、一瞬、平静さを失い、慄然として宮内尚書を見やった。円卓が乾いた音をたて、内務尚書ラートブルフが椅子を蹴たおして立ちあがる。

「この恥知らずの酔っぱらいが！　帝国貴族としての誇りはどこに失せた。いままでうけてきたかずかずの恩寵と栄誉を忘れて、わが身の安全だけを考えるとは、この……」

適当な罵声を考えつくことができず、ラートブルフは息をきらしてホージンガーをにらみつけ、周囲を見わたした。賛同者をもとめてのことであったが、首相兼国務尚書レムシャイド伯でさえ、厚い沈黙の茨を破ってでてこようとはしなかった。ラートブルフが怒号した相手は、泥酔したホージンガーではなく、自分自身の良心や羞恥心の下から鎌首をもたげかかっている醜悪な打算という怪物であることがわかりきっていたからである。

彼らの葛藤は小さなものではなかった。彼らが亡命政権に参加したのは、メルカッツをのぞいて、むろん打算の結果であり、その打算が失敗したとき、つぎの打算が心の舞台に登場してくるのは必然であった。それにしても、自分たちの安全のために幼帝をローエングラム公ラインハルトにひきわたすという考えは、強い誘惑と同時に、自己嫌悪をひきおこすに充分なものであった。その禁忌(タブー)をやぶるのにアルコールの強力な助勢が必要であったとすれば、むしろあわれですらある。

亡命政権の首脳たちの心理をいっそう複雑にしているのは、彼らの忠誠心の対象である幼帝エルウィン・ヨーゼフが、いっこうにシンパシイを刺激しない子供であるという事実であった。自我の抑制を学ばずに育ち、それを表現するのに暴力しか知らず、精神を安定させるよりどころをもたない七歳の子供は、状況の激変に動揺するおとなたちの目に、しばしば怪物じみて映るようになっていたのだ。忠誠心というものは、いわば鏡に映った自己陶酔であるから、〝鏡〟の役目をはたす主君には、美しい像を映しだしてほしいというのが、宮仕えする人間の願望であろう。エルウィン・ヨーゼフという鏡は、どう見てもでこぼこが多すぎた。むろん、それはおとなどもの勝手な意見であり、のぞんでもいない玉座につかされたすえにそこからもひきはがされた七歳の子供には責任のないことであった。形式上は彼を崇拝し敬愛したおとなたちの誰ひとりとして、幼い皇帝の人格形成に責任をもとうとはしなかったのである。

エルウィン・ヨーゼフは、もはや皇帝と呼ばれてしかるべき存在ですらなくなっていたかもしれない。一万光年余をへだてた銀河帝国の首都オーディンにおいては、すでに玉座の主が交替を宣告されていた。エルウィン・ヨーゼフが去ったあと、黄金と翡翠でつくられた玉座にすわったのは、歯もはえそろっていない女の乳児である。〝女帝〟カザリン・ケートヘン一世。銀河帝国の歴史上、最年少の皇帝であり、五世紀前にルドルフ大帝が開いたゴールデンバウム王朝の最後の君主となるであろう。エルウィン・ヨーゼフはすでに帝国の公式記録では〝廃帝〟と称される身であった。

　銀河帝国ローエングラム独裁体制と、自由惑星同盟とのあいだの政治的・軍事的なながれが、激流からさらに滝壺へと落下しつつあるとき、亡命貴族たちの心理も動揺せざるをえない。打算がまずくるのは事実だが、といってホージンガーが放言したように〝廃帝〟を仇敵たるローエングラム公にさしだして自己の保身をはかるという考えには抵抗があるのだった。衰微したとはいえ、彼らにはまだ羞恥心も自尊心もあったし、さらに言えば、それらの心理的障壁を排除して〝廃帝〟を敵にひきわたしたとしても、ローエングラム公が彼らを赦すという保証はどこにもなかった。むしろ、行為の背信性、卑劣さを責めて、重罰をかしてくることさえありうるのだ。

　では、いっそのこと、あくまでもエルウィン・ヨーゼフを主君とあおいで、侵攻軍の手をのがれ、いつかゴールデンバウム王家が復活する日が到来することを信じて、逃亡と流浪の生活を送るべきか。中世騎士物語を思わせるこの発想は、人々の本能的なロマンチシズムを刺激するものではあったが、現実性を考えれば容易なことではない。自由惑星同盟の政治的な保護もなく、フェザーン自治領(ラント)の資金力と組織力にも頼めず、みずからの軍事力もなきにひとしい状態で、つい先年まで敵地であった同盟領において逃亡生活をまっとうしうるはずはなかった。いかに予見力を欠く貴族たちでも、そこまで夢想的にはなりえなかった。

けっきょく、彼らの手のとどく範囲に出口はみつからなかった。効果などないのを知りつつも、レムシャイド伯はホージンガーに反省をもとめ、閣議を解散した。彼自身が疲労の極にあったのが最大の原因であった。

深刻で不毛な亡命貴族たちの会議は、その翌日も招集された。だが、議長席についたレムシャイド伯ヨッフェンが見いだしたのは、五つの空席と、黙然とひとり座す軍務尚書メルカッツの姿だけであった。レムシャイド伯は、自分がねずみに見離された老朽船であることを知った。

IV

状況が激変するなかで、ひとたび受動的な立場におかれると、人々は自分自身の運命を確定することさえ困難になる。たとえ、一方的な被害者の立場に甘んじることをいさぎよしとしない気骨を有していても、マクロの状況が個人レベルの気力や思慮をこえてうごいている以上、船の甲板上で逆方向へ走っているようなもので、いくら力走したところで陸地へ到着できるわけではない。

その無力感を血管いっぱいにみたしているひとりに、ボリス・コーネフという青年がいる。彼は自由惑星同盟（フリー・プラネッツ）の首都ハイネセンに駐在しているフェザーンの高等弁務官事務所に、書記官として勤める身だった。のぞんで官途（かんと）についたわけではなく、フェザーンの最高行政官である自治領主（ランデスヘル）アドリアン・ルビンスキーの命令によるものである。ボリス・コーネフはフェザーン人のなかでもとくに独立不羈（どくりつふき）の気風が強い独立商人で、彼の父も、さらにその父も、ただ一隻の商船に乗って宇宙を駆け、政治力や軍事力の干渉を排して自分の意思と才覚だけにたよる人生をつらぬいてきたのである。それはまたボリス自身の希望であり誇りであったから、彼の代にいたって官職などについたことは、自尊心を傷つけるのに充分であった。

ボリスは辞表をたたきつけて、無位無官の民間人にたちかえることを一日として思わぬ日はなかった。だが、その機を逸しているうち、故郷のフェザーンじたいが帝国軍によって占領されてしまい、自治領主ルビンスキーは消息を絶った。ボリスとしては、いまこそ地位など放擲（ほうてき）して行方をくらます好機であったはずだが、彼はうごかなかった。あきらかに不合理な感性の所産ながら、沈みかけた船を見捨てるのは彼の好むところではなかったのだ。

彼は故郷に〝ベリョースカ号〟という名の商船と、二〇人ほどの乗組員を残していた。彼らの安否が気づかわれたが、フェザーン方面との通信も航行も同盟軍の管制下におかれ、事実上、禁止されているからには、いかんともしがたかった。彼が愛船および部下たちと再会するには、状況のさらなる変化を必要とした。帝国軍がフェザーンから撤退するか、逆に帝国軍の乱入によって同盟軍が敗北し、その航路統制が解けるか、である。ボリスの目には、後者の可能性がいちじるしく高いようにみえたので、彼は一日も早くそのような事態が到来することを、信じてもいない神に祈りながら、もはや仕事もなくなりかけた弁務官事務所にいすわっている。

その年、宇宙暦(SE)七九九年、帝国暦四九〇年は、銀河帝国軍の行動した里程(りてい)が、歴史上に空前の数字を記した年となった。先年の末、フェザーンをはじめて侵した帝国軍は、そこを後方基地として、人類が居住するすべての宇宙を手中におさめようとしていた。現在のところ、施政の適切をえて、フェザーンの秩序は安定しているかにみえるが、帝国軍の占領が長期化し、物資の徴発がおこなわれれば、もともと自立志向の強いフェザーン人が不本意な立場に甘んじつづけてはいないであろう。

だが、さしあたりウォルフガング・ミッターマイヤーの責任と関心は、後方ではなく前方にあった。彼は麾下の勇将バイエルラインを最先頭にたてて、フェザーン回廊の出口における同盟軍の動向を探索させたが、報告は三日めにもたらされた。

「フェザーン回廊の出口に敵影なし」

バイエルライン中将からその報告がもたらされると、ミッターマイヤーは参謀長ディッケル中将をかえりみて微妙な表情をみせた。

「……さて、これで広間(ホール)まではとおしてもらえたわけだ。問題は食堂にたどりつけるかどうかだが、いざテーブルについても、だされるのは毒酒かもしれんな」

宇宙暦(SE)七九九年一月八日、同盟にとって招かれざる客人である帝国軍の第一陣は、フェザーン回廊を通過し、彼らがはじめて見る恒星と惑星の大海へと乗りだしたのである。

第二章　ヤン提督の箱舟隊

I

　自由惑星同盟軍（フリー・プラネッツ）のいっぽうの最前線イゼルローン要塞にも、あらたな年は公平に訪れてきた。ただし、軍人にせよ、居留民にせよ、オスカー・フォン・ロイエンタール上級大将に指揮される銀河帝国の大艦隊に攻囲されている現状では、たとえ新年の祝杯をあげたところで、こころよく酔う気分になれるはずもなかった。

　それでも彼らが、まったき絶望の深淵におちこむことを回避しえたのは、要塞司令官と駐留艦隊司令官を兼任する〝奇蹟（ミラクル）のヤン〟ことヤン・ウェンリー大将の存在に厚い信頼をよせていたからである。あらたな年に三二歳を迎える黒髪黒目の青年司令官は、士官学校を卒業して以来、外戦に内乱に武勲をかさね、敵手たる銀河帝国軍の提督たちからも同盟軍最高の智将と目されていたが、外見は、なかなか芽のでない若手の学者というところで、おさまりの悪い長めの黒い髪からしても、いっこうに秩序と階級をおもんじる軍人のようにはみえないのだった。

「世の中は、やってもだめなことばかり。どうせだめなら酒飲んで寝よか」

などという不謹慎きわまる鼻歌を、さすがに小声で歌いながら、危険と困難にサンドイッチされた新年をヤンは迎えたのだが、スクリーンに砲火の光芒を遠く見やりながら、彼が頬をゆるめたのは、帝国軍の通信妨害をかいくぐって首都からの訓令文がとどけられたときである。

「全責任は宇宙艦隊司令部がとる。貴官の判断によって最善と信ずる行動をとられたし。宇宙艦隊司令長官アレクサンドル・ビュコック」

訓令文を幾度かヤンは読みかえしたが、そのつど顔の筋肉細胞が春風をうけて歌声をあげるように微妙にうごめいた。わが意をえたのだ。

「もつべきものは話のわかる上司だな」

そう言ったあとで、不意に眉をしかめる。環境を整備されたからには、働かなくてはならないことに気づいたのである。これが〝断固としてイゼルローンを死守せよ〟などという単純かつ蒙昧な命令であれば、ヤンは攻囲軍の指揮官オスカー・フォン・ロイエンタールと戦術レベルでの知恵くらべに終始していればすむのだ。しかし、用兵権にかんしてフリーハンドをあたえられたからには、ヤンはビュコック司令長官の知遇にこたえて、眼前の戦場よりはるかに巨大な戦局全体を、自由惑星同盟に有利となるよう、みちびかねばならない。初対面の人はまず信じないだろうが、彼はドーソン大将とビュコック大将につぐ同盟軍制服組のナンバー3なのである。

「くえない親父さんだ……給料ぶん以上に働かせようっていうんだな」

つい先刻の賞賛を忘却の彼岸へおいやって、ヤンはそうぼやき、なにやら口のなかでつぶや

いた。傍にいたフレデリカ・グリーンヒル大尉の耳には、

「敵の戦艦一隻が年金いくらぶんになるか……」

と聴こえたが、あまりにも低次元なこの発言を、フレデリカはヤンの被保護者ユリアン・ミンツにしか語らなかったので、後世の歴史家のほとんどはその事実を知らない。彼らが知っているのは、ヤンが司令官専用のシートから立ちあがり、副官に幹部たちの招集を命令したことである。そして、会議室に集まった幹部たちにたいして、昼食のメニューを決めるよりあっさりした口調で言ったことである——

「イゼルローン要塞を放棄する」

と。


イゼルローン要塞の幹部たちは、おどろくことには充分な耐性があるはずだった。要塞事務監のアレックス・キャゼルヌ少将、参謀長のムライ少将、艦隊副司令官のフィッシャー少将、要塞防御指揮官のワルター・フォン・シェーンコップ少将、副参謀長のパトリチェフ准将、分艦隊司令官のダスティ・アッテンボロー少将。彼らはすべてヤン・ウェンリー司令官の智略と武勲の生証人であり、若い司令官が用兵学上の通念などというものを晴れた日の傘ていどにしか思っていない、と承知している。にもかかわらず、彼らは、コーヒーカップを受け皿にもどすとき、低からぬ音で驚愕のポルカをかなでずにいられなかった。

「なんとおっしゃったのですか、閣下?」

用兵学上の通念を厳寒期の毛皮コートのように思っているムライ少将が、ことさら低い声で確認した。キャゼルヌ少将とシェーンコップ少将が、すばやく視線を交差させる。いつもムライが先陣をきってくれるおかげで、キャゼルヌとシェーンコップは、ヤンの奇謀にたいする心がまえをつくる時間をあたえられるのである。

「イゼルローン要塞を放棄する」

おなじ語句と口調を、ヤンは正確にくりかえし、幕僚たちが彼の発言を咀嚼するあいだ、コーヒーカップからたちのぼる湯気にあごをくすぐらせていた。彼は紅茶党であり、本来なら彼の前にはティーカップがおかれるのだが、紅茶をいれる名人だったユリアン・ミンツが彼のもとを離れて以来、ヤンは圧倒的多数のコーヒー党にたいして非妥協的な姿勢をとる必要を感じなくなったようであった。とはいえ、せいぜい、がまんするていどの妥協ではあったが。

「閣下のご意向に異存はありませんが、できればいますこしご説明いただけませんか」

信頼と疑心の平衡点をもとめてムライ少将が注文すると、ヤンはうなずいて説明をはじめた。

イゼルローン要塞は長い回廊の中心に位置しているが、その戦略的意義は、回廊の両端にことなった軍事勢力が存在する、という点にある。これがもし、回廊の両端を同一勢力がしめることとなったらどうか。イゼルローンは袋のなかに封じこめられた小石も同様で、孤立を余儀なくされる。要塞じたいはもとより、そこに駐留する艦隊も、戦わずして無力化させられてしまう。それこそラインハルト・フォン・ローエングラム公爵が戦争の天才たるゆえんであり、戦術的には難攻不落であるイゼルローンの存在意義を、戦略レベルで消滅させてしまったのである。そうなれば、同盟軍がイゼルローンに固執するのは不必要なだけでなく愚劣のきわみであろう。せめて駐留艦隊の戦力だけでも、帝国軍の侵略にたいして活用しなくてはならないのだ。

「ですが、イゼルローンにこもって抗戦し、その戦果をもって帝国と和平の交渉にのぞむということはできませんか」

「そのときは、帝国側の講和の条件として、イゼルローン要塞返還の件がもちだされることうたがいないね。そして同盟としてはその条件をのまざるをえないだろう。けっきょくのところ、イゼルローンは失われる。だとすれば、その前にくれてやっても大差はないさ」

気前よさそうにヤンは言ったが、むろん彼としては帝国軍に無料(ただ)でくれてやる気はないだろう、と、幕僚たちは思った。

「しかし、ひとたび手にいれたものを、みすみす敵の手にひきわたすとは無念な話ではありませんか」

副参謀長パトリチェフ准将が、幅と厚みのある巨体を、なぜとはなく前後に揺らしながら一座を見わたした。

「……せっかく費用と人手をかけて要塞をつくりながら、他人にそれを奪われた帝国軍のほうが、よほど無念だったろうね」

さりげなくヤンは応じたが、三年前にイゼルローン要塞を帝国軍の手から奪取して、いまだラインハルト・フォン・ローエングラムの独裁下にはなかった帝国軍の将師たちに無念の昏をかませたのは、彼ヤン・ウェンリーなのである。本来、博愛主義者のような表情(かお)で論評する立場ではないはずだった。ワルター・フォン・シェーンコップ少将が皮肉っぽく苦笑したのは、当時ヤンの作戦に重要な役割をはたし、帝国軍の要塞司令官シュトックハウゼン大将にブラスターの銃口をつきつけたのが彼だったからである。

「それにしても、司令官、私どもがイゼルローンを放棄する際、帝国軍が手をこまねいて座視するとは思えませんが、どうやって彼らの攻撃に対処しますか」

「そうだな、帝国軍のロイエンタール提督に頼みこんでみようか。要塞はさしあげますから、どうかお縄は勘弁して女子供は見逃してください、とでもね」

できの悪い冗談だったので、幕僚たちは誰も笑わなかった。もっとも、多少できのよい冗談であっても、彼らが着こんだ緊張と危機感の甲冑をつらぬくのは困難であったろう。現在は小康状態にあるというものの、要塞前面には帝国軍の大艦隊が展開しており、司令官ロイエンタール上級大将の巧緻な作戦指揮のもとで、攻撃と休息をくりかえし、防御側の神経を切りきざんでやまない。ひとたびはシェーンコップの奇襲の刃がロイエンタールの身辺に迫ったが、以後、名将の誉(ほまれ)高い金銀妖瞳(ヘテロクロミア)の青年提督は、二度と隙をみせようとはしなかった。シェーンコップとしては、ロイエンタールの白兵戦技術と勇敢さにたいする賞賛の念はともかく、大魚を逸した無念さをおさえきれない。

ムライ少将は、なおもひきさがろうとしなかった。

「しかし、それにしても、心理的効果というやつがあるでしょう。ヤン提督が帝国軍に追われてイゼルローン要塞を放棄したとなれば、同盟市民のうける衝撃は大きいですぞ。戦わずして敗北感にさいなまれ、戦意を失うかもしれません。そうなれば後日の再戦など、とうていおぼつかなくなります。そのあたりを、ご一考ください」

　ムライの発言には一理あることをヤンは認めた。ただ正直なところ、そんな事態にまで責任はもてない、というのがヤンの本心である。彼は、みずからにゆだねられた一個艦隊だけで巨大な帝国軍と戦わねばならず、この際はその掌握と作戦行動に全能力をそそがねばならない。

　シェーンコップが、はじめて口を開いた。

「私も参謀長のご意見に賛同しますね。どうせなら、政府首脳（おえらがた）たちが血相変えて、イゼルローンなんぞ捨てて助けにこい、とわめきたててから腰をあげたほうがいいでしょう。恩知らずの連中だが、今度こそ閣下の存在がいかにありがたいものか、思い知るでしょうよ」

「それでは遅い。帝国軍にたいする勝機を失ってしまう」

　シェーンコップが眉を微妙な角度にうごかした。

「ほう、勝機⁉　すると、勝てると思ってはいらっしゃるのですか」

　イゼルローン要塞でなければ、このような発言が許容されることはなかったであろう。ヤンは部下の言論に寛容で、ときとして寛容すぎると同時代の上司や後世の歴史家から評されている。

「シェーンコップ少将の言いたいことはわかる。吾々は戦略的にきわめて不利な立場にあるし、戦術レベルでの勝利が戦略レベルでの敗北をつぐないえないというのは軍事上の常識だ。だが、今回、たったひとつ、逆転のトライを決める機会がある」

「それは……？」

ヤンの返答は、明敏なシェーンコップも理解に苦しむものだった。〝奇蹟のヤン〟はさりげない笑顔を一同にしめした。

「ローエングラム公は独身だ。そこがこの際はねらいさ」

Ⅱ

会議が解散するとヤンは副官を呼びとめた。

「グリーンヒル大尉、すぐ民間人の脱出に必要な措置をとってくれ。事態を想定したマニュアルがあるから、それにしたがってくれればいい……はずだが」

「はい、あとは閣下のご指示を待ちます」

フレデリカ・グリーンヒルは信頼の念をこめて明快に応じた。

「なにか大胆な作戦がおありなのでしょう、閣下？」

「うん、まあ、なるべく期待にそいたいと思っているけどね」

ヤンには大言壮語の趣味はない。とくに、〝必勝〟だの〝大戦果〟だのという軍国主義的な虚妄にみちた言葉を嫌悪することはなはだしかった。そんなものにたよって勝ったことは一度もないヤンであったのだ。

いっぽう、フレデリカには、上官を信頼するだけの充分な理由があった。彼女は一四歳のときエル・ファシル星域に母親とともにいて、帝国軍の攻撃におびえた経験がある。もっとも、よりおびえていたのは母親のほうで、まだ少女だったフレデリカは、ともすればパニックに襟首をつかまれる母親をはげましたりなだめたりするのに忙しく、同年輩の友人たちのようにヒステリーをおこす暇もなかった。そのとき民間人を脱出させる作戦の責任者だったのが、中尉に昇進したばかりのヤン・ウェンリーだった。フレデリカは、たよりなげに頭をかいてばかりいる二一歳の中尉に、サンドイッチをつくってやったり、コーヒーをいれてやったりしたものだ。おそるおそる作戦の成功の可能性について質問してもみたが、中尉は、「まあね」とか「なんとかね」とかなかば上の空で答えるばかりで、民間人たちの不安と不信感は増大するいっぽうだった。

「あれでも一所懸命にやってるのよ。なにもしない人たちがとやかく言う資格はないわ」

むきになって弁護するフレデリカが、おそらくヤンにとって唯一の味方だったはずである。ヤンが奇蹟ともいえる脱出作戦を成功させ、英雄としてたてまつられるようになって以後はそうではなかった。

「彼が無名のころから、私は彼の才能を信じていた」

と大声で合唱する人々を横目に、フレデリカは首都へ帰り、父ドワイトと再会し、母親の看病と士官学校受験の準備にはげむことになる。父親は娘の軍人志望を、父に影響されてのものと長いこと思っていた……。

過去のフレデリカは、ヤンを助けるのに、わずかなことしかなしえなかった。現在では彼女の能力と立場はいちじるしく強化され、彼女の存在がなければヤンの事務処理能力は半減してしまう。自分の存在意義の拡大はフレデリカにとってすくなからぬ喜びだったが、きわめて個人的な思いであるので、美貌と能力を兼備した副官は、けっして口外しなかった。

ワルター・フォン・シェーンコップをヤンが呼びかえしたのは、豪胆さと毒舌で知られる防御指揮官が、なにやらまだ言いたりぬようにみえたからである。シェーンコップは、とがりぎみのあごをなでながらヤンにたいすると、臆面(おくめん)もなく口を開いた。

「なに、私はこう思っただけです。惑星ハイネセンがもはや安泰でありえないと知ったとき、政府首脳部(おえらがた)はどうするだろう、とね。で、でてきた解答がこうです。連中は市民を見捨てて、自分や家族だけでハイネセンを脱出し、難攻不落のイゼルローンに逃げこむのではないか……」

ヤンは返答しなかったが、それは返答したくなかったからか、返答できなかったからか、自分自身でも不分明だった。ヤンは現在の自由惑星同盟(フリー・プラネッツ)において政治権力を濫用する高官たちに腹だたしい思いをいだいているが、それは同盟の政治体制である民主主義を否定しているからではない。その逆だからこそ、民主主義の精神を堕(お)としめるような権力者たちの愚行に腹がたつのである。だが、それにかんしての発言をみずから抑制せねばならない立場だった。

「市民をまもる義務があるのに、それを忘れて自分たちの安全のみ謀るような輩には、相応のむくいがあってしかるべきです。逃げこんできたところを一網打尽にして、ローエングラム公にくれてやってもよし、市民にたいする背信の罪を問うて、罰をくれてやってもいいでしょう。そのあとは、あなたが名実ともに頂点にたてばいい。イゼルローン共和国というのも、そう悪い考えではないように思えます」

シェーンコップは、どこまで本気か判断しがたいが、あきらかにヤンにたいして権力の掌握を使嗾していた。ヤンがうなずけば、彼みずから配下の〝薔薇の騎士〟連隊を指揮して、高官たちの逮捕にのりだすかもしれない。ヤンは口を開いたが、むろん直接の返答はさけた。

「私にとっては政治権力というやつは下水処理場のようなものさ。なければ社会上、こまる。だが、そこにすみついた者には腐臭がこびりつく。ちかづきたくもないね」

「ちかづきたくともちかづけない人間がいる。それと逆の人間も、まれにはいるものです。いまさら指摘するのも妙なものですが、あなたは好んで軍人になったわけでもないのですからね」

「軍人の延長線上にかならず独裁者がいるわけでもないと思うが、もしそうなら、いっそう早く、こんなろくでもない稼業から足を洗いたいね」

「独裁者を支持するのも民衆なら、反抗して自由と解放をもとめるのも民衆です。私はこの国へ亡命して、そろそろ三〇年にもなろうというのに、いまだに解答できない問題があるのです。つまり、民衆の多数が民主主義でなく独裁をのぞんだとしたら、そのパラドックスをどう整合させるのか、というやつですがね……」

ヤンは肩をすくめるのと同時並行して首をふってみせたので、若い司令官が奇妙なところで器用なことをシェーンコップは発見した。もっとも、意識的にやったのではあるまい。

「その疑問には、誰も解答できないだろうね。だけど……」

考えながら答えるヤンだった。

「人類が火を発見してから一〇〇万年、近代民主主義が成立してから二〇〇〇年たらずだ。結論をだすには早すぎると思う」

ヤンが歴史学者志望であったことは周知の事実だが、この言種(いいぐさ)はむしろ地質学者的だ、と、シェーンコップは思った。

「そんなことより……」

ヤンは話題を転じた。

「目前に急務があるわけだから、まずそれをかたづけよう。夕食の用意ができてもいないのに、明日の朝食について論じてもはじまらない」

「それにしても、食事の材料が相手の負担だからといって、返してやるのは気前がよすぎますな」

「必要なものを必要なあいだだけ借りた。必要がなくなったから返すだけのことさ」

「また必要になったら?」

「また借りるさ。そのあいだ、帝国にあずかってもらう。利子がつかないのが残念だが」

「要塞とか人妻とかいうものは、そう簡単に借りられないものですがね」

きわどい比喩を使って、シェーンコップは黒髪の青年司令官を苦笑させた。

「貸してくださいと頼めば、当然、拒絶されるだろうな」

「ひっかけるしかないでしょう」

「相手はロイエンタールだ。帝国軍の双璧のひとりだ。ひっかけがいがあるというものさ」

人の悪い口調をつくってはみせたが、シェーンコップのみるところ、ヤンの表情は、大軍を相手に策謀をねる智将というより、評判の悪い教師に悪戯(いたずら)をしかけてやろうとする学生のような印象であった。

Ⅲ

銀河帝国軍上級大将、イゼルローン方面軍総司令官オスカー・フォン・ロイエンタールは、旗艦トリスタンの艦橋で新年を迎えた。メイン・スクリーンには八〇万キロの虚空(こくう)をへだてて、イゼルローン要塞の銀色の球体が死者の眼球さながらに映しだされている。

ロイエンタールはダークブラウンの髪をもつ美男子だが、他者に強烈な印象をあたえるのは、左右の瞳の色がことなることである。右目は黒、左目は青のいわゆる〝金銀妖瞳(ヘテロクロミア)〟は、彼の人生をすくなからず左右してきた。彼が母親によって片目をえぐりだされようとしたのも、その母が自殺したのも、父親がアルコールにおぼれてなかば廃人となったのも、彼の金銀妖瞳が生みおとした無形の卵から孵化した奇形の雛だった。広大な邸宅の二階にこもった父親は、独身時代の勤勉さや実直さを放擲して酒神と同衾していたが、ときおり階段を踏み鳴らして一階へおりてきた。執事や乳母の制止をふりきって幼い息子の前に立つと、彼は赤く濁った目をむけて罵倒した——お前など生まれてこなければよかったのだ、誰もお前をのぞみはしなかった——と。

「お前は生まれてこなければよかったのだ」

それこそが、オスカー・フォン・ロイエンタールのなつかしむべき子守唄だった。彼自身、長いことそう思ってきた。生まれてくるべきではなかった、と。それが、どうせ生まれてきたなら可能なかぎり、というように変化したのはいつのころからであったろうか……。

現在、ロイエンタールの指令をうける立場の艦隊司令官が二名いる。コルネリアス・ルッツ大将と、ヘルムート・レンネンカンプ大将である。前者にくらべ、後者には、自分より年少の総司令官にたいする非協力的な態度が、このところ目につくようになっていた。最たる原因は、ロイエンタールが麾下の全兵力をあげてイゼルローン要塞を攻撃しようとしないことにある。レンネンカンプは口をきわめて、総攻撃の実行をもとめつづけた。

ロイエンタールは、レンネンカンプを無能者とは思わない。無能な人間がラインハルト・フォン・ローエングラムの帷幕に参加することは許されていないのだ。レンネンカンプには充分な戦術能力と指揮能力がある。ただし、その視野は多く眼前の戦場に限定されており、担当する戦域での戦術的勝利を最高の価値とするあまり、巨大な戦局全体を見わたすことができない。

「たんなる戦闘屋だ」

というのがロイエンタールの評価である。もっとも、ロイエンタールは自分自身にたいしても過大に高い評価をあたえているわけではなかった。勝敗とか優劣とかは相対的なもので、当事者だけの関係にとどまらず、周囲の条件や環境によって、どうにでも転ぶものだと思っている。

「力ずくの攻撃は無益だ」

ロイエンタールはレンネンカンプにそう説いた。

「力ずくで奪取できるものなら、イゼルローン要塞の所有者はこれまで五、六回は変わっていてよいはずだ。だが、唯一それをやってのけた者は、いまイゼルローンにいる、あのペテン師だけだ」

だからこそロイエンタールは、自分と対峙する黒髪の敵将に敬意をはらうのである。

レンネンカンプにも、主張の根拠がある。すでにミッターマイヤーらのフェザーン占領の報は、彼らのもとに達していた。このままイゼルローン回廊でヤン・ウェンリーとの実りなき対陣をつづけていれば、フェザーン方面の味方に武勲を独占されてしまう。せめてイゼルローン要塞だけでも奪回しなくては面目がたたぬ。三個艦隊の圧倒的な兵力をもって強襲に強襲をかさね、敵を身心ともに疲れさせ、開城にいたらせるという戦法ももちいるべきではないか……。

「おもしろい意見だが、もっとも激しく踊る者がもっとも激しく疲れると言うではないか」

ロイエンタールの口調に毒を感じたのであろう、レンネンカンプはあきらかに気分を害した表情で総司令官をにらんだ。ヤンはみずからイゼルローンを放棄する可能性がある、との総司令官の見解を彼は首肯しえなかったのだ。

「ロイエンタール提督のご意見には同意しかねる。要塞を放棄すれば利敵行為に問われることもありうる。そもそも武人であれば持場を死守して当然ではないか」

「死守したところで意味はあるまい。すでに帝国軍がフェザーン回廊から同盟領内へ進攻しようとしているのだ。イゼルローン回廊のみが軍事行動の対象であった時代には、要塞の存在に意味があった。だが、いまや時代は変わったのだ。要塞を固守するだけでは戦況になんら寄与しない」

それのみならず、要塞に駐留する艦隊をうごかしえないとあれば、同盟軍の戦力は大幅に削がれる。ただでさえ勝算の薄い同盟軍にとっては、この遊兵——実戦に参加しない兵力——の存在が致命傷になりかねない。これを兵力として生かすには、イゼルローンを離脱して行動の自由を確保するしかないのだ。

「そうヤンは考えているだろう。ヤン・ウェンリーの常識と卿の常識とでは、ファウル・ラインの角度に、いささかずれがあるようだな」

「同盟が亡びてもイゼルローンが不落であれば、ヤンの武人としての面目はたもたれるではないか」

「ああ、ヤンが卿ならそう思うだろうよ」

どう飾っても侮蔑の意は隠しえなかったので、思いきり冷然とロイエンタールは言いはなった。だから戦闘屋という奴はどしがたいのだ。目前の戦闘が、戦争全体のなかでどのような位置をしめ、どのような意義をもつか考えようともしない。

ラインハルトはフェザーン回廊通過という方法によって戦術レベルにおいて難攻不落であったイゼルローン要塞を、戦略レベルにおいて無力化してしまったのであり、ラインハルトが単純な軍人ではありえないゆえんがそこにこそあるのだ。だが、〝勝利は戦闘の結果〟という観念しか所有しえないレンネンカンプには、革命的なまでの状況の変化が、いまひとつ理解しえないのである。

なるほど、〝金髪の孺子〟が宇宙を支配できる道理だ……ロイエンタールは皮肉に首肯した。戦場の勇者は多いが、戦争それじたいをデザインしうる戦略構想家の、なんと希少なことであろう。

「……レンネンカンプ提督、できれば私も要塞に大攻勢をかけたいとは思うが、総司令官は否と言われる。したがうのが筋だろう」

コルネリアス・ルッツが、怒りの蒸気を噴きあげる僚友を見やりつつ仲裁に立った。ロイエンタールは金銀妖瞳から表情を消し、ふたりの提督にかるく一礼した。

「私も言いすぎたようだ。非礼はわびる。だが、いずれ熟した果実は落ちる。いま無理をすることはないと思うのだが……」

「では、イゼルローンにたいして攻撃をくわえるのをやめ、包囲するだけにとどめますか」

「いや、ルッツ提督、そうもいくまい。敵に時間をかせがせることになるからな。なにを考えているにせよ、準備に専念させてやることもなかろう」

「……つまり、いやがらせの攻撃をする、と？」

「露骨すぎるな、その表現は。あらゆる布石をおしまぬ、ということにしておこうか」

ロイエンタールとしては、ルッツのような男の戦意を内にこもらせないよう、政治的な配慮をも必要とするのだった。彼はもとから自己の部下は完全に掌握しているが、それでは一個艦隊の指揮官しかつとまらないのである。


ロイエンタールが開始した本格的な攻勢は、ヤン・ウェンリーを芯から閉口させた。ヤンとしては、ロイエンタールの猛攻に対応しつつ、脱出の準備をととのえねばならなかった。実務はキャゼルヌに一任してあったが、生活の場を奪われる民間人たちの、やりきれない怒りと不満をなだめるには、彼自身の説得が必要であった。彼がでていけば、どうにかおさまるのである。

「……急に忙しくなりやがった。超過勤務はおれの主義に反するんだがな」

要塞第一空戦隊長オリビエ・ポプラン少佐は、敵対する陣営の戦闘機パイロットたちから巨大な憎悪とやはり巨大な敬意をむけられている男だ。帝国軍のパイロットで彼の手にかかって宇宙の塵となった者の数は、一個中隊を構成するにたりるであろう。それも直接的にであって、彼の指揮する空戦隊の牙にかみ裂かれてはてた者は、その一〇倍にものぼるはずだった。三機の単座式戦闘艇スパルタニアンを一組として一機の敵に対させるという彼の戦法は、未熟練兵の指揮をまかせられた結果生みだされた、いわば苦肉の策であったのだが、個人技が横行した空戦の世界に、集団戦法をもちこんだ点で画期的なものであった。後世、彼は撃墜王として、空戦技術の一派の創始者として、また放蕩者として名を残しているが、そのうちどれを最高の名誉と思うかは当人にしかわからないことであろう。

たびかさなる出撃のあと、ようやく短時間の休息をえたポプランは、士官食堂で、初期の社会主義運動家さながらに叫んだ。

「ハイネセンにもどれたら、かならずパイロットの労働組合を結成してやるぞ。兵士の過重労働をなくすために生涯をかけてやるんだ。みていろ、管理者どもめ」

「お前さんは女に生涯をかけているのじゃなかったのか」

たいしておもしろくもないことを、おもしろくなさそうな表情で口にしたのは、第二空戦隊長のイワン・コーネフ少佐である。武勲と空中戦技においてポプランに匹敵する撃墜王だが、放蕩者と名の高いポプランとことなり、玄武岩でつくられたようにものがたい男である。ポプランが女と酒で陽気に騒いでいるあいだ、彼は辞書と見まごうほど厚いクロスワード・パズルの本を相手にしていた。いくらでも例のあることだが、性格の相反するこの両人は、当人たちが考えているよりはるかに歩調のそろったコンビなのだった。

Ⅳ

　翌日の戦闘は、前日のそれを苛烈さにおいてしのぐものとなった。帝国軍の攻撃は間断なく要塞に襲いかかり、防御指揮官シェーンコップ少将は対応においまくられた。砲塔に射撃要員を投入し、破損箇処に工兵隊を派遣し、砲火に砲火を応酬させる。睡眠も休息もとらずに報告と連絡と指示をつづけていたオペレーターたちは、ひとりが過労で倒れ、ひとりが声帯を麻痺させて声がでなくなり、交替を余儀なくされた。キャゼルヌ少将は民間人脱出の準備に、これも不眠不休にちかい状態だったが、彼のもとにおしかける民間人の代表団は、すべてヤンのところにまわして、非能率的な仕事を排したものである。

「どうか、市民の皆さん、ご安心を」

　ヤンは一見のほほんとした表情をしていたが、内心の困惑を隠すためには、そうするしかなかったのである。彼の戦略は、イゼルローン駐留艦隊を無傷にちかい状態におき、行動の自由を確保してこそ確立されるのであるから、ロイエンタールのような用兵巧者を相手に、戦闘じたいが目的化したかのごとき消耗戦で出血をしいられる事態は、彼の希望の対極に位置していると言えた。それにくわえてマス・ヒステリー寸前の民間人の群だ。

「ご心配なく、大丈夫です、かならずあなたがたを無事に安全な星域まで送りとどけてさしあげます」

不安と不満を訴える居留民の代表に、ヤンはそう約束したが、じつのところ彼自身が誰かに成功を保証してもらいたい心境であった。彼は無神論者というより不信心者だったので、会ったこともない神に自己と他人の命運をゆだねる気にもなれなかった。古来、人間の怒りのおよぼないところに正義が存在しなかったのと同様、人間の能力のおよばないところに成功は存在しないのである。それにしても軍民五〇〇万人の生命はヤンひとりで背負うには質量がありすぎた。

ロイエンタールのように明敏な男は、事態の本質を単純化して把握することができるはずだ。ヤンにとって選択の道は、イゼルローンにとどまるか、離脱するか、いずれかいっぽうでしかないことを彼は承知している。このときにあたって攻勢を強化することは、ヤンの離脱を妨害するか、ヤンとイゼルローン要塞の戦力を弱体化するか、いずれにしてもロイエンタールにとって不利にはならない。その有利さを存分に生かして攻撃する敵将に、ヤンは感嘆もするが、いまいましさも感じるのだった。

ヤン艦隊の中級指揮官たちは、自分自身と部下の欲求不満を制御するのに、すくなからぬ苦労をしいられた。ヤン・ウェンリー司令官が出撃命令をなかなかくださず、一度だけ下命したときでも、要塞主砲の射程外にでることを厳に禁じたからである。

出撃を指揮したダスティ・アッテンボロー少将は、苛烈な砲火の応酬につづいて接近戦をいどみ、要塞からの砲撃をたくみに味方につけて、帝国軍を主砲射程の外へたたきだした。だが、帝国軍にすれば、なかばは計算ずくの退却である。彼らの誘いにのって突出しようとする味方を、アッテンボローはかろうじて制したが、不平たらたらの中級指揮官たちにつきあげられ、帰投後に再出撃をヤンに願いでた。

ヤン・ウェンリーは士官学校の後輩に、一瞥をくれて、こう答えた。

「だめ！」

「子供がこづかいをほしがってるのじゃあるまいし、だめはないでしょう。兵士の士気にもかかわってきます。どうか再戦の許可をいただきたく存じます」

「とにかくだめ」

借金を申しこまれた守銭奴のような口調でヤンは拒絶した。アッテンボローは交渉の無益をさとり、不満げに退出せねばならなかった。

実際、ヤンとしては守銭奴の心境である。艦隊を無傷にたもち、戦力を維持することに、精神的エネルギーの大部分を消費せねばならず、損害を回避することに価値観をおく点で、思考が守銭奴的にならざるをえない。その自覚は、彼を、すくなからずなさけない気分にさせた。

彼にしてみると、〝奇蹟のヤン〟などという異名は迷惑もはなはだしいものだった。信頼ではなく過信の温床になりかねない危険性をはらんでいる。ヤン提督ならなんとかするだろう、と、兵士も民間人も信じているようだが、信じられるほうは誰をたよるわけにもいかない。ヤンは全能でもなければ万能でもなく、じつのところ本質的に勤勉ですらなかった。同盟軍の最前線の指揮官で彼ほど有給休暇を消化した者はいないし、彼の戦略も戦術も、〝なるべく楽をして勝つ〟ことを最大の命題として考案されていた。ヤンに言わせれば、人類が文明を発達させえたのは、楽をしたいという一心が好結果を生んだのであって、身心の酷使を是とするのは野蛮人でしかない、というのだが、ときとしては弁解にしか聞こえない主張ではあった。

ひとたびは退却したアッテンボローだが、やがて陣容を建てなおして、ふたたび陳情におよんだ。

「私にひとつ考えがあります。責任は私がとりますから、ぜひ再戦の許可を願います」

この種の申し出が、ヤンは好きではなかった。軍人、それも若くして巨大な武勲をたてた軍人であるにもかかわらず、ヤンは、軍国的な価値観、思考法、言動、表現のすべてを嫌悪した。後世、ヤンが〝矛盾の人〟とも呼ばれるゆえんである。

ヤンの表情に気づいたのは、傍にいた彼の副官フレデリカ・グリーンヒル大尉だった。彼女が小さくせきばらいしたので、アッテンボローも自分の言いようが司令官の不快感を刺激したことに気づき、すばやく表現法のチャンネルをきりかえた。

「かなり楽をして敵に勝てる方法を考えつきました。ためさせていただけませんか」

ヤンはアッテンボローを見つめ、視線を転じてフレデリカをながめやり、苦笑まじりに首をふると、くわしく説明するよう提案者をうながした。帝国軍の戦力を可能なかぎりそいでおくことは、長期的にみても不利益ではなかった。

二、三の修正をくわえて、ヤンがアッテンボローの作戦案を許可すると、若い分艦隊司令官は不謹慎なほど陽気な歩調でヤンの執務室をでていった。ヤンはひとつ吐息すると、金褐色の髪の美しい副官に不平を鳴らした。

「あまり悪い知恵をつけないでくれよ、大尉、それでなくてさえ面倒なことが多いんだから」

「はい、ですぎました、申しわけございません」

フレデリカの表情が、あきらかに笑いをこらえているので、ヤンもそれ以上の苦情を言えなくなった。そもそも、ヤンがフレデリカに苦情を言ったなどと聞けば、キャゼルヌ少将などは、

「逆だろう」

と決めつけることうたがいないところである。事実、〝面倒なこと〟のうちデスクワークに属するものは、ほとんどフレデリカの処理するところなのだから。

イゼルローン要塞より推定四〇〇隻の輸送船が発進し、その五倍にのぼる戦闘用艦艇がそれを警護しつつ自由惑星同盟領（フリー・プラネッツ）へとむかいつつあり――。

索敵（さくてき）主任士官から報告をうけたロイエンタールは、わずかに眉をよせて考えこみ、傍の幕僚をかえりみた。

「どう思う、ベルゲングリューン？」

金銀妖瞳（ヘテロクロミア）の青年司令官に問われた参謀長は、慎重に答えた。

「表面をみれば、要人（VIP）または非戦闘員が離脱を図（はか）っているものと思われます。現在の状況から、充分に考えられる事態ではありますが……」

「保留つきか。その理由は？」

「なにしろヤン・ウェンリーのことです。どのように巧妙な罠をしかけているやら」

ロイエンタールは笑った。

「ヤン・ウェンリーもたいしたものだ。歴戦の勇者をして影に恐怖せしむ、か」

「閣下！」

「怒るな。おれとて奴の詭計（トリック）がこわいのだ。むざむざイゼルローンを奪われたシュトックハウゼンの後継者になるのはぞっとしないしな」

ロイエンタールは自己の名誉をまもるのに虚勢を必要とすることのない男だった。実績と能力と自信とが、三本の支点となって、彼の冷静で正確な判断力を安定させている。罠にたいする警告が、彼の脳裏にシグナルを点滅させていたが、いっぽうで、そう思いこませて追撃をためらわせることこそ敵のもくろみではないか、とも思われるのだった。一流の将帥であっても、一流の将帥の作戦を完全に読むのは容易ではない。

あらたな報告がもたらされた。レンネンカンプが、要塞から離脱した敵を追って、艦隊をうごかしつつあるというのである。前後して、レンネンカンプ自身からの報告がとどくと、ロイエンタールは人の悪い微笑をひらめかせた。

「けっこうだ、奴にまかせるとしよう」

「ですが、レンネンカンプ提督に大魚を釣りあげられるということもありますぞ。あえて功をおゆずりになりますか」

ベルゲングリューンの発言には、忠告の意思が八割と、司令官の過信にたいする危惧が二割、微妙なカクテルをつくっていた。ロイエンタールはその味を確認するように数秒間の沈黙をもった。

「レンネンカンプにしてやられるくらいなら、ヤン・ウェンリーの智略の井戸もかれたということだな。だが、誰にとって不幸かは知らんが、まだ水脈がとだえたとも思えん。レンネンカンプの用兵ぶりを拝見し、かつ彼の手腕に期待しようではないか、ん？」

ベルゲングリューンは黙然と一礼して、長身をひるがえしたロイエンタールの後ろ姿を見送った。ベルゲングリューンは、かつて故ジークフリード・キルヒアイスの麾下であり、その後にロイエンタールのもとに転属となった身である。彼がつかえたふたりの提督の為人（ひととなり）がいかにことなるか、考えこむようにもみえる彼だった。

レンネンカンプは、たしかに練達（れんたつ）の指揮官であった。逃げる敵を直線的に追撃するような単純なことはせず、意図的に戦力を二分し、ゆるやかな曲線を描きつつ敵の前方にでて退路を遮断し、かつ後背を撃って、挟撃（きょうげき）しようとしたのだ。あざやかな包囲網が完成するかにみえたので、スクリーンを注視していたロイエンタールは、一瞬だが内心で舌打ちと感嘆を同時にしたほどである。

しかし、まさしく一瞬のことでしかなかった。同盟軍は巧妙な計算のもとに、レンネンカンプ艦隊の行動曲線を想定し、イゼルローン要塞の対空砲塔群の前面に帝国軍を誘いだしたのである。かつてこの作戦で痛撃をうけたナイトハルト・ミュラーであれば、二度はその策にはまらなかったであろうが、レンネンカンプはしたたかに教訓をたたきこまれることになった。光のシャワーをたたきつけられ、火球となって爆発し消失するレンネンカンプ艦隊の惨状は、すぐにロイエンタールの知るところとなった。

「見殺しにもできまい、援護せよ」

今度は帝国軍からイゼルローン要塞めがけて、光のシャワーが数万本もふりそそぐ。膨大なエネルギーが要塞外壁に音もなく衝突しては、貫通しえずに四散し、かがやく虹色の霧が直径六〇キロの巨大な人工球体をつつみこむ。外壁上をエネルギーの嵐が高速で奔り、砲塔や銃座が光と熱のただなかで砕け、破片は灼熱の雹となって外壁を乱打した。このため、レンネンカンプにたいする同盟軍の火力は減殺され、腸を食い破られた蛇のようにのたうちまわっていたレンネンカンプ艦隊は、なんとか秩序を回復しえた。

だが、同盟軍の辛辣きわまる交響曲――アッテンボロー作曲、ヤン編曲――は、まだすべての楽章を演奏し終えたわけではなかったのである。

レンネンカンプ艦隊のうち、逃亡する敵の前方にまわりこもうとした一隊はまだ無傷であったから、復讐の意思にたけりくるって、いっきょに敵艦隊への突入をはかった。砲門を開き、エネルギーの矛で乱打をあびせると、同盟軍は早くも潰乱の兆候をしめし、かたちばかりの反攻を無秩序にしめしたあと、潮におされる砂のように退却を開始した。

「ふん、同盟軍め、司令官の薫陶がいきとどいているとみえて、逃げるのを恥とも思わんようだ」
レンネンカンプは、本来、敵を過小評価する傾向がすくない男だったが、このとき彼の視線は、なかば総司令官たるロイエンタールにむけられていた。なんとしても、前半の失点を挽回して、ロイエンタールの冷笑をあびることを、レンネンカンプはさけたかったのである。
オスカー・フォン・ロイエンタールは、用兵家としての才能、指揮官としての力量において、批判される余地のない人物であり、部下からの信望も厚かったが、漁色家であり冷笑癖を有してもいることから、ときとして同僚たちの反感をかうことがある。もっとも、それほど根の深いものではないし、総参謀長たるパウル・フォン・オーベルシュタインがさらに嫌われているので、通常、ロイエンタールにたいする反感はそれほど目だたない。なによりも彼の武勲は、同僚たちに数目をおかれるにたりた。また、ジークフリード・キルヒアイスの死がラインハルトを呆然自失におとしいれたとき、提督たちの動揺を防ぎ、ラインハルト軍団崩壊の危機を逆用して独裁体制確立の転機となしえた功労者のひとりでもある。それだけに、後発者の目標にもされる身であり、先年、ヤンと戦って敗死したケンプも、競争意識ゆえに功をあせった節がある。そして、むろんレンネンカンプにもそれはあった。

　彼はするどい命令をくだして、うごきの鈍重な輸送船団に肉薄した。そして、「停船せよ。しからざれば攻撃す」との信号を放とうとした。

　その瞬間、不意に、炸裂する閃光が帝国軍将兵の視界を漂白した。スクリーンを注視していた者は、眼球そのものが炸裂したのではないか、との錯覚にとらえられた。

無防備に遺棄されたとみえた五〇〇隻の輸送船が同時に爆発したのである。閃光は急速に膨脹する塊となって帝国軍をのみこんだ。

　慣性の完全な制御に失敗した艦艇は、減速しながらもみずからエネルギーの濁流につっこんだ。急停止に成功した艦は、彼らほど迅速な対処能力をもたない後続の艦に追突されそうになり、狂乱する衝突回避システムに踊らされ、もつれあいつつ光と熱の淵に沈みこんだ。巨大な爆発のなかで、小規模の爆発が連鎖して生じ、生命体と非生命体とをわけへだてなく破壊しつくした。

「小細工をしおって……！」

　レンネンカンプは怒りのあまり口角に泡をためたが、その小細工にしてやられた身では、迫力を欠くことはなはだしかった。彼の旗艦はかろうじてエネルギーの噴火口から脱出したが、したがった艦艇は、それほど多くなかった。

　機を逸せず、アッテンボローは反転攻勢を指令した。士官学校でのヤンの後輩は、戦術眼においてたしかに非凡だった。彼の指令は、部下たちの熱狂的な闘争エネルギーを、きわめて効率的に解放したのである。

　ルッツ提督が急行して同盟軍に横撃をくわえるまでの短時間に、同盟軍は思うさま帝国軍を突きくずし、なぎはらい、たたきのめした。ヤンとロイエンタールとの一連の戦闘において、これほど一方的に勝敗が決した例はない。

　帝国軍は二〇〇〇隻余の艦艇を失い、二〇万をこす戦死者をだして敗退した。

V

面目を失って帰投してきたレンネンカンプにたいして、ロイエンタールは「それ見たことか」と表情で言ったものの、口にはださず、慰労の言葉すらかけて彼をひきさがらせた。それほど赤字の決算でもない、と、ロイエンタールは思っている。戦術レベルではたしかに一歩を譲ったが、あのような策を同盟軍が弄(ろう)したのは、実際に脱出するとき帝国軍の追撃の意志をにぶらせるための布石であろう。それでなくては意味がないのだ。たんなる戦術レベルの勝利に歓喜しているような輩なら、これほど対応に腐心(ふしん)する必要はない。

ロイエンタールの考えを聞くと、参謀長ベルゲングリューンは率直に反応した。

「では追撃の準備をいたしますか」

「追う?」

金銀妖瞳(ヘテロクロミア)が皮肉なかがやきを放った。

「なぜ追う必要があるのだ。奴の逃亡を見送れば、吾々(われわれ)は労せずしてイゼルローン要塞を手にいれることができるものを。それだけでも充分な勝利だとは思わんか、ベルゲングリューン」

へたに追撃すれば、巧妙な逆撃の餌食(えじき)となる可能性が高い。放置しておいても、ヤンは帝国軍本隊との戦いの場においこまれるのだ。行きたいとのぞむところに行かせてやってよいではないか。

「ですが、ヤン・ウェンリーに行動の自由を許せば、後日、わが帝国軍にとって、大いなる病の原因になりかねません」

ロイエンタールはかるく唇を曲げてみせた。

「病に対抗するには全員が共同であたるべきだ。わが艦隊だけが感染の危険をおかすことはないと思うが」

「ですが、閣下……」

「知っているか、ベルゲングリューン、こういう諺がある——野に獣がいなくなれば猟犬は無用になる、だから猟犬は獣を狩りつくすのをさける……」

司令官を見かえす参謀長の緑色の瞳に、理解と畏れの光彩が揺れた。発せられた声は低かった。

「……閣下、めったなことをおっしゃいますな。無益な誤解を招くことになりかねませんぞ。いや、誤解だけならともかく、讒言の原因になるかもしれません。どうか、ご自重ください。帝国軍屈指の名将たる閣下が、道をあやまられては、他への影響が大きすぎましょう」

「たしかに、卿の忠告は正しい。すこし口をつつしむとしようか」

素直にロイエンタールは言い、参謀長の忠告に謝意を表した。このような男がえがたい存在であることをロイエンタールは知っていた。

「お聞きいれくださってうれしく存じます。ところで、追撃はともかく、イゼルローン要塞進駐の準備はととのえておきたく思いますが」

「そうだな、早急にやってもらおう」

ロイエンタールはすでにイゼルローンの無血奪還を既定のものとしていた。


かつてヤン・ウェンリーは被保護者のユリアン・ミンツにむかって語ったことがある。

「戦略および戦術の最上なるものは、敵を喜ばせながら罠にかけることだろうね」

また、こうも言った。

「種をまいたあと、ぐっすり眠って、起きてみたら巨大な豆の木が天にむかってそびえていた、というのが最高だな」

ユリアンに語った策略の、その双方をヤンは実行しようとしているのだった。じつのところ、イゼルローン要塞から脱出——ポプラン少佐に言わせれば〝夜逃げ〟——することじたいは、奇策などというレベルのものではなく、駐留艦隊の兵力を活用するにはほかに方法がないのである。すべてをわがものに、というわけにいかない以上、二義的なものは切り捨てざるをえなかった。艦隊兵力活用と民間人の安全をとれば、軍事的ハードウェアとしてのイゼルローン要塞を棄てるのは、春に重いコートをぬぎすてるも同様のことで、感傷だけが問題になることであった。

軍民五〇〇万人の脱出作戦を事務面でリードしたキャゼルヌ少将は、文芸面での独創性などに重きをおかなかったから、作戦のコードネームに〝箱舟計画〟と命名し、ヤンを内心はなはだ落胆させたものである。いますこし想像の翼をはばたかせるようなネーミングがないものかと思うのだが、キャゼルヌに言わせると、実利のないことに頭を悩ませるくらいなら、老朽とはいえ五〇〇隻もの輸送船を破壊するような作戦をおこなったヤンとアッテンボローの浪費こそが問題視されるべきなのであった。

輸送船と病院船の収容力は、たしかに破綻をきたしたので、かなりの数の民間人が戦闘用艦艇への搭乗を余儀なくされ、人数配分がおこなわれた。

戦艦ユリシーズには、六〇〇人の乳児とその母親が、医師および看護婦とともに搭乗することになった。これはユリシーズがきわめて強力な守護天使にまもられた艦であり、幾多の戦闘にたえて無事に生き残ってきたことから、最大限の安全と保護を必要とする乳児たちの輸送にふさわしいと考えられたからである。もっとも、ユリシーズの乗組員(クルー)たちは、近来かなりひがみっぽくなっていたから、首脳部の説明を額面どおりにはうけとらなかった。艦長のニルソン中佐にしてからが、艦橋に数百ダースのおむつがつるされる光景を想像して意気消沈した。航法担当士官のフィールズ中尉が、女性のもっとも美しく見えるのは出産直後で、そのような女性が三個中隊分も乗りこんでくるのだ、と説いて士気を鼓舞しようと努めたが、うるわしき聖母像(マドンナ)よりも、けたたましい泣き声の大合唱のほうが、乗組員たちの想像力を刺激しやすく、中尉の激励もからまわりぎみだった。

軍民あわせて五〇〇万人——正確には五〇六万八二二四名——の男女を各艦船に完全収容するため、キャゼルヌと部下たちは数字を相手とした格闘をつづけていた。数字だけを相手とするようキャゼルヌが指示したのは、人情をからませると事態の収拾がつかなくなるからである。彼の家族——夫人とふたりの娘——にしてからが、イゼルローンを離れるのを好まなかった。無数の小さな悲喜劇の卵をローラーでおしつぶしながら作業は急速にすすんだ。

リンクス技術大佐の指揮する工兵部隊は、水素動力炉、中央指令室など要塞の各処に極低周波爆弾をセットしてまわった。このことは佐官以上の士官たちが知ることだったが、同時にヤンの極秘命令をうけてフレデリカ・グリーンヒル大尉が実行したある任務の存在を知る者は、極少数の人物に限定された。それこそ、ヤンが後日の要塞再奪還を期して打った布石であった。命令をうけたときフレデリカは驚きと喜びをおさえて確認した。

「爆発物を敵に発見させなくてはならない、ただし、容易に発見させてはいけない、というわけですのね。でないと真の罠が見破られると……」

「そういうことだ。つまりね、大尉、私としては最初から燃やすための人形を用意しておいて、真物(ほんもの)の罠から帝国軍の目をそらせたいのさ」

罠じたいは、ばかばかしくなるほど単純なものなのだが、効果を期待しうるのは、まさにその一点にあった。再三にわたってヤンはフレデリカに説明したものだ。

「むろん、要塞と、それを運営するシステムが無傷でないかぎり、この罠にはなんら価値がない。だから、寸前のところで人形に気づいてもらって、そこで油断してもらう必要があるんだ。これだけ大がかりなしかけのあとにはなにもあるまい、と思ってもらわないとね」

フレデリカは命令の内容を反芻(はんすう)し、その簡単さと、それが成功したときの効果の巨大さに感(かん)

歎せずにいられなかった。

「智謀だなんて、そんな上等なものじゃないさ。悪知恵だよ、これは。まあ、やられたほうはさぞ腹がたつだろうがね」

フレデリカの賛辞を、ヤンはかるくうけとめて答えた。

「……それに、罠をかけた結果がかならず生かされるとはかぎらない。吾々は二度とイゼルローンを必要としなくなるかもしれないしね」

一瞬、フレデリカはヘイゼルの瞳で青年司令官の横顔を凝視したが、ヤンは超越者の啓示をうけて預言をなしたわけでもなさそうであった。

「きっと役にたちますわ。イゼルローン要塞は私たちの……ヤン艦隊全員の家ですもの。いつか帰る日がきます。そのとき、かならず、閣下の布石が生きてきますわ」

ヤンは片方の掌で顔をなでた。どういう表情をしたらよいかわからないとき、彼はそうするのである。掌をおろすと黒髪の若い司令官はものなれない少年のような態度で言った。

「まあ、大尉、なにはともあれ今後ともよろしく」

フレデリカの知っているヤンはそういった人物だった。

VI

イゼルローン要塞から、膨大な数の艦船が離脱を開始した、との報告は、数カ所から同時にロイエンタールのもとに集中した。そのなかばは、たんなる報告にとどまらず、追撃命令がだされることを期待したものであった。左右の色がことなる瞳をもつ総司令官は、彼自身の指令がないかぎり、戦端を開くことを厳に禁じ、つい先日も、はやったあまりに自己の判断で攻撃を開始した一少将の階級を剝奪(はくだつ)し、自己の姿勢を全軍に周知させていたものである。

「追撃は無用だ」

ロイエンタールは断言した。

「同盟軍の奴らは、イゼルローン要塞をひっぱってはいけないのだ。まず要塞を占拠することをこそ目的とせよ」

やがて、追撃の可否をレンネンカンプ提督がはっきりと問うてきたが、司令官の返答はむろん否(ナイン)であった。

「追ったところで逆撃をこうむるのみだ。いまは行かせてやれ。避難する民間人に危害をくわえた者として歴史に名を残すのもいやだからな」

レンネンカンプがおとなしくひきさがったのは、功をあせったすえの先日の敗戦が、さすがに彼の闘争心を掣肘(せいちゅう)したためであるようだった。よろしい、今後はなにかとやりやすくなるだろう。ロイエンタールは満足の小さなうなずきをひとつした。

「ベルゲングリューン、要塞を完全に支配したあとでヤン・ウェンリーを追うのだ。だが、追いついて戦う必要はない。すくなくとも当分のあいだはな」

彼はそう参謀長に話しかけた。

「後方からついて行くだけでいいのだ。ヤン艦隊が案内役をしてくれる。だが、それは後日のことだ。さしあたり、彼らがわざわざ空城にしてくれたイゼルローンにのりこむとしようか」

最先陣を誰にゆだねるか、それはひとつの問題であったが、コルネリアス・ルッツが意見を具申してきた。ヤン・ウェンリーがイゼルローン要塞を放棄したのは事実としても、注意すべきはおきみやげの存在である。自分が思うに、要塞動力部に爆発物をしかけ、進駐してきた帝国軍をいっきょに殺戮するつもりではなかろうか。いま全艦が急行して要塞に接近するのは危険度が高すぎる。まず爆発物の専門家を派遣して調査させ、それが終了して安全の確認がなされたのちに進駐をおこなうべきではないか――。それが主旨であった。

「ルッツ提督の意見には聞くべき点がある」

ロイエンタールは一時、全艦隊を要塞前面から後退させ、シュムーデ技術大佐を長とする専門家グループに護衛をつけて、要塞に第一歩をしるさせた。

望外の栄誉を受けたシュムーデ大佐は、勇躍しかつ緊張してかつての敵陣にのりこみ、周到な調査のすえ、極低周波爆弾を発見してルッツの予測の正確さを証明するとともに、そのすべてを解体することに成功した。

「危機一髪でした。まったく巧妙に隠されていまして、発見があと五分遅れていれば、イゼルローン要塞は大爆発をおこしていたところです。当然、わが軍もそれにまきこまれ、かなりの損害をだしたことと思われます」

興奮をおさえきれないシュムーデ大佐の報告にうなずきながら、オスカー・フォン・ロイエンタールは金銀妖瞳(ヘテロクロミア)の奥深くで思考の糸車を回転させていた。あるいは、イゼルローン要塞を放置して、その傍を通過し、ヤン艦隊を後背から襲うという選択も採(と)れたかもしれぬ。だが、そうすれば、要塞の爆発によって混乱したところを逆撃され、苦杯をなめることになった可能性が大きい。やはり、現在はこのていどの成功で満足しておくべきであろう。それにしても、ヤン・ウェンリーのおきみやげはこれだけにとどまるのか。なにやらより辛辣なものが残されているような疑惑に、金銀妖瞳の提督はとらえられる。

「食えない男だからな。なにをたくらんでいるのやら……」

自分自身のことを棚にあげてヤンをそう評価するロイエンタールであった。

いっぽう、〝夜逃げ〟に成功したヤン・ウェンリーは、艦隊旗艦ヒューベリオンの艦橋上にあったが、メイン・スクリーンの中央に銀色の姿を浮かびあがらせたイゼルローン要塞から、気づかわしげな視線を離すことができなかった。万が一、まさかそのようなことがあるとは思えないが、帝国軍が極低周波爆弾の存在に気づかなかったとすれば、ヤンは要塞ひとつを消滅させるのみならず、無益に大量の人命をそこねることになるであろう。爆発の刻限がすぎてなお、イゼルローンの美しい肌にひび割れが生じないのを確認してヤンはようやく安堵することができた。

「やれやれ、気づいてくれたらしい」

ヤンは胸をなでおろしつつスクリーンの前を離れ、プライベート・ルームで仮眠をとるべく艦橋を去った。それに際して、スクリーンに映った白銀の球体に一礼したのが、彼としては、利用するばかりの相手にしめした一片の謝意のあらわれであった。

「さらば、イゼルローン。おれがもどってくるまで浮気するなよ。お前はほんとうに虚空の女王だ。お前ほど佳い女はいなかった」

オリビエ・ポプラン少佐が、彼らしい表現をつかって要塞との別離をおしんだ。彼の傍で、シェーンコップ少将が黙然としてポケットウイスキーの瓶を目の高さにかかげた。ムライが端然として敬礼をほどこし、フレデリカとキャゼルヌ少将もそれにならった。各人が各人の想いをこめて、二年余の月日をすごした宇宙要塞に別れを告げた。彼らのうちの幾人かは、後日、ふたたびイゼルローンの人工の大地を踏むことになる。

このとき、帝国軍に再占拠されたイゼルローン要塞では、ささやかな幕間狂言が発生していた。経理担当の古参士官のひとりが、遺棄された同盟軍の補給物資の一部を公式記録にとどめず、私物化しようとしていたのが発覚したのである。憲兵が調査すると、同種の旧悪がつぎつぎと暴露された。この種の小悪党を嫌悪するロイエンタールは、軍律をただす意味もあって、即決の軍法会議で死刑を宣告し、みずからそれを執行した。士官は処刑場にひきだされるまでヒステリックにわめきたてて慈悲を願ったが、無益とさとると、開きなおって弾劾をはじめた。

「世の中は不公平だ。戦争で何万人殺そうとも、都市を破壊しようとも、勝ちさえすれば提督だの元帥だのと称号をうけて勲章ももらえる。それがわずかの物資を横領しただけで極悪人あつかいとは」

「この期におよんで泣き言か。聞き苦しいぞ」

「理屈にあわぬと言っているのだ。ローエングラム公も英雄とか天才とか言われるが、つまるところ国を奪おうとする悪党ではないか。それにくらべれば、おれの罪など小さなものだ」

「ならばお前も国を奪ってみろ」

端整な眉を微動すらさせず、ロイエンタールはブラスターの引金をしぼって、士官の脳髄を撃ちぬいた。処刑の場に立ちあった幕僚たちは粛然として声がなかった。

つい先刻までヤン・ウェンリーが使用していた司令官執務室にロイエンタールがひきとると、技術士官が報告書をとどけにきた。帝国軍の再支配のソフトウェアが確立されるまでには、報告書の小さからざる山がつくられるに相違なかった。戦術用コンピューターの情報がすべて消去され、帝国軍の有する資料を最初からインプットしなおさなくてはならない、との報告は、いささかも意外なものではなかった。要塞奪還後の事務的な処理は、ロイエンタールにとっては義務以上のものではなく、彼の関心は今後の戦略的状況にあるのだった。

将来のことはこの際、思案するにおよばないであろう。ヤン・ウェンリーがどのような奇略詭計を弄してイゼルローン要塞を再奪還しようとも、それにしてやられる三枚目の役割が彼オスカー・フォン・ロイエンタールにまわってくるのでもないかぎり、意に介する必要はない。ロイエンタールはそう見切っていた。だいいち、ヤン・ウェンリーに、今後イゼルローン要塞を再奪還する機会があたえられるとはかぎらないのだ。自分の手のとどかぬところに思いをはせるより、手のとどく範囲のものを自在にうごかすことを考えるべきであろう。

「帝国首都（オーディン）に連絡せよ。吾、イゼルローン要塞を奪還せり、とな」

　譲られた要塞なら悪びれずうけとっておくさ――そう思いながら、ロイエンタールは通信士官に命令したのである。こうして一月一九日、イゼルローン要塞は帝国軍の手にもどった。ほぼ二年半ぶりのことである。

第三章　自由の宇宙(そら)を求めて

I

　この年、宇宙暦(SE)七九九年にユリアン・ミンツは一七歳を迎えるのだが、彼もまた焦慮のうちに去る年を見送ったひとりだった。

　いわゆる〝トラバース法〟によってヤン・ウェンリーの被保護者となったのが一二歳のときである。当時大佐だったヤンは大将に昇進し、ユリアン自身はたぶんに周囲の思惑がらみで軍属から軍人となり少尉の階級をえた。その代償はヤンのもとを離れ駐在武官としてフェザーン自治領(ラント)へ赴任することだったのだが、イゼルローン要塞から同盟首都ハイネセンへ、さらにフェザーンへといたる旅程は一万光年にちかい数値をしめしたのだった。

　多くの親愛な人々と別れ、ようやく赴任したフェザーンの地も、半年にみたぬあわただしいかりの生活の場となったにすぎない。ユリアンの心をひきとめるにたるものは、この地には存在しなかったようである。

「フェザーン美人を恋人にしてつれてこい」

とポプラン少佐などはけしかけたが、恋人をつくる余裕などなかった。ポプランの情熱の一〇分の一でもあれば、まず余裕づくりからはじめたかもしれないが……。

「来て、見て、なすことなく去った、か……」

遠い遠い昔の、挫折した英雄の台詞を、ユリアンは脚色してつぶやいた。

一七歳を迎えようとして、ユリアンの身長は一七六センチに達し、ついに保護者であるヤンとならんでしまった。身長だけだ、と、ユリアンは思う。ほかのことはなにひとつヤンの影を踏むことすらかなわない身であることを、亜麻色の髪の少年は自覚していた。学ぶべきことの、なんと数多いことか。まだまだ自分はヤン提督のもとを離れることはできない。戦略を教わり、戦術を教わり、歴史を教わり、教わったことを生かす道をみずからの足で歩みうるようになるまで、自分はヤン提督のもとにいるべきなのだ。

帝国軍の占領下におかれた惑星フェザーンの裏街の隠れ家で、ユリアンは、額に落ちかかる亜麻色のやや癖のある髪を片手でかきあげた。端整な、だがそれ以上にみずみずしさが印象となって残る顔だちは、ほとんどの女性の審美眼にたえるものだった。もっとも、当人はそのようなことを意に介していなかった。彼の誇りは、目下のところ、ヤン・ウェンリーから用兵学を、ワルター・フォン・シェーンコップから射撃と白兵戦技を、オリビエ・ポプランから空戦技術を、それぞれ学んで、かなりの成績をあげている点にあるであろう。

「まだ出発は不可能だろうか」

隠れ家を訪ねてきたマリネスクに、ユリアンはそう質問した。脱出のための宇宙船や航宙士を斡旋してくれたマリネスクは、ベリョースカという独立商船の事務長であり、現在、同盟首都ハイネセンで髀肉の嘆をかこっているボリス・コーネフの腹心であった。まだ三〇代なのだが、頭髪は薄く、身体はたるみ、両眼だけが若々しく活力に富んでいる。

「もうすこしの辛抱です。あせらないでください……おや、たしか昨日もおなじことを申しあげましたな」

マリネスクの笑顔に皮肉やいやみの成分はふくまれていなかったが、自分の焦慮や不安にたいして自覚があるユリアンは、赤面せずにいられない。マリネスクはこれまでも説明の労をおしむことはなかった。現在、帝国軍はフェザーン回廊を民間船が通行するのを認めていないこと。無理をしてフェザーンから脱出をはかってもかならず帝国軍に捕捉されるであろうこと。しかし帝国軍としてはフェザーンの民心を敵にまわすことを回避するため、軍事行動が一段落した時点で民間船の通行を許可するであろうこと。ひとたびそうなれば、多数の民間船をことごとく臨検するのは占領部隊の人的資源の面から不可能であり、脱出は容易になるであろうこと――それらを順序だてて教えてくれたのである。

彼の予測と判断は、大いなる説得力をもってユリアンにせまったが、それを是とするいっぽうで、彼は心に棲む飛鳥のはばたきを制するのに苦労しなくてはならなかった。帰巣本能に似たものが、少年をかりたてているのだ。ユリアンの足は、すくなくともフェザーンの地表を踏みしめるためにはつくられていないようであった。

「それにしても、いつまで待てばいいのだ」

不平の念を固形化したような声が、ヘンスロー弁務官の口から転がりでた。とある大企業のオーナーでありながら、商才と器量の欠如から重役たちに見離され、同盟政府の名誉職をあたえられて体よく国外へ配流にされた人物である。同盟政府が外交の重要さにたいしてもっと真摯であれば、このていどの男がフェザーンに送りこまれるはずはなく、いわば衰弱した民主主義のささやかな象徴が彼であった。

「いつまで？　安全に出発できるときまでですよ、決まりきったことでしょう」

マリネスクは、ユリアンにたいしてはきちんと敬意をはらうのだが、ヘンスローにたいしては頭も腰もいたって高くなるのだった。

「吾々はすでに宇宙船の料金をはらっているのだぞ」

しかもその料金は自分がだしたのだ、とまではヘンスローは言わなかったが、それは彼なりの品性が許さなかったからであろうか。

「料金だけのことはしますよ。そう大きな態度をとらないでいただきたいですな。そもそも、客室の名義はユリアン・ミンツ氏になっていて、あなたは付録なんですから」

「料金をはらったのは私だぞ！」

品性を心のグラウンドからたちまち場外においだして、ヘンスロー弁務官はどなったが、マリネスクには半グラムの感銘すらあたえることができなかった。

「はらってくださったのはミンツ少尉ですよ。あなたは少尉に金銭を貸したかもしれませんが、それは少尉とあなたとのあいだのことで、私の知るところではありませんな」

どうやらマリネスクがヘンスローを遊び道具にしているらしい一面を察知したのは、当人ではなく、傍で問答を聞いていたルイ・マシュンゴ准尉だった。牡牛を思わせる雄大な体格の黒人は、さりげなく、険悪化しかけた空気のなかに中和剤を放りこんだ。

「マリネスクさん、あなたがはいっていらしたときのようすでは、なにやらよいおみやげがあるように思えたのですがね、ちがいますかな」

彼の配慮は、好ましい感応によってむくわれた。マリネスクは弁務官との心洗われない会話をうちきって、黒い巨人にむきなおった。

「なかなかいい目をしておいでですな、准尉、じつはこれをおとどけにあがったのです。どなたも目的を訊ねてくださらないのでね」

ベリョースカ号事務長が服の内ポケットからひきだした手のなかには、三枚の公認通行証があった。

Ⅱ

ユリアン・ミンツはパン屋の大きな紙袋を手に街路を歩いていた。市街地の状況を肌で知るために、一日一度は隠れ家の外へでるようにしているのだ。現在のところ、街角に立つ帝国軍兵士の猜疑をかったことはない。ヤンとはことなった意味で、ユリアンもなかなか軍人にはみえなかった。むしろ同年齢の少女たちの関心をひいてしまうのだが、それはそれで気苦労の種になった。意外な視線と興味がユリアンの正体をさぐりだすかもしれないのだ。

　ユリアンは不意に立ちつくした。衝撃が、彼の足首をつかんだのだ。彼はダークブラウンの瞳から緊張と探求心に富んだ視線を周囲に投じた。彼をおどろかせるようなものはなにもみえなかった。ユリアンは、ひとたびときかけた緊張の網をしぼった。わかったのだ。

　衝撃の原因は聴覚のなかにあった。市民たちの会話のなかに存在する固有名詞が、ユリアンの意識に傍若無人な平手打ち(スパンク)をくわえたのだ。ローエングラム公。ラインハルト・フォン・ローエングラム公爵！　その固有名詞はほかの語句をともなっていた。とおりかかる――もうすぐこの街路をとおりかかる。銀河帝国宰相にして銀河帝国軍最高司令官、帝国元帥たるラインハルト・フォン・ローエングラム公爵が、もうすぐこの街路をとおりかかる、と、人々がそう語りあっているのだ！

　自分の右手が腰の付近で微妙な泳ぎをみせているのに、ユリアンは気がついた。痛烈な後悔の念が胸部を斜めにつらぬいた。帝国軍の検問の可能性を考慮して、ブラスターは隠れ家に残してきたのだ。あれが手もとにあれば、自由惑星同盟(フリー・プラネッツ)にとって生きた災厄とも言うべき金髪の若者の死命を制することができたのに、なんという不覚であろう。時を遡行(そこう)することがかなうなら、マシュンゴ准尉が心配しても、かならずブラスターを身につけてきたであろうに……。

　ユリアンは目を閉じ、大きな呼吸とともに、激情の塊を体外に吐きだした。無益な空想に身心をゆだねる愚劣さの淵から、彼はかろうじて身をひいた。念ずれば掌中にブラスターが湧いてでるわけではない。それに、ヤン提督が彼に教えてくれたことがあったではないか、「テロリズムと神秘主義が歴史を建設的な方向へうごかしたことはない」と。ユリアンは、軍人になりたいと幼少のころから思いつづけてきたが、テロリストたるをのぞんだことは一度もなかった。ラインハルト・フォン・ローエングラム公、あの金髪の独裁者を打倒するには、テロによるのではなく、正々堂々たる戦いによらなくてはならない。現在、彼の手にブラスターがないことこそ、おそらくはのぞましいのだ。

自分はテロとはことなる機会をあたえられたのだ、と、ユリアンは考えた。いまだ彼はラインハルト・フォン・ローエングラムの姿を肉眼でみた経験がなかった。その卓絶した美貌は、立体映像や通信映像によって知るだけだったのだ。ヤン提督さえそうなのだ。それを、いま、彼の眼前を生身の独裁者がとおるという。つい先刻より、自覚的だがいっそう強烈な欲求にかられて、ユリアンは群衆の小さな海を泳ぎだした。

車道と歩道との境界に、呼吸する障壁がつくられていた。筋骨たくましい警備の兵士たち、制服をまとった忠誠心の列が、ゆるやかに前後する群衆の波をおしかえしている。だが、まもられる者の地位と権力からすれば、これでもなお過小な警備ぶりであるのにちがいなかった。ユリアンはようやく最前列に達し、みだれて額におちかかる豊かな髪を無造作に掌でかきあげながら、若い独裁者を待った。

地上車（ランド・カー）の列が車道をすべってきた。最初の一台は機動装甲車だが、後続はいずれも非戦闘用の高級車で、しかし単独で走行していれば何気なくみすごすていどのものである。ローエングラム公はおよそ過度の華美を好まないとユリアンは聞いているが、それは事実であるようだった。その点にかんするかぎり、ユリアンはまだ見ぬ若い独裁者に好感をいだいた。

高官の乗った地上車（ランド・カー）が群衆の前を通過していく。ユリアンは目をこらしたが、視界にとらえたのは、半白の頭髪と、血の気の薄い鋭角的な顔であった。両眼から放たれる光は無機的な質感を有し、表情は冷厳をきわめている。ユリアンはその印象を案内人として記憶の図書館を歩き、〝帝国宇宙艦隊総参謀長オーベルシュタイン上級大将〟の棚の前で立ちどまった。だが、その記憶を精密に反芻する余裕はなかった。つぎの地上車（ランド・カー）がユリアンの眼前にあらわれたからである。後部座席に豪奢な黄金の髪を認めたとき、ユリアンの心臓は勢いよくタップダンスを踊った。

あれがローエングラム公爵か。ユリアンは視覚的記憶力の全能をあげて、若い独裁者の秀麗な顔を脳裏と網膜に刻印した。だが、たちどころに彼は理解したのだ。ラインハルト・フォン・ローエングラムの顔は、忘却しさるほうがはるかに困難なのだ、ということを。それは目鼻の造作において非凡であるのみならず、内蔵された精神的活力の質と量においても非凡な顔であった。ユリアンは、自身の口からもれる歎息（たんそく）を遠くに聞きながら、視線のむきをわずかに変えた。

ラインハルトとならんですわった人物は、最初、ユリアンと同年輩の美しい少年のようにみえた。だが、それはくすんだ金髪をショートカットにしているためと、媚（こび）のない凛（りん）とした表情のためで、妙齢の女性であることがわかった。おそらくローエングラム公の秘書官であろうが、姓名まではユリアンの記憶にない。むろん、それはヒルダことヒルデガルド・フォン・マリーンドルフ伯爵令嬢であった。

地上車（ランド・カー）のなかで、ふと、ラインハルトの視線が群衆にむかって遊泳した。水平に流れた視線は、亜麻色の髪をした少年の顔を横ぎった。

このとき、ラインハルトとユリアンの視線は、一瞬の数分の一という極小の時間において、たしかに交錯したのである。だが、それはユリアンにとってのみ意味の存在することであった。一方の当事者にとって、他方は、群衆の海を構成する小さな波濤（はとう）のひとつでしかなかった。ラインハルトは、ヤン・ウェンリーやユリアンがそうであるように、超人でもなければ、絶対者にえらばれた使徒でもなかった。彼の資質は、広さと深み、高さと厚みにおいて、常人をはるかに凌駕（りょうが）していたが、しかしその範囲は人間の所有しうる限度内のものであって、ラインハルトは人間以上の存在であったことも、人間以外の存在であったこともない。軍事的才能の巨大さにおいて、政治的野心の壮麗さにおいて、白皙（はくせき）の美貌において、自己を表現する烈（はげ）しさにおいて、それぞれのもので彼をしのぐ人間は過去に存在しているであろう。ただ、それらのすべてを彼と等量以上にそなえた人間はまれであったし、彼が支配しようとする恒星と惑星の数は、歴史上に空前のものではあったが……。いずれにせよ、彼は、未来を完全に予知することはできなかったし、数年後に、この日のことを思いだすこともなかったのである。

ラインハルトの地上車（ランド・カー）が走りさり、群衆が散りはじめると、ユリアンもきびすを返した。彼のほうは、生きてあるかぎりこの日を忘れることはできないであろう。不意にかるく腕をたたかれた。はっとした彼の目に、ベリョースカ号の事務長の笑顔が映った。

「マリネスクさん……」

「おどろかしたようですな、失礼。それにしてもどうです、ローエングラム公爵の実物をごらんになって、ご感想は？」

「とてもかなわないなあ」

その言葉は、すなおにユリアンの口からすべりでた。実際、ラインハルトの表情にも容姿にも、周囲を圧してきらめく光彩を認めずにいられないユリアンだった。ヤン提督が金髪の独裁者を敵ながら称揚（しょうよう）する、その理由をユリアンは視覚的に理解したのである。

少年の短い、だがゆたかな感想を聞いて、マリネスクは軽妙に眉を踊らせてみせた。

「なるほどね、しかし貴公子然としてはいますが、彼は生まれながらの公爵でも宰相でもなかったのですよ。ローエングラムなどというたいそうな家名も、伯爵号をうけてからのことで、それまでは貴族と言っても名ばかりの貧乏人だったのです。なにせ彼の父親は娘を売って、ようやくその後の人生を保障されたほどですから」

「娘を売った……？」

「当時の皇帝の後宮におさめたわけですが、まあ、形式はともかく、実質的には売ったと言ってよろしいでしょう」

帝国の下級貴族にとって、娘はしばしば貴重な商品であり、富と権力の大広間へつうじる扉をひらく黄金の鍵（キイ）であった。それを活用した者は、ラインハルトと姉アンネローゼの父親だけではなかった。ただ、皇帝の寵妃の弟などというものは、無能であればこそ人々の反感を拡散させることが可能であるのに、ラインハルトの比類ない有能さが、人々の嫉視の排気孔をふさぎ、ついには爆発させてしまったのである。むろん、ラインハルトのほうでも、旧いだけで正しくも賞賛さるべきでもない価値観をもった人々にたいし、好意をもとめるような言動をいささかもしめさなかった。ラインハルトの前に、彼らは征服と支配の対象としてのみ存在したのである。父親すら例外ではなかった。姉を老醜の権力者に売りわたして生活の保障をえた父を、ラインハルトは許さなかった。わずかな生命力を乱行と浪費でつかいはたした父が急死するまで、ラインハルトはかたくなに父との和解を拒否した。父の葬儀に出席したのは、姉を悲しませたくなかったからにすぎない……。

ラインハルトの過去をユリアンは多少は知っていたが、いままたそのような話を聞くと、憎悪してしかるべき同盟の敵を憎悪できなくなってしまうようで、いささか困惑せざるをえない。気性の烈しい、だが純粋で姉思いの少年の姿がせまってきて野心家の影を消してしまうのだ。

「だからまあそんなしだいで、ローエングラム公の出世は姉の威光のおかげと言われたものですよ。事実、そうでもなければ、彼の人生の出発はもっと悪い環境のもとでだったでしょうね」

「でも、ぼくとおなじ年齢のときは、りっぱに武勲をたてて、一流の武人になっていたわけでしょう?」

「少尉だって武勲をたてておいでtogether でしょう。もうひとつ言わせてもらうと、あなたとおなじ年齢のとき、のちの〝奇蹟のヤン〟は士官学校の平凡な学生にすぎなかったはずです。それにくらべれば、あなたのほうが一歩も二歩もさきんじていらっしゃる」

ユリアンはダークブラウンの瞳に考え深げな翳りをつくった。

「マリネスクさん、あなたはヤン提督とローエングラム公のつごうがよい点ばかりをつまみ食いして、ぼくをけしかけようとしているらしく思えるけど、だとしたらむだだね。もっとレベルの低い相手だったら、ぼくもおだてにのるかもしれない。でも、ヤン提督やローエングラム公に比較されたら、多少のうぬぼれなんか吹きとんでしまう。逆効果ですよ、おちこむばかりだ」

ユリアンは口調を制御しようとしたが、かならずしも思うようにいかなかった。

「おや、けしかけるように聞こえましたか」

悪びれた表情でもなく、マリネスクは薄い頭髪を愛しむようになでた。

「だとしたら私の不徳ですな。私としては、生まれながらの英雄だの名将だのはいないということを言いたかっただけなのですが、まあ、そのことじたい、ですぎてますな」

「いや、ぼくのほうこそ言いすぎたかもしれない」

「では、おたがいさまにしておきますか。いや、とんだ時間つぶしをしました。じつは私、ほかのお客に会いにいくところでしてね」

「客？」

「正直な話、あなたがただけをはこんでいたのでは、採算がとれんのですよ。なるべく多くの客を集めたいのです。あなたがたにとっても危険を分散させることになって有利ですしね」

それはユリアンにも理解できる。対象物が多いほど監視や検索の密度は低くならざるをえない道理である。それにしても、フェザーン人はこの種の論法が好きなのだな、と、ユリアンは思わずにいられない。彼らの論法を額面どおり信じると、世の中に損をする人はいないのではないか、とすら思えてくる。もっとも、当のフェザーン人たちは、たんなる修辞（レトリック）以上に自分たちの論法の正しさを信じているかもしれない。

どんな客か、と、ユリアンは質問したが、これは会話の潤滑油として利用した話題であって、それほど興味をいだいたわけでもなかった。ユリアン自身の素姓がほかの客の関心をひいてもこまるし、ユリアンに知られてこまるような素姓なら先方が隠すだろう。

「地球教の司祭ですよ」

マリネスクの返答は無造作だった。

「いや、もっと偉くて、主教だったかな。いずれにしても、働かずにお説教をして食える身分の男です」

そのような身分の人物にたいする偏見を、マリネスクは隠すような無益なことをしなかった。

「ですが、聖職者というものはたいせつにしないといけません。ひとりを味方にすれば一〇〇倍からの信者を味方にできるし、けっこう情報につうじてもいますしね。それにしても……」

皇帝とか貴族とか聖職者とか、働く者たちに養ってもらわねば生きていけないような連中を、養うがわの人間たちがしばしば崇拝するというのは理解しがたい矛盾だ、と、マリネスクは不満げに語るのだった。彼の意見は、勤勉で実利的なフェザーン人の感覚からすれば、異色といえるものではないであろう。

「でも、たいせつなお客なんでしょう？」

「いや、それがどうもいわくありげな男でしてね」

直接、マリネスクのもとへもちこまれた話ではなかった。不吉な伝説を有する宝石、あるいは多湿で地盤の脆弱(ぜいじゃく)な土地が転売をかさねられるように、幾人かの商人たちの手から手へうつされて、マリネスクの掌にはりついた商談だった。かつて自治領主(ランデスヘル)府に賓客(ひんきゃく)顔で出入りしていた若い僧という存在は、裕福になって保守化した大商人たちの用心をうけるのに充分であったろう。自治領主アドリアン・ルビンスキーが健在なら歓心をかえもしようが、ルビンスキーは帝国軍の進駐直後から地下に潜行したらしく、市民の前に影すらあらわさないとあっては、打算も忠誠心もよりどころを失うというものだった。

マリネスクには、本来、投機的な性格はすくなく、どちらかといえば地に足のつかない傾向がある船長ボリス・コーネフの襟首をつかんで地上にひきずりもどす立場だった。むろん、可能なかぎり穏健に、ではあるが……。ただし今回はユリアン・ミンツの身柄を自由惑星同盟(フリー・プラネッツ)領へはこぶという危険をおかすことが、すでに決定している以上、危険の加重を問題視することはない、と、ベリョースカ号の事務長は考えているのだった。彼の思案を補強するような諺がフェザーンにはある。いわく、〝致死量をこえた毒なら、いくら食べてもおなじこと〟。

「どうです、少尉、ちょっと足を伸ばして、相乗り客の顔を見ていきませんか」

そう誘ったマリネスクは、ユリアンの表情を観察して、譲歩するような笑顔をつくり、かるく両手をひろげた。

「いや、正直なところを申しますと、その司祭だか主教だかに会うのは、私もはじめてでして、じつはすこし腰がひけているのです。半狂人みたいな輩だったら手におえませんからな。少尉が同行してくださると心強いのですがね」

マリネスクはどうも憎めない、とユリアンは思った。それに、小さなことでも貸しをつくっておくほうがよいかもしれない。罠にかける気なら、これまで無数の機会もあったことだ。

ユリアンは了承し、パン屋の紙袋をかかえたまま、マリネスクに一歩おくれて、所有者から遠い昔に見捨てられたらしい崩壊寸前のビルに足を踏みいれた。よどんだ空気は、気体化した泥濘だった。侵入者を威嚇する鼠どもの合唱をＢＧＭにしながら、ふたりは二階へあがった。ドアのひとつを開く。

「デグスビイ主教閣下でいらっしゃいますな、地球教の……」

薄暗い室内にむけて、鄭重な口調をマリネスクはつくった。司祭と呼ばなかったのは、より高い地位の呼称で呼ばれて不快に思う人間を、過去にみたことがなかったからである。毛布が緩慢に揺れ、もやのかかった瞳が来訪者を見つめた。

Ⅲ

ロイエンタール上級大将がイゼルローン要塞を陥したとの報告が、臨時の元帥府に足を踏みいれたラインハルトを待ちうけていた。執務室にひかえていた二名の副官、シュトライト少将とリュッケ大尉が若い金髪の独裁者を迎えてうやうやしく敬礼し、報告書をさしだしたのである。

「おめでとうございます。これで閣下は、ふたつの回廊をふたつながら制圧なさったことになります」

シュトライトが礼儀正しく言ったが、どことなく朗読調だった。つづいてリュッケ大尉も祝辞を述べたが、こちらは一語一語が春の野でスキップしているようで、その対照がヒルダには興味深い。

「今後もめでたくありつづけてほしいものだ」

ラインハルトはそううけた。吉報であり、機嫌を悪くできようはずもないが、膨張しきった風船は針の一本で破裂する。かつてイゼルローンを奪取したとき、自由惑星同盟(フリー・プラネッツ)の為政者たちは、その支配が永遠のものとなることを確信していたであろう。無条件に美酒に酔う気にはなれなかった。

「ヤン・ウェンリーは無事息災らしいな」

デスクに座し、報告書のページをしなやかな指で繰りながらラインハルトはつぶやいた。ロイエンタールの報告は、自己の功績を美化するところがいささかもなく、客観に徹して、完璧なまでに事実を再構成している。

シュトライトが若い主君を見やった。

「閣下、ヤン・ウェンリーはみずから要塞を放棄して撤退したと聞きおよびますが、そのような行為が同盟政府の怒りをかい、処罰をうけるようなことはないものでしょうか」

ラインハルトは報告書から目をあげた。多くの場合、彼は部下の質問を歓迎した。よほどの愚問でないかぎり、それは彼の知性と思考にたいする適度の刺激となるからである。

「彼を処罰したら、誰がヤン艦隊を指揮統率するのだ？　安全な場所で書類の決裁ばかりやっていたような輩が司令官としてのりこんでも、兵士たちがおさまらんだろう。もしそれを無視するとしたら……」

同盟政府の高官どもは、敗滅しさった帝国の門閥貴族どもさえかなわぬ低能ぞろいだ。ラインハルトはそう冷笑した。

「御意ですが、イゼルローン回廊さえ確保しておけば、わが帝国軍の攻勢をフェザーン回廊の一方向にとどめておくこともできるでしょう。あえてそういった安全策をとらなかった理由はなんでしょうか」

「たいして安全でもない。そんなことをしても、イゼルローンのみ残って同盟全土は失陥することになる」

一刀両断である。

「それと、おそらく彼は、同盟が勝利をえる唯一の方法をとるため、麾下の兵力を自由に行動させたかったのだ」

「唯一の方法……？」

「わからぬか。戦場で私を倒すことだ」

ラインハルトの表情も声も淡々としていたので、瞬間的に反応をしめしたのは、ヒルダことヒルデガルド・フォン・マリーンドルフだけであった。氷原に見捨てられた宝石を思わせる蒼氷色(アイス・ブルー)の瞳が極光のゆらめきをみせるのを、ヒルダは確認した。


シュトライト少将とリュッケ大尉が退出したあと、ラインハルトは従卒を呼び、ヒルダとふたりぶんのコーヒーを用意するよう言いつけた。幼年学校の生徒たちのなかからえらばれた少年が、この征戦の期間中、従卒として彼につかえている。コーヒーとクリームがはこばれ、たちのぼる香気が鼻孔をこころよくくすぐる。

「ヤン提督の狙いを見ぬいておいでなのに、やはりご自身で陣頭にお立ちになりますの？」

ヒルダの問いに応じたのは、当然だと言いたげなラインハルトの口調だった。

「フロイライン・マリーンドルフ、私は覇者たろうとこころざしてきたし、それを実現するためにひとつの掟を自分自身にかしてきた。つまり、みずから陣頭に立つことだ。かつて戦って倒してきた能なしの大貴族どもと私がことなる点はそこにある。兵士たちが私を支持する理由もだ」

陶器の白色とコーヒーの黒色とを対比するように、ラインハルトは視線をおとし、ヒルダは彼の黄金色の前髪にむかって意見を述べるかたちになった。

「あえて申しあげますけど、閣下、どうか無益な戦闘はさけて帝都オーディンにお帰りください。フェザーン回廊はミッターマイヤー提督に、イゼルローン回廊はロイエンタール提督に、それぞれおまかせになれば、一定の戦果はあがるでしょう。閣下は後方にあって、彼らのもたらした果実を賞味なさればよろしいかと存じます」

ラインハルトは怒らなかったが、ヒルダの言葉に感銘をうけたようでもなかった。彼女自身が自覚するように、ごく常識的な内容だったからだ。

「フロイライン、私は戦いたいのだ」

その一言がヒルダに反駁（はんばく）を許さなかったのは、ラインハルトの口調が、権力を渇望する野心家のものというより、おき忘れた夢のなごりを手にしようとのぞむ少年のそれを感じさせたからである。ラインハルトにとって、戦いはたんなる手段ではありえないことを、いまさらにヒルダは確認する想いだった。そして、自分が、少年の手から彼だけの宝の小箱をとりあげようとする、厳格で無理解な女教師になってしまったような錯覚をおぼえた。まさしくそれは錯覚であって、理から言えば彼女のほうがおそらく正しいのだ。支配者は、みずからが武勲をたてるよりも、部下に武勲をたてさせることをこそ考えるべきである。だが、ラインハルトから戦いをとりあげることは、誇り高い野生の猛禽(もうきん)に籠(かご)のなかの小鳥たるをしいるようなものだった。瞳からはするどいかがやきが、翼からは艶と力が、それぞれ失われるにちがいなかった。

　ラインハルトは多くの敵と戦うことによって、人生それじたいをつむぎだしてきたのである。人生の最初の一〇年間、彼の味方は、五歳年長の姉アンネローゼだけであった。唯一の、そして絶対の味方であり、ラインハルトにとって光の源泉であったアンネローゼは、みずからが老権力者の虜囚(りょしゅう)となる半年ほど前に、第二の味方をラインハルトにあたえてくれたのだ。

　ラインハルトと同年の、年齢に比して背の高い赤毛の少年、ジークフリード・キルヒアイスは、それ以来つねに彼によりそい、彼のために敵を倒してくれた。ふたりで何倍もの数の悪童どもを蹴散らして昂然と帰宅すると、アンネローゼは賞賛こそしなかったが、小さな勇者たちのために熱いチョコレートをいれてくれた。安物のカップにみたされた安物のチョコレートが、どれほど温かい質感で少年たちを充たしたことだろう。どれほどの労苦も、一瞬にむくわれる思いがした。そのときの喜びと満足にくらべれば、彼が姉にむくいてやれることは、ささいなものでしかない。

　姉に高い地位をあたえて、それで姉が喜ぶであろうと想像するほど、ラインハルトは心のはたらきをにぶらせてはいなかった。とはいえ、彼がいかに姉の存在を貴重に思っているか、それを他者にかたちとして知らしめるには、姉に高い地位をあたえる以外の方法があるであろうか。公爵夫人ないし大公妃の称号、それにともなう荘園と邸宅と年金。どれほど巨大なものでも、姉にたいするラインハルトの感情の膨大さを完全に表現するのは不可能であったにちがいない。

　だが、姉にたいしてラインハルトが用意するもののリストに、〝あらたな配偶者〟という項目は完全に欠落していた。ラインハルト自身が意識している、あるいは意識していないいくつかの心の要素が、彼に、姉の配偶者という存在を認めさせないのである。そのような彼をみて、ヒルダはすくなからぬ危惧の念をいだかずにいられない。あの比類ない姉君がいるかぎり、ラインハルトは常人のような恋愛ができないのではないか、と。むろんそれは杞憂であって、たんにラインハルトが恋するにたる女性が彼の視野の地平に姿をあらわさないだけかもしれないのだが……。

「予定どおり、明日、フェザーンを発つ」

　ラインハルトは高価な白磁のコーヒーカップから目を離して宣言した。ヒルダは、ごく短時間ながら宙を遊泳していた心を有重力状態にひきもどした。はい、と答えたが、心もち音程が高いよう自覚された。

「フロイライン、どうせ宇宙をこの手につかむなら、手袋ごしにではなく、素手によってでありたいと思うのだ」

　ラインハルトの声に、ヒルダは身体と心とでうなずいたが、心のうなずきにはかすかな翳りがあった。時をおおいかくす分厚いカーテンの縫い目がほころびて、夜明け前の弱々しい光が未来の横顔を一瞬だけ照らしだした。それは錯覚と幻影の織りあげた粗末な無彩画でしかなかったのかもしれないが、ヒルダには、ラインハルトの言葉が、彼の生きかたのみならず、死にかたまでをも暗示しているように思えたのである。だが、目をこらすまでもなく、現在のラインハルトは燃えあがって絶えることのない生命の炎そのものであり、体内から発して手足の指先にいたる身心の活力は衰えることなく光彩を発しつづけているのだった。

Ⅳ

ラインハルト・フォン・ローエングラム公が占領地フェザーンを発してあらたな征服の途にのぼる日、帝国からビッテンフェルト、ファーレンハイトの両提督が艦隊をひきいてフェザーンに到着した。彼らは五日後にラインハルトのあとを追って征旅(せいりょ)にのぼる予定であり、兵士たちは最後の休日を異郷の地であたえられることになっているのだった。

フェザーン市民に、表現しがたい感懐をいだかせたのは、ファーレンハイト、ビッテンフェルトに一歩遅れて帝国軍の戦艦から姿をあらわした人物の存在を知ったときである。その名はニコラス・ボルテック。自治領主(ランデスヘル)アドリアン・ルビンスキーの補佐官と帝国駐在の弁務官を歴任し、すくなくとも無能よばわりされることはなかった男である。帝国軍の侵攻を事前に報告してこなかった点で、近日来、株価は暴落していたが、宇宙港において出発直前のローエングラム公から〝フェザーン代理総督〟の称号をうけるにいたって、彼が帝国軍の侵攻を察知しえなかったのではなく知りながら隠していたのだという事実を、フェザーン市民はさとらざるをえなかった。つまり、〝自治領主の腹心〟と言われた男は、フェザーンの自由と独立を売りわたして〝代理総督〟とやらの地位をわがものとした売国奴なのか？

「国でも親でも売りはらえ——ただし、できるだけ高く」

とは、フェザーン市民の好む露悪的なジョークだが、いざ自分たちが売られる身となっては愉快であろうはずがなかった。もっとも、フェザーン人がフェザーンの政治的な長となったことは、帝国軍の直接支配より前進したものだ、とする見解の者もいた。さらに積極的な者は、時代そのものの変化を説き、全人類社会を統一支配する大帝国の出現が目前にせまった以上、あらたな体制のもとでフェザーンがより発展する途をもとめるべきで、もともと形式的なものにすぎなかった政治上の地位などにこだわるのは愚かだと決めつけた。

それぞれに説得力を有する見解ではあったが、人間の頭脳ほどに感情を整理することは困難なので、〝代理総督府〟に腰をすえて行政処理にあたりはじめたボルテックをみる市民の目は、単純なものになりえなかった。

まして、フェザーン人の信奉する理念のひとつに、〝自分の足で立って歩け〟というものがあるからには、帝国軍のおす乳母車に鎮座したボルテックの姿を見ては、すなおに賞賛するのは困難というものであった。

「それにしても……」

と、市民たちは酒場や家庭で、声をひそめつつ語りあわずにいられなかった。

「ルビンスキーは、〝フェザーンの黒狐〟は、どこへ消えたのだ？　帝国軍の占領からボルテックのなりあがりぶりやらを、どこで手をこまねいて見ているのだろう」

いずれの時代、いずれの政治体制においても、権力者というものは、市民の知りえない秘密の隠れ家をもっているものである。屋根裏を夢のお城にしている子供に、かたちだけは似ているが、発想の原点がまったくことなる。権力者のそれは、失墜(しっつい)への恐怖と、保身のエゴイズムである。

そのような事情(わけ)で、アドリアン・ルビンスキーが使用している秘密のシェルターは、彼が創造したものではなく、先人の遺産を活用したものであった。それは賢明な——あるいは狡猾(こうかつ)な——ことに、自治政府のごく一部の者にのみ存在を知られている高官用地下シェルターのさらに下層に位置し、エネルギーや水の供給、排気・排水・排熱等の生存に不可欠なシステムがエネルギー多消費型の公共施設群に分散して連動しているので、そこから存在がさぐりだされる可能性は極小のものであった。

一〇名にみたない側近とともに無名の地下宮殿にひそんだ自治領主(ランデスヘル)アドリアン・ルビンスキーは、表面、軟禁のなかの安息を楽しんでいるようにみえた。シェルター内の調度は、抑圧感をしりぞけるために豪奢な王朝ふうのもので統一され、おなじ理由から天井は高く、スペースは故意にむだな部分がもうけられていた。食事は一年間おなじ料理が食卓にのぼらないほどのメニューの豊富さを誇っていた。ルビンスキーの情人ドミニク・サン・ピエールは、唯一の女性としてシェルターにはいったが、自治領主とふたりきりの刻(とき)をしばしばすごしていた。ただし、情人どうしのあいだでかわされる会話の散文的なことは、忠実だが単純な側近たちの想像を絶するものであった。たとえば、ルビンスキーから口火がきられたある日の会話は、つぎのようなものである。

「お前がフェザーンから脱出させようとして、いろいろ細工していた地球教の主教、あのデグスビイには、どうやら拾う神が見つかったようで、けっこうなことだな」

「なんのことかしら、いったい」

「お前は歌手としても踊り手としてもなかなかのものだったが、演技者としてはみるべきところが昔からなかったな」

ルビンスキーの口調は、弟子の不肖ぶりをなげく師匠のそれを連想させないでもなかった。ドミニクがウイスキーのグラスを情人の前におくとき、やや高い音をテーブルが発した。

「そうかしら。ルパート・ケッセルリンクは、あなたの最愛の息子は、あなたに殺される寸前まで、わたしを味方だと信じていたわ」

「あれはたいしてセンスのある観客ではなかった。俳優の演技を観察するより、自分自身のつむぎだした幻想を俳優に投影させて酔ってしまう性質だったからな」

じつの父であるルビンスキーを殺そうとして逆に殺された青年の名を、ドミニクがあえて口にしたとき、息子殺しの父親は表面上、なんらの反応もしめさなかった。手にしたグラスのなかで、ウイスキーの水面は微動すらしなかった。その冷静さ、あるいは冷静さをよそおう態度が、ドミニクの神経にささくれをつくらずにおかなかった。彼女は白をきる努力を放棄して反撃に転じた。

「保険をかけておきたくもなるでしょうよ。自分の運命をゆだねている相手のことを、多少なりとも考えればね」

彼女を信じていた故ルパート・ケッセルリンクが、ルビンスキーと地球教の関係を知る証人としてデグスビイ主教の脱出を指示していたことは、ドミニクが沈黙をまもるところだった。べつなところで、彼女は饒舌を発揮してみせたのだ。

「はっきりと言わせていただくけど、わたしがあなたの息子殺しに喜んで加担したなどと思わないでいただきたいものね。後味が悪いったらありはしなかったわ」

「お前が喜んで加担したなどとは、最初から思っておらんさ」

ルビンスキーは、氷に反射する照明の光を、奇妙に感性の欠けた瞳でながめやっていたが、やがて視線を情人にうつした。

「お前は打算から、ルパートではなく私をえらんだだけだ。いまのところ、その打算は正しかったのだから、こぼしたミルクをスポンジで吸いあげるようなことを言わずともよかろう」

「こぼれたミルクは、この場合、親牛にそっくりだったわよ。自分だけがりこうだと思っていて、鼻もちならなかったわ」

「そうだな、あれは悪いところが私に似すぎた。もうすこし覇気を抑制する道を学んでいたら、早死せずにすんだのだが……」

「息子を教育するのは父親の義務でしょう」

「世間一般には、な。だが、あれは、いずれにしても父親を模倣すべきではなかった。どうせ才能がないなら学者か芸術家でもこころざしておれば、いくらでも援助してやれたのだ」

ドミニクは露骨なさぐりの視線を投げつけたが、ルビンスキーの真意を看取することはできなかった。

「けっきょくのところ自己保存が優先したというわけね。だとしたら、わたしの立場もわかるはずだわ」

「わかっているとも。私にかぎらず、人間というものは自分以下のレベルのものは理解できるようになっているのでな」

嘲笑するというには重い口調でルビンスキーは応じ、さして薄まってもいないグラスにあらたなウイスキーをそそいだ。

「私は地球教などというしろものと縁をきるつもりだ。お前のやってくれたことは基本的に私の目的と合致する。だから黙認したのだ」

地球教の有する力は、たいはんが、その存在の秘密性に起因する。その秘密の鎧戸が撃ち破られ、陽光がさしこんだとき、開かずの部屋に八世紀にわたってわだかまってきた悪霊は消滅するしかない。

ルビンスキーは、これからの将来において利用しうる人間、活用すべき事件のかずかずを脳裏につらねた。複雑な設計図を完成させるために、これからしばらくつづくであろう潜行の日日は、春の発芽にそなえる絶好の温床となるはずであった。

V

独立商船ベリョースカ号が、非合法の乗客八〇名を乗せてフェザーンを出発したのは一月二四日のことである。ラインハルトの出立と、フェザーンの民政復帰とを機にして、ようやく民間航路の再開がなされた、その第一陣にくわわったわけだが、再開の対象となったのは、フェザーンと帝国とのあいだの航路だけで、同盟方面はいまだ閉鎖状態にあった。むろん、目的地をいつわって出発したのだが、帝国軍に捕捉されれば、よくて虜囚の身たるを覚悟せねばならなかった。

出発直前、マリネスクはより高い安全度をもとめて、いくつかの小細工を弄した。そのひとつは、「同盟方面への航行を企図する一団がある」と代理総督府へ訴えでたことである。

「通報者自身が首謀者だとは、なかなか思わんものです」

とマリネスクはユリアンに説明したが、ユリアンにしてみれば、蛇の巣にわざわざ花火を投げこむ必要もないように思える。副官的な立場のマシュンゴ准尉は、この種の行為に専門家をもって自認するマリネスクに一任するようすすめた。人心をえるには相手の実績とプライドを尊重せねばならないというのである。なかばはマシュンゴの顔をたてて、ユリアンはそれにしたがった。自分の手のおよばないところはいくらでもあるので、ひとつひとつ気にしていては身がもたない。ヤン・ウェンリーも言っているではないか――最善をつくしてもだめなものはだめ、手のとどかない場所のことをいくら心配しても手は伸びぬ、やりたい奴にまかせるのがいちばん、と。もっとも、ヤンの言いようは、かなり弁解がましいものであったが。

航宙士(パイロット)のカーレ・ウィロックは、初対面のときからユリアンに好意的だった。というより、会う以前から好感をいだくよう決めていたようでもあった。帝国軍の監視の目をのがれて同盟領へ潜行しようとは、顔に似あわず大胆だ、と、いささかよぶんな感想をふくめて賞賛し、自分の技能のすべてをこぞって脱出行を成功させてみせる、と確約してみせた。信頼に値する男だとユリアンは思ったが、この男には擬似アジテーターめいた一面があって、同盟の残存する軍事力とフェザーンの富を結集すれば帝国軍を打倒するのは不可能ではない、具体的な組織化の方法はこれこれ――と、航宙技術の説明など放擲して反ローエングラム統一戦線の結成などを本気で提案してくるのには、苦笑するしかなかった。同盟の敗北と滅亡が既定のもののごとく語られるのも心外であった。ヤン・ウェンリーが健在なかぎり、同盟軍が手をつかねて敗戦の深淵に身を投じるはずがない、とユリアンは確信している。それは確信ではなく信仰だ、と、ヤン自身は評して迷惑に感じたかもしれない。いずれにしても、この当時、ユリアン・ミンツにとって、ヤン・ウェンリーと民主主義と自由惑星同盟(フリー・プラネッツ)とは、まだ不可分な三位一体(トリニティ)でありえたのだった。

同行する乗客たち――ほとんどは偶然をつかさどる女神が後ろむきに投じたダーツが命中しただけ――のなかで、ユリアンがまず関心をいだいたのは、地球教の主教と称する男、デグスビイであった。短時間のうちに狂信的な清教徒から瀆神の蕩児へと激変した者の、精神の暗渠を完全に理解するのはむろん不可能だった。彼の関心がむいたゆえんは、マリネスク事務長とともにデグスビイの隠れ家を訪問し、彼と対面したときの印象が第一である。視覚そのものにかびがはえたかのような、それは悪い意味で忘れがたい印象だった。第二には、地球教が有する政治力の背景についてであったが、これらの疑問点を乗船前に解決してしまう必要はいささかもなかった。

こうしてユリアンは、独立商船ベリョースカ号の乗客としてフェザーンを離れた。それは帝国軍と同盟軍がランテマリオ星域において正面から激突する半月前のことであった。さらに半月後、彼がことなる名の船に乗って同盟首都ハイネセンに到着することになるのは、いくつかの史書が記すとおりである。

第四章　双頭の蛇

I

戦闘なき進撃をつづけてきた、銀河帝国軍ミッターマイヤー艦隊の里程は、フェザーンから二八〇〇光年に達していた。ポレヴィト星域において、彼らは後続の僚軍を待つため、球型陣をしき、輸送船団を中心に、戦闘用艦艇を周辺に配置して、あらゆる方向からの敵襲にそなえた。

ポレヴィトは五つの顔をもつ古代スラブ神話の軍神で、壮年期の恒星のほかに巨大な質量を有する四個のガス状惑星をもつことから、この星系がその名をあたえられたという。フェザーン自治政府航路局のデータからミッターマイヤーがえた知識であった。

ポレヴィト星域にいたるまで、通信・補給・戦闘等を目的とした同盟軍の軍事拠点は、イゼルローン方面にくらべていちじるしく手薄であったとはいえ、六〇カ所以上を算した。だがそれらのたいはんはすでに首都からの指令によって放棄されており、ミッターマイヤー艦隊は、息をひそめて颶風（ぐふう）の通過を待つ辺境の諸星域をとおりすぎてきたのである。それは乾燥した草原を焼きつくす火にも似た勢いであった。

ただ、この間、ミッターマイヤーの知らない挿話が同盟軍には存在したのである。それはシユパーラ星系の通信基地JL77にかんするものであった。ほかの基地が急遽、放棄されるなかで、JL77は機能集約化の拠点とされ、帝国軍侵攻の情報を、その寸前まで収集かつ伝達しつづけ、兵士たちの脱出は不可能な状態であった。

JL77の戦闘要員は二〇〇〇名しかおらず、火力も貧弱であり、機動力にいたっては皆無であった。一隻の戦闘用艦艇もないのだ。帝国軍が小指のさきで触れただけで、象の前の蟻にも似た末路をたどらざるをえないのは確実であった。統合作戦本部としても、JL77に過大な義務をしいながら、逆境のなかに放置することに、まったく罪悪感をおぼえずにすむというわけにいかなかった。五万人の戦闘要員、三〇〇隻の戦闘用艦艇という、事情が許すかぎりの大規模な増援部隊を派遣して力をそえようとしたのである。ところが、基地司令官代行の地位にあるブレツェリ大佐は兵力増強の報をうけて歓喜のタンゴを踊ったりはしなかった。

「せっかくですが」

と一応の礼儀をたもちながら、増援をことわったのである。おそらく当人以外のすべてが仰天したであろう。

「つまり、吾々は玉砕するのですな。どうせ玉砕するなら五万もの僚友をみすみす道づれにできないと……?」

悲壮な表情で訊ねる部下に、ブレツェリは頭をふってみせた。

「そうじゃない。吾々が生きのびるために、増援をことわったのだ。現在の吾々の存在など戦力とは言えない。帝国軍はフェザーンでデータをえて、そのことを知っているだろう。そこへ、五万の戦闘要員、三〇〇隻の戦闘用艦艇がうごくとなれば、これほど彼我(ひが)の距離が接近している現在、かならず敵に知られる。とすれば、見すごそうとしてくれている敵に、わざわざ、攻撃の必要性をそそのかすようなものさ。助かりたかったら、いたずらにうごくものじゃない」

ブレツェリの予見は的中した。ミッターマイヤーは、一隻の戦闘用艦艇も有しないJL77基地をあえて攻撃、潰滅せしめる必要性を認めず、悠々とその前方を通過していったのである。むろん彼はたんなるお人好しではありえなかったから、JL77基地に不穏なうごきがみえたら一撃で人工的な噴火口の底へ沈めてしまうつもりだったのである。

後日、ブレツェリは妻に述懐している。

「じつを言うと、あのとき、敵が見すごしてくれるかどうか、自信はなかった。だが、敵が攻撃してくれれば、二〇〇〇人が五万人でもかならず全滅する。まだしも助かる可能性が高いほうをえらんだというわけさ。しかし、あんな選択をするのは、もう二度とごめんだね」

一月三〇日に、ラインハルト以下の帝国遠征軍全軍はポレヴィト星域に集結をはたした。フェザーンにおいて陸戦要員のなかばを残留させ、ビッテンフェルトとファーレンハイトの両艦隊を後続参加させて、同盟領の奥深くに集結した兵力は、戦闘用艦艇一一万二七〇〇隻、補給・輸送・病院等の支援用艦艇四万一九〇〇隻、将兵一六六〇万という膨大な数字に達した。

ラインハルト自身も、これほど膨大な兵力を指揮統率して実戦にのぞむのは、はじめてのことであった。アムリッツァ会戦において三〇〇〇万をこす同盟軍と対決したときでも、彼の兵力は敵の半数以下であったのだ。

帝国軍総旗艦ブリュンヒルトの艦橋にラインハルトと提督たちが参集するなか、ミッターマイヤーが立ちあがって報告をはじめた。

「同盟軍はおそらく、この宙域がわが軍の限界点であるとみなし、迎撃ないし攻勢の準備をととのえていることと思われます」

フェザーンからえたゆたかな情報を複数のスクリーンの上に展開させながらミッターマイヤーは説明する。フェザーンを占領した戦略上の意義のひとつに、同盟領内の地理にかんする膨大な情報の押収があり、それに成功したことは、全面勝利という名の果実を戦いの畑に期待させるものとなった。

「このポレヴィト星域からランテマリオ星域にかけては有人惑星が存在しません。民間人に累(るい)をおよぼさぬためにも、同盟軍としてはこの宙域を決戦場にえらぶ以外にないでしょう、小官は確信をもってそう予想いたします」

〝疾風ウォルフ(ウォルフ・デア・シュトルム)〟が報告をそう結ぶと、ラインハルトが流麗なまでの動作で立ちあがった。

彼の軍服姿を見た者は、ひとしく数百年の過去に思いをはせずにいられない。かつて帝国軍の委託をうけた服飾家は、遠い未来に、これほど黒と銀の服が似あう若者が出現することを透視して、この服をデザインしたのでもあろうか、と……。

「卿のみるところは正しいと私も思う。同盟軍はここまでたえてきたが、人心の不安を抑えるためにも、近日中に攻勢をかけてこざるをえまい。わが軍は彼らのあいさつにたいし、相応の礼をもってむくいることとしよう。双頭の蛇の陣形によって……」

昂然としてラインハルトが宣告すると、抑えきれぬ興奮のざわめきが提督たちのあいだを熱い風となって流れた。

双頭の蛇とは、古来、地球上においてしばしばもちいられた大軍の配置法を宇宙空間に応用したものである。

宇宙空間に一匹の巨大な蛇を想定する。その蛇は長い胴の両端にふたつの頭をもっている。もしこの蛇を倒そうとこころみる者がいて、いっぽうの頭を襲えば、もういっぽうの頭がうごいて敵にかみつく。もし中央の胴体が襲われれば、ふたつの頭が同時にうごいて敵にかみつくのだ。

この陣形によって勝利をえたとき、それは指揮能力の非凡さをもっとも華麗かつ躍動的なものとして、人々の視神経に灼きつけるものとなるであろう。

ただ、この陣形を活用するには、まず敵より多数の兵力を必要とする。敵の攻撃にたいして受動の立場をとる以上、陣形のどの部分に敵の全兵力が集中しても、一定時間は攻勢にたえて味方の来援を待たねばならないし、もし敵が味方の全戦線にわたって攻撃をかけてくるだけの兵力を有していれば、味方は各処で寸断され、各個撃破の好機をあたえることになる。

また、兵力を運用するにあたっては、柔軟性と即応性が不可欠であるから、ことに通信面と行動面における機能性が重要な意味を有することになる。通信網が破綻すれば、味方が攻撃されるのを、遠方で手をこまねいて傍観することにもなりかねない。

このため、帝国軍の通信網には三重のアンチ妨害システムをそなえつけ、さらにそれが破られた場合を想定して、短距離跳躍（ワープ）能力を有する連絡用シャトルを二〇〇〇隻用意することとなった。現在の帝国軍の場合、総司令官ラインハルトの指揮能力に問題はないので、指令の伝達とそれに応じる機動力を可能なかぎりスピードアップさせることを考えればよいのである。その点にかんしての処理が決定すると、議題は、帝国全軍をいかに再配置するかにうつった。

「第一陣、つまり蛇のひとつめの頭はミッターマイヤーの指揮するところだろう。これはしかたない」

提督たちはそう思っていたが、ラインハルトの声にまず自己の聴覚をうたがい、つぎに、顔を見あわせた。

「ご自分で先陣を指揮なさるとおっしゃいますか」

ナイトハルト・ミュラーが、自席からなかば腰を浮かせた。

「危険です。同盟軍の力は衰微（すいび）していますが、それだけにかえって窮鼠（きゅうそ）と化す可能性があります。どうか閣下には、後方で吾らの戦いを督戦（とくせん）していただきたく存じます」

「この陣形には後方などというものはないのだ、ミュラー、あるのはふたつめの頭だ」

ラインハルトは冷静に指摘した。ミュラーが沈黙すると、若い美貌の独裁者は、白いしなやかな指で豪奢な黄金の髪を梳いた。

「ミッターマイヤー、卿は胴体部の指揮をとれ。同盟軍がわが軍の分断をもくろむとすれば、当然ながら胴をねらってこよう。卿が事実上の先陣となるのは自明のことだ」

「ですが……」

「私は勝つためにここへ来たのだ、ミッターマイヤー、そして勝つには戦わなくてはならぬし、戦うからには安全な場所にいる気はない」

ほかの提督たちの配置をも、その場で即決すると、ラインハルトは一時の休息をつげ、起立する提督たちの敬礼を背中にうけながら歩みさった。

「やはり、あのかたはまず戦士なのだ」

ミッターマイヤーはあらためてそう感じたのだった。

「戦いの結果としての勝利にこそ、意義を見いだすかたなのだ。生まれながらの支配者なら、収穫の方法にこだわりはすまい……」

私室へと歩くラインハルトは、廊下の一隅で優雅な歩調をとめていた。遠慮がちの、しかし決意をこめた声を横あいからかけられたのだ。するどい視線で声の方角をひとなでしたラインハルトは、一三、四歳かと見えるとび色の髪の少年兵を壁ぎわに見いだした。上気した頰と緊張しきった身体の線が、ういういしい印象だった。着用した服から、幼年学校の生徒のひとりであることが知れた。

「なにか私に用か?」

「閣下、ご無礼をお許しください。でも、どうしても申しあげたかったのです。どうかお勝ちください。そして、宇宙を統一なさいますよう……」

純粋で烈しい崇拝と憧憬の思いが、少年の声を熱く震えるものにしていた。過去の自分の姿を、生きた鏡のなかに遠くかすかに見いだして、ラインハルトの蒼氷色(アイス・ブルー)の瞳がなごんだ。巨大な宇宙艦隊を叱咤(しった)する口から流れでた声は優しいものになった。

「名を聞いておこうか」

「……はい、エミール・フォン・ゼッレと申します」

「いい名だ。私に勝てと言うのだな」

「はい……はい!」

「そうか、では、将来、お前たちの倒すべき敵を残しておかなかったとしても許してくれるな?」

一瞬、返答に窮した少年に、若い独裁者は笑顔をむけた。その笑顔の秀麗さを、少年は死の掌を瞼に感じる瞬間まで忘れなかった。

「エミール、勝利を願ってくれたお前のために、私は勝とう。だから、お前は生きて還って、家族に伝えるのだ。ラインハルト・フォン・ローエングラムをランテマリオの戦いで勝たせたのは自分だ、とな」

Ⅱ

　侵略者にたいして歓迎の宴を催すべき同盟軍は、帝国軍ほどに統一性と整合性の高い戦略をメニューの表紙にのせることができなかった。彼らがランテマリオ星域を決戦場にえらんだのは、むしろ消去法の結果としてであった。

「帝国軍はポレヴィト星系において全軍を結集、再編成ののち、首都ハイネセンをめざして進撃するものと予想される」

　ＪＬ７７基地が帝国軍の放出する妨害電波になやまされつつも送ってきた最後の情報が、統合作戦本部と宇宙艦隊司令部との合同会議のテーブルの上にのせられたのは二月一日である。焦燥と睡眠不足とが、深夜、本部地下会議場につどった高級士官たちの顔色に無彩色の縞をつくっていた。

「直進すれば、ランテマリオ、ジャムシード、ケリムといった星域をへて、一路ハイネセンをめざすことになるな」

「帝国軍は直進してくるだろうか？　迂回路をとる可能性は？」

「いまさら帝国軍が直進を回避する理由はないでしょう。短距離をとおってハイネセンをめざすはずです」

「ジャムシードからこちらの星域はすべて有人惑星をもっている。もはや辺境地区とはいえないランテマリオが、敵を阻止するぎりぎりの線だ」

「時間的にもな」

彼らの言う時間とは、純粋に軍事的な条件からのものではなかった。むしろたぶんに政治的な要求から、彼らには時間制限がかせられていたのだ。

同盟政府は首都ハイネセンのみを防衛して、ほかの星域と住民とを見捨てるのではないか、という疑惑と恐怖の声が各星域から見えざる水路をつたってハイネセンへ流入していたのだ。すくない兵力を最大限有効に活用するため、ハイネセンの前面に集中配備して遠路を長駆してきた敵に決戦をしいる、という戦法は兵力偏在のりっぱな大義名分たりえてはいた。

だが、権力者が、大義名分を楯として、民衆保護にもちいるべき武力を自己一身のみの防衛に独占するのではないか、という疑惑は、地球上に城壁都市が誕生して以来のものであろう。その疑惑が成長し、恐怖が高じるところ、領土と住民を防衛する姿勢をしめさない（かにみえる）同盟政府にたいし、現実に帝国軍の脅威のもとにおかれた辺境諸星系の行政府が同盟からの離脱と中立化を宣言する危険性があったのだ。ひとりの悲鳴は群集心理を爆発させる引金となり、最悪の場合、フェザーン回廊の出口からバーラト星系ちかくにいたる、人口希薄だが広大な地域に、中立とは名ばかりの帝国の従属国家群が乱立する可能性すらあった。戦い、勝利することで彼らの忠誠心を同盟につなぎとめなくてはならなかったのである。そのような事態は、むろん同盟政府の承服しがたいところではあったが、事実としてそれらの星系の安全を保障する能力の不足を指摘されれば、一言もないのが現実であった。三年前、政府と軍部の強硬派が結託して帝国領へ無謀な侵攻をおこない、全戦力の過半をアムリッツァで失った、その愚行をいまさらながら悔いるしかなかった。

けっきょく、このような事情のかずかずから、統合作戦本部においては、整合した戦略を立案することができなかったのである。戦略的にいちじるしく不利な立場を強制されたことと、兵力の不足とが、恐慌と虚無との谷間にかかる細い橋の上で右往左往する醜態を、彼らに要求することになった。そして、ことは宇宙艦隊司令部が掌管するところの戦術のレベルに、すりかえられてしまうのである。

統合作戦本部長ドーソン大将は、政府の一部要人とのコネクションによって軍部の最高責任者となった身であることを態度によって暴露していた。表だって周章狼狽はしなかったが、積極性と自主性を完全に欠落させており、国防委員長からの命令や部下からの進言がないかぎりなにもなそうとしなかった。提出される書類を決裁し、日常的な事務を処理するだけで、偏執的な自閉の檻にとじこもり、せまりくる破局から目をそむけつづけていた。

こうして、〝戦って勝たざるをえぬ〟状況に、同盟軍はたたされたのである。もはや、「負けたらどうする」とは誰も問わなかった。

奇妙なことかもしれないが、至近の時と距離に〝正面決戦〟という目標をあたえられて、ドーソンをのぞく同盟の軍部全体は活況をていしたのである。戦術レベルの狭い目標のほうが、職業軍人には実感しやすかったのかもしれず、ヤン・ウェンリー以外の者が帝国軍と正面から戦う機会を二年ぶりにえて、本来の好戦性が刺激されたのかもしれない。その興奮のなかで、

「すこしでも戦闘開始の時間を遅らせたい」

というチュン・ウー・チェンの意見のよりどころは、イゼルローンを放棄し、民間人を保護しながら首都ハイネセンへむかっているヤン・ウェンリーの存在だった。彼の指揮する兵力が貴重なものであることは、チュン・ウー・チェンがかねてより主張するところだった。

ヤンは一月一八日にイゼルローンを放棄した。多数の民間人をかかえているため、足どりはたしかに速くないが、途中で民間人をどこかの星域に避難させ、ランテマリオ方面へ急行すれば、なんとかなるのではないか。チュン・ウー・チェンはそう考え、すてがたい可能性を計算してみたのだ。

計算のすえ、二月一五日にはヤン艦隊はランテマリオ星域に到達しうるという結果がでた。なんとかそこまで開戦の時機をのばすことができれば、飛躍的に強大化された兵力をもって帝国軍に対抗しうるのである。

とはいうものの、ヤンが到着するより早く帝国軍がバーラト星系に殺到してくる可能性が高く、ましてヤン艦隊の背後からは大兵力の帝国軍別動隊が接近しつつあるのだから、ヤンがランテマリオ方面の会戦に参加しているあいだに、肝腎(かんじん)のバーラト星系が帝国軍別動隊の手に陥(おち)るという皮肉な結末すら招来しかねないのである。そのあたりを考えると、この計算は机上のものとして断念せざるをえなかった。

いまや同盟政府そのものと化した観すらある国防委員会は、アイランズ委員長の精力的な――半年前からは想像もしえない――指導のもと、宇宙艦隊の進発に際して環境をととのえ、惑星ハイネセンの都市部住民を山岳・森林地帯へ避難させ、イゼルローンからの難民のうけいれ態勢をととのえていた。さらに各星系に布告を発し、帝国軍の攻撃をうけた惑星は、〝無防備宣言〟をだして戦火をさけることを認めたのである。

二月四日、同盟軍宇宙艦隊は首都ハイネセンのあるバーラト星系から進発する。司令長官アレクサンドル・ビュコックの直接指揮のもと、第一艦隊を中核とする三万二九〇〇隻、五二〇万六〇〇〇の兵力であった。

なお、この年七三歳を迎える老提督は、進発直前、政府からの辞令をうけ、元帥に昇進している。

「これは生きて帰るなということかな、特進の前わたしということで……」

「いや、たんなる自暴自棄でしょう」

こちらは大将に昇進した総参謀長チュン・ウー・チェンが冷淡に批評しつつ、胸についたパンくずをはらった。ヤン・ウェンリーとは微妙にことなった意味で、いっこうに軍人らしく見えない男である。士官学校の教官に就任する際、私服で下見にでかけたら当番の学生に食堂の裏口へつれていかれた。出入りのパン屋が注文をとりにきたものとまちがわれたのである。有名な伝説ではあるが、当番の学生の名が伝わっていないことから、真偽のほどは疑問視されるのだが、このような伝説の似あう男は、平和な時代にあっては大将の階級をえられなかったであろう。

決戦場と目されるランテマリオ星域が接近するにつれ、緊張は加速的に高まっていった。とくに索敵・偵察部門の士官や兵士たちは、自分たちの責任の巨大さを自覚せざるをえないだけに、ストレスが増大し、オペレーターたちは血色の悪い顔にとげとげしい表情をたたえ、胃のあたりをなでたり首すじをもんだりする動作がいちじるしくました。

「見ていて気の毒になりますね」

ビュコックの新任の副官が言った。

この副官はとかく同僚や部下の笑い話の種にされたが、その責任を当人に帰することはできなかった。彼は容貌も言動もごく尋常な男で、大過なく任務をこなす能力をそなえてもいた。責任は、ひとえに彼の遠い祖先にあった。彼は祖先から、ほんのわずかな土地と、類をみないほど珍妙な姓を譲りうけたのである。その姓は、〝スールズカリッター〟といった。

彼が名のると、聞いた者は、かならず口のなかで、その異様なひびきをもつ言葉を反芻し、どういう綴りか、と興味をたたえて質問するのだった。また、先に〝SOULZZCUARITTER〟という綴りをしめされた者は、例外なく眉をひそめて読みなおし、いったいどう発音するのか、と問うのである。くわえて、彼自身の名はと言えば、これが〝スーン〟というのであり、中学校を卒業する際になった首席の名誉も、かえって彼を傷つけることになった。

「卒業生総代、スーン・スールズカリッター！」

という声がいまだ消えさらぬうち、神聖なるべき卒業式場は爆笑につつまれ、たしなめる立場の校長までも、義務と良識をポケットにおしこんで笑いころげていた。

士官学校に入学するに際して彼が深刻に心配したのは、新入生総代になってまたも恥をかくことだったが、それは杞憂に終わり、彼はその他大勢の新入生とともにフォークという総代の後ろ姿を遠く見やることになったのである。以後、同盟軍人としての彼の生涯がはじまるのだが、彼が祖先たちを呪ったのと同様、彼自身も後世の戦史家たちから呪われることになる。どれほど横着な戦史家でも、〝ランテマリオ星域会戦〟における同盟軍総司令官の副官の姓名を無視することは不可能だから……。

若いスールズカリッター少佐が、艦隊出発の前日、ビュコック元帥の副官に任命されたのは、それまでの副官ファイフェル少佐が心臓発作で意識不明の重症におちいり、軍病院にはこばれてしまったからである。軍務においてしばしばファイフェルを補佐した経験のある珍姓奇名の青年士官が、露骨な、だがやむをえざる応急処置の結果として、老提督の傍に身をおくこととなったのだった。同盟軍は総参謀長にひきつづき、部隊の中枢要員を戦わずして交換させるはめになったわけである。

老提督は、珍奇かつ複雑な副官の姓名にかんする難問を、あっさりかたづけた。一五文字からなる彼の姓のうち、最初の四文字だけで呼ぶことにしたのだ。こうして、通称〝SOUL(スール)少佐〟が誕生したわけだが、喜んだ彼は、のちにこの通称を正式な姓にしてしまう。いくら先祖

ゆずりの姓だとはいえ、

「あいつの父親候補は三人いて、どれが真物の父親かわからない。だから三人の姓を全部くっつけて名のっているのさ」

などという性質の悪い笑い話の種にされるのは、たまったものではなかったのだ。しかし、この戦いのとき、彼はまだスーン・スールズカリッター少佐である。

その副官が、彼自身、緊張の色もあらわに老提督に報告をもたらしたのは、二月七日一二時四〇分、将兵たちの昼食の直後である。ビュコックはチュン・ウー・チェン総参謀長、旗艦リオグランデの艦長エマーソン中佐らとともに高級士官食堂にいた。総参謀長は食べかたが拙劣で、しかも不注意だから、ナプキンが他人の一〇倍は汚れている。かつてヤン・ウェンリーがパーティーの席上、

「彼よりは私のほうがずっとましだろう」

とユリアン・ミンツにささやき、

「あまり低いレベルで満足しないでください」

とたしなめられたことがあった……。

先行偵察艇からの急報で帝国軍の位置にかんする最初の情報がはいると、以後は刻々と情報がもたらされた。艦橋に設置された大小一二のスクリーンは全面稼動し、司令部に戦術的対処の資料を提供している。

「帝国軍の陣形は、いわゆる双頭の蛇ではありませんか。だとすれば、中央突破をはかるのは

敵ののぞむところ、危険が大きすぎると小官には思われます」

若い副官の意見に、ビュコックは深くうなずいた。

「おそらく、いや、うたがいなく貴官の言うとおりだろう。だが、もはやほかにとるべき戦法はない。敵の陣形を逆用して中央を突破し、各個に撃破するしかあるまい」

言いながら、彼我の戦力の差にため息のでる老提督である。帝国軍の数は最低でも一〇万隻、と、報告はつげているのだった。

「おっしゃるとおりです。それにしても、ローエングラム公は天才の名に恥じませんな。つねに吾々の先手をとり、吾々を戦略的においつめてから、実戦をしかけてくるのですから……」

「だからヤン・ウェンリーなどが、彼の天才を高く評価するのだ。知っているかね、スール少佐、わしは彼から聞いたことがある——自分が帝国に生まれていたら、喜んで彼の旗のもとへ駆けつけたろう、とな」

「それはすこし危険な発言ではありませんか」

「どうしてかね、わしもまったく同感だよ。このとおり老いぼれで、たいして才能もないから、先方が使ってくれるとはかぎらんが」

すまして老提督は言い、若い副官の困惑ぶりを一瞬、楽しむような表情だった。

翌二月八日一三時、帝国軍と同盟軍との距離はわずか五・九光秒までに接近した。天頂方向から俯瞰すると、長く横に伸び、やや内側へ湾曲した帝国軍の中央部へ、縦に伸びた同盟軍の頭がむかっている姿が、光点の群によってしめされていたはずである。それはまさに巨大な蛇の胴へむかって放たれた矢を思わせた。

ただ、接近するにつれてビュコックは、最初に考えた中央突破戦術に固執すべきではないと思いはじめた。帝国軍の胴体部は、きわめて厚い兵力層を有しており、中央突破が短時間に成功しなければ、敵の左右両翼に包囲される危険が大きすぎる。むしろ敵に先制させ、ひきつつうけながしておいて、左右両翼のいずれかにかまわりこむほうが各個撃破しやすいのではあるまいか。

そう考えなおしたのが一三時四〇分である。五・一光秒にまで接近した両軍が砲戦を開始したのは、その五分後であった。

Ⅲ

戦端が開かれてから三〇分間、戦闘形態は砲戦に終始して、交錯し衝突するエネルギー・ビームとミサイルの織りなす光の網が、無音のうちに悪魔的な造形の美を展開するだけだった。

最初にうごいたのは、帝国軍の胴体部、ミッターマイヤー艦隊である。全艦隊同時前進の命令が超光速通信（FTL）にのって飛び、艦隊は砲撃を続行しつつ前進をはじめた。これは当面の勝利を目的としたものではなく、示威と、敵の反応を試すためのものであったから、ミッターマイヤーは故意に平凡な前進法をえらんだのである。だが、大軍が無数の光点となって接近してくる姿は、無形の強力な手をもつ威圧感となって同盟軍最前線の指揮官たちの咽喉をしめあげた。老練なビュコックは待機を命じたが、一部の指揮官たちが暴発してしまった。接近する帝国軍をめがけて、ほとんど狙点さえさだめぬ斉射がおこなわれ、ヒステリーはたちまち周囲に感染して、およそ正気とは思えぬ乱射がはじまったのだ。

ところが、半狂乱になった同盟軍がエネルギー・ビームやミサイルを無秩序に、だが高密度に撃ちまくるうち、帝国軍の大集団に亀裂がはいってきた。これは両軍いずれにとっても予想外のことで、無秩序な砲撃の過密に集中した部分が、負荷限界をこえてしまったのである。そして、同盟軍の先頭部隊は、判断より感情のおもむくままにさきをあらそって突進し、ひとたび生じた亀裂にあらたな牙でかみつき、引き裂き、拡大した。帝国軍はたじろぎ、動揺した。

ミッターマイヤーは旗艦のスクリーンを見やって低い舌打ちの音をたて、軍靴の踵で艦橋のみがかれた床を蹴りつけながら、副官のアムスドルフ少佐をかえりみた。

「同盟軍と吾々と、どちらのために席をあけて待っているか、地獄に訊いてみたいものだな」

旗艦ブリュンヒルトのスクリーンをつうじて、ラインハルトはまだうごかず、戦況を見まもっていたが、次席副官のリュッケ大尉が、素直な感歎の声で沈黙を破った。

「おどろきました。ミッターマイヤー提督がおされています。実戦レベルでの勇者は敵にも数多く存在するものですね」

「同盟軍のあれは勇猛ではなく狂躁というのだ」

ラインハルトは冷然として副官の見解に訂正をくわえた。

「ミッターマイヤーは闘牛士だ。猛牛におしまくられているかにみえて、じつはその力を温存し、勝機をねらっている。だが……」

ラインハルトはかるく、優美に首をかしげ、苦笑めいたつぶやきをもらした。

「あんがい、本気で攻勢に辟易(へきえき)しているのかもしれんな。そろそろ私もうごくことにしようか……」

ラインハルトの観察は、ふたつながら的中していた。ミッターマイヤーは、敵の狂躁的なパワーを、ひきながらうけながし、拡散させる戦法をとったのだが、度をこした敵の猛烈さにあきれざるをえなかった。

猛虎(もうこ)が、経験の浅いこわいものしらずの猟犬の群にみさかいなく食いつかれて辟易している。このとき、ミッターマイヤーはまさにそのような状態にあった。指揮官の能力、兵士の質と量、いずれも帝国軍が同盟軍を凌駕しているのだが、常軌を逸した勢いが、しばしば計画や計算を無力化し、本来の勝敗が位置をかえてしまう戦史上の例はすくなくない。

まさしく、同盟軍の攻勢は常軌を逸するたけだけしさだった。全砲門を開いて、光の矢を四方に放ちながら、無人の虚空を往(ゆ)く高速で突進する。ある戦艦などはみずから衝突回避システムを切り、敵の駆逐艦を艦首で真二つに切り裂いた。ある巡航艦は眼前の敵に主砲を斉射し、わきおこった爆発光のなかにわが身をもまきこんだ。狂気の突進が理性の防御をつき破り、破壊と殺戮の宴をくりひろげた。ビュコックは彼らを制御しようと、あらゆるメディアを駆使したすえ、ようやく主要艦の通信回路をとらえることに成功した。

「前進をやめろ。後退して陣形を再編するのだ。貴官ら、もう充分殺したではないか」

きびしくたしなめられて、流血に酔っていた同盟軍はようやく冷静さを回復し、暴走をやめて、乱れきった艦列をたてなおし、戦線をさげようとこころみた。

だが、帝国軍は同盟軍の勝ち逃げを許さなかった。バイエルライン、ビューロー、ドロイゼンらミッターマイヤー麾下の勇将たちは、復讐の熱い熔岩で胃をたぎらせながら、申しあわせたようなタイミングでいっせいに反転攻勢を開始したのである。そしてそれは、一五万隻にのぼる帝国軍全体からなる巨大な蛇が、ふたつの鎌首をもたげて同盟軍に襲いかかるのと、まさに同時だった。同盟軍の五倍にのぼる帝国軍のすべてが、無音の地ひびきをたて、午睡の夢からさめた肉食性恐竜と化したのである。

一転して、同盟軍は殺戮の加害者から被害者へと立場を急変させたのだった。前方からミッターマイヤー軍の砲列が閃光の嵐をあびせかけ、左からはラインハルト直属部隊が数十万の炎の舌を吐きつけ、右からはミュラー、ファーレンハイト、ワーレンらがエネルギーの槍をたてつづけに投擲(とうてき)する。

視界を灼きつくすかのような爆発光が連鎖し、集中攻撃の的となった同盟軍は、生きながら火葬された。たとえ艦体の外壁が衝撃と熱にたえても、なかの人間がたえきれず、壁や床にたたきつけられて、急上昇する艦内温度のなかで死との抱擁を強制されるのだ。

即死した者は、むしろ幸福だった。致命傷をこうむりながら数分間の生命を残した者は、死が慈悲の門を開くまで、内臓の煮えたぎる苦痛に全身を痙攣させ、みずから吐きだした血の泥濘でのたうちまわらねばならなかった。やがて血が白煙をあげて蒸発し、熱した床が生者と死者の肉体をこがしはじめると、純白の光がすべての惨状を漂白し、艦体は四散して火球となるのだった。すさまじいまでの生命と物資とエネルギーの浪費が、広大な戦場のいたるところでくりひろげられた。

この日、一六時から一九時にかけて、両軍の戦闘は苛烈をきわめた。八四〇隻からなる同盟軍デュドネイ分艦隊は、わずか三時間のうちに一三〇隻にまで撃ち減らされていた。ワーレンの艦隊が、虚空に広げた翼の一端でデュドネイ分艦隊をひと撃ちしたのである。

ワーレンはさらにすすんで、同盟軍の左側面へまわりこみ、間断なく砲火をあびせながら、同盟軍の艦列に楔を撃ちこんで分断しようと試みた。これはモートン提督の苛烈な応射によって失敗したが、ワーレンはあいかわらず同盟軍の左側面に密着し、制御のいきとどいた攻撃をくりかえして同盟軍に出血をしいた。

さらにファーレンハイトはワーレン艦隊の外側を迂回し、同盟軍の後背にでようという大胆な行動にでたが、これはランテマリオの恒星に接近しすぎる結果となり、恒星が発する磁気と熱のため計器類がはたらかなくなって断念のやむなきにいたった。同盟軍はビュコックの沈着な指揮によって一時の苦境から脱し、よく戦線を維持しつづけた。

「なかなか楽には勝てぬものだ。老人はしぶとい。メルカッツもそうだったが」

ラインハルトは独語したあと、首席副官シュトライト少将を呼び、戦況が膠着した以上、不必要な流血をさけて一度全軍を後退させ、将兵に休養と食事をとらせるよう命令を伝達させた。
戦闘開始以来、兵士たちは、カルシウムと各種ビタミンを配合したハイカロリー・ビスケットをイオン飲料でのみくだす食事をくりかえしていた。熟練兵（ベテラン）と未熟練兵（ルーキー）の差は、食欲の有無で決定されると言ってもよかった。熟練兵のなかには、食事の味気なさを非難することで、ことさら余裕をしめそうとする者もいたが、初陣の若者たちは極度の疲労から、固形物を口にしただけで嘔吐感に襲われ、イオン飲料を口にふくむのが精一杯だった。それでも彼らはなんとかここまで生きのびてはきたのであるが、多くの者が、熟練兵になる機会を永遠に失っていた。

翌二月九日になると、兵力の圧倒的な差が生きてきた。帝国軍はすべての戦線で前進し、同盟軍の抵抗を排して半包囲の環を縮めていった。砲撃によって帝国軍の艦列にあいた穴は、一瞬後には埋められたが、同盟軍にあいた穴は二度とふさがらなかった。

おいつめられた同盟軍は、攻撃のための戦術を放棄し、徹底した受動と防御の戦術にきりかえて、反撃ではなく守勢をたもった。ふりそそぐエネルギーの剣に切り裂かれ、血のかわりにエネルギーを流出させ、肉のかわりに装甲板を飛散させながら、同盟軍はなお戦いつづけた。破壊されて宙をただよう艦の背後から、べつの艦が砲火をあびせる。とくに、「巧妙な！」と帝国軍を舌打ちさせたのは、単座式戦闘艇スパルタニアンが帝国軍の艦艇を味方の砲火網に誘いこむやりくちで、帝国軍は狼狽したかのごとく逃げまどう敵を追いまわすうち、後背や下方から機関部付近に致命的な一撃をあびてしまうのだった。

全体として、むろん帝国軍の優位はうごきようがなく、またそれは一瞬ごとに確立へとちかづきつつあったが、同盟軍はなお指揮系統の統一と行動の秩序を失っておらず、これを全面的な崩壊においこむには、いまひとつ強力な一撃が必要であった。ビュコックほど老練な用兵家に、〝負けないこと〟に徹した戦いをされると、ミッターマイヤーなどでさえ手こずるのである。

「……やはり使わざるをえないか」

腕をくんでスクリーンを見つめていたラインハルトは、やがて通信士官を呼び、蒼氷色(アイス・ブルー)の瞳をむけて命令した。

「ビッテンフェルトに連絡せよ。卿(けい)の出番だ、黒色槍騎兵(シユワルツ・ランツエンレイター)の槍先に敵の総司令官の軍用ベレーをかかげて私のところへもってこい、と――」

Ⅳ

比類ない破壊力を誇る黒色槍騎兵艦隊が、ついに最高司令官の命令をえてうごきはじめたのは、二月九日一一時のことである。前日とうとう出撃命令をあたえられぬまま、手をつかねて僚友たちの戦いを見まもらなくてはならなかったビッテンフェルト大将であったが、歓喜の口笛をひとつ吹くと、通信スクリーンの前で高く腕をかかげ、ふりおろした。

「黒色槍騎兵がうごきだしましたぞ」

バイエルライン中将からの報告に、ミッターマイヤーは蜂蜜色の髪を片手で勢いよくかきまわした。

「つまり最終局面がちかいというわけか。ビッテンフェルトめ、一番うまい歌手は最後にでてくるとでもほざいているのだろうな」

「わが艦隊はいかがいたしますか」

「全面攻勢にうつる。獲物の一番うまい肉を黒色槍騎兵に独占させる手はないからな」

「小官もそう考えます」

破顔したバイエルラインは、艦隊に司令官の命令を伝え、黒色槍騎兵に遅れをとるな、と激励した。

ビッテンフェルト出動の報をうけて、ミュラー、ワーレン、ファーレンハイトらの艦隊も色めきたち、帝国軍全体が〝勝利近し〟の感を深くした。

ビッテンフェルト軍の行手には、浪費され解放されたエネルギーの大河があった。太陽風の一定した流れや惑星の運行する力が微妙に作用して、戦場を通過しつつそれをつくりあげたのである。音もなくさかまくエネルギーの波濤は、航行能力を喪失した艦艇の残骸や、無機物と化した人間の肉体の群を浮かべつつ、太陽引力のとどくかぎりの遠い暗黒のはてへと流れさっていた。おそらく人間の寿命をこえる時間の周期によって、いつかはここへ残骸と死体を還してくるのであろう。

その危険な大河を、ビッテンフェルトは迂回することもできたのだが、猛将と称されることをつねに誇りとする彼は、全艦隊に直進を命じた。

漆黒に塗られた戦艦の群は、たけだけしいエネルギーの流れに敢然と乗りいれた。流れは予測をこえて速く、整然としかも直進をねらったビッテンフェルトの意図ははばまれた。艦列は乱れ、下流——彼らから見て九時の方向へ、ともすれば針路を変えられてしまう。

「計算しろ！　帝国軍の進撃速度と、エネルギーの流れの速度をだ。奴らは流されている。計算すれば、こちらへ渡ってくる宙点が推定できるはずだ」

同盟軍のチュン・ウー・チェン総参謀長が旗艦のオペレーターに指示をあたえた。起死回生の数値をもとめて、オペレーターはコンピューターと無言の質疑をかわし、ほどなく解答をえた。ふたたび総参謀長の指示がとび、同盟軍はビッテンフェルト軍の〝渡河〟宙点にたいして集中砲撃の態勢をとった。

一一時二〇分、同盟軍がいっせいに砲門を開いた。

ようやくエネルギーの急流を乗りきって〝対岸〟に躍りあがった黒色槍騎兵の艦艇群は、今度は正面から殺到するビームやミサイルの集中豪雨にさらされた。たてつづけに核融合爆発が生じ、中央からへし折られた戦艦が、はいあがってきたばかりのエネルギーの河にたたきこまれ、下流へと流されてゆく。

だが、黒色槍騎兵の将兵たちは、無抵抗の非暴力主義者ではなかった。猛打にたえてふみとどまった彼らは、みずからのエネルギーの剣を引き抜くと、同盟軍に斬りかかり、すさまじく強烈な斬撃(ざんげき)をあびせかけた。光条と光条が衝突し、めくるめく光彩の渦が湧きおこってはくだけちる。磁力砲(レール・キャノン)から撃ちだされた超硬鋼弾が複合装甲をつらぬき、乱射される光子弾が艦隊を乱打する。急角度で襲いかかるエネルギー・ビームが水素動力炉を直撃し、砲塔を吹き飛ばし、熱風や放射線のサイクロンが乗員を死の深淵へ投げこんだ。

ついに力つき、くずれかかる同盟軍に、黒色槍騎兵をはじめとする帝国軍は容赦なく襲いかかり、草でも刈るように撃ち倒した。核融合爆発の閃光は、最初は火球の群のように見えたが、たちまちかさなりあって、白くかがやく巨大な壁となった。その壁のなかで、同盟軍の艦艇は、爆発四散し、大破炎上し、あるいは乗員を満載したまま、あるいは乗員を虚空にまきちらしつつ、光芒の渦のなかへ沈みこみ、残光はあらたな爆発光によってたちまちかき消されてゆく。

「損害甚大！　艦は航行不能」

「人的物的な損失いちじるし、戦線維持不可能、退却を許可ありたし」

「来援を請う、至急、来援を請う！」

悲鳴が同盟軍の通信回路を占領した。もはや逆境を挽回(ばんかい)するのは不可能だった。やがて悲鳴の数すらすくなくなり、やがて死に絶えるであろうと思われた。

「これまでだな。かくて陽は沈み、一将功ならずして万骨は枯る、か……」

アレクサンドル・ビュコック元帥はさしたる感銘をうけたようすもなく、スクリーンを見つめた。彼の指揮した艦隊、彼の統率した将兵が、彼の視線のさきで、破壊と殺戮の一方的な対象となって原子に還元しつつある。ひとつの光芒が花開くごとに、死者と孤児と未亡人が量産されてゆくのだ。彼の手もとには、彼らを救うために増援すべき一艦も一兵もなかった。総旗艦リオグランデの周囲には、三〇隻前後の巡航艦と駆逐艦が、血の気を失った顔をならべているばかりであった。戦艦や宇宙母艦は、最後の一隻まで戦闘に投入されていたのだ。

「すこしだけ時間をもらう」

さりげなく周囲に言って、老提督は艦橋を離れた。私室にこもり、デスクの抽斗(ひきだし)から、ブラスターと筆記用具をとりだしたとき、電子ロックをかけていたはずのドアが勢いよく開き、総参謀長が姿をあらわした。

「自殺はいけません。司令長官閣下、メルカッツ提督も敗戦ののち、生命永らえたではありませんか」

チュン・ウー・チェンの手に解錠装置の小箱を見て、老提督はゆっくりと首をふった。その動作には蓄積された疲労の翳りがあった。

「宇宙艦隊が消失した以上、司令長官だけ生きていても詮(せん)ないことだ。そう思わんかね、貴官は？」

「まだ宇宙艦隊は消失してしまってはおりません。ヤン・ウェンリー艦隊はなお健在です。一隻でも艦艇が残っているかぎり、司令長官には生きてこそ責任をとっていただかなくてはならんのです」

小箱をしまったチュン・ウー・チェンは、するどさを消した表情で説くのだ。

「この敗戦にたいして、死ぬ以外に責任をとる途があると貴官は言うのかね？」

　老提督の視線は、デスク上のブラスターにむかって固定されていた。奇蹟を演出しえず、数にして五倍の敵にいわば順当な敗北を喫した以上、なすべきことはひとつしかない、と、年老いた全身が語っていた。だが、総参謀長は、あえて老人の無言の語りかけを無視した。

「自殺なさるのは、味方にたいする責任をとることにしかなりません。私が問題にしているのは、敵に、そう、勝利した敵にたいしての責任のとりようです」

　その言葉は、あきらかにビュコックの意表をつき、老提督の視線は、はじめてデスクから離れ、非礼な侵入者へとむけられた。

「私がこれから申しあげることは、きわめて非人道的な主張です。お気に召さなければ、その銃を私にたいしてお使いください」

　そう前置きして、チュン・ウー・チェンは説明をはじめた。自由惑星同盟（フリー・プラネッツ）がこのまま血と炎のなかに瓦解しさるならともかく、おそらくそうはならない。同盟の国家組織じたいはなんとか残存を許されるだろう。ヤン・ウェンリーの有する戦力と智略によって、休戦ないし講和というかたちにもっていったとき、帝国軍はその条件のひとつに、戦争犯罪人の裁判をあげることはうたがいない。そのとき、軍の最高幹部が戦死であれ自殺であれすでにこの世になければ、その下で働いていた者が代わりに犠牲の羊（スケープ・ゴート）として被告席に立たされるであろう……。

　そこまで聞いたとき、老提督の両眼に理解の色が浮かび、むしろはればれとした表情さえ、老いた顔にはたたえられた。

「なるほど、わかった。わしは敵の銃口のために、この老体を残しておかねばならんというわけだな」

総参謀長は、うやうやしいほど鄭重に一礼した。

「閣下と私、それにドーソン元帥、制服軍人組から三名ぐらいは軍事裁判の被告が必要でしょう。このあたりで、累が他におよぶのをくいとめねばなりません。同盟の未来のために、ヤン・ウェンリーなどには生きていてもらわねばならないのです」

……彼らが敗戦後の責任と行動について語りあうあいだにも、戦闘はゴールへむけて最後の段階を走りぬけようとしていた。

だが、そのころ、躍動のままに無秩序な全面攻勢へとなだれこもうとしていた帝国軍の後背では、ささやかな、だが異常な事態が発生しつつあったのだ。

V

最初に気づいたのは、ミュラー艦隊に所属する巡航艦オーバーハウゼンのオペレーターたちである。この艦は激戦の渦中で全砲塔の半数以上を破損し、艦長も意識不明の重傷をおったため、副長の指揮下に最前線からしりぞき、もはや安全となったと思われる宙域で工作船とドッキングして艦体の修復作業をおこなっていた。ところが、なお戦闘のつづく宙域と逆の方角に、多数の艦船の移動が認められたのである。

「どこの味方だ？」

副長がそう訊ねたのを、緊張感の不足と決めつけるのは酷であろう。彼らの勝利は、ほとんど現在完了形をとるにいたっていたのだから。だが、形式的な誰何の通信波を放ったのにたいして、返ってきたのは数十本のエネルギーの矢だった。距離は遠く、照準も正確さを欠き、なんら実害はなかったが、その巡航艦を恐慌におとしいれるには充分だった。恐慌の悲鳴は通信波にのって帝国軍のいたるところで炸裂した。それが状況を急変させた。

「同盟軍の新規兵力か!?」

衝撃が帝国軍の神経を鞭うった。同盟軍の戦力は予想以上に豊富で、一軍が帝国軍と正面から戦い、べつの一軍が戦場を遠く迂回して帝国軍の退路を遮断する、そのような作戦をおこなう余裕があったのか。

豪胆さでは人後におちない帝国軍の領袖たちも、その予想に一瞬、鳥肌だった。敵地へ深く遠く侵入すること二八〇〇光年という彼らである。征服と勝利の昂揚感は、兵士たちの望郷の念という白蟻を精神的支柱のなかに眠らせていた。ひとたびそれがめざめれば、成功という家屋は無残な崩壊をまぬがれないであろう。

「追撃中止！　陣形をたてなおして、後背の敵にそなえよ」

緊迫した命令が、動員しうるかぎりのメディアをつうじて、帝国軍の指揮系統を奔った。だが、勝勢の幕をひくのは、敗走のスピードを減殺するにひとしい難事である。帝国軍の艦列は乱れ、それを知った同盟軍は、逃走しつつ反撃する絶好の機会をえて、全砲門を開き、転針をはかって混乱する帝国軍に、ありったけのエネルギー・ビームとミサイルをあびせかけた。

「フェザーンへの道が絶たれる！　帝国へ帰れなくなるぞ」

その恐怖の叫びを圧したのは、ラインハルトの叱咤である。

「なにをおそれるか！　この期におよんで同盟軍の新規兵力がでてきたところで、各個撃破するまでのことだ。うろたえるな！　秩序をたもって後退せよ」

冷静さと鋭気の、それは絶妙なブレンドだった。

「万が一、フェザーン方面への道が閉ざされたら、このままバーラト星系へ直進し、同盟の死期を早めてやるだけのことだ。そしてイゼルローン回廊をとおって帝国へ凱旋する。それですむではないか」

ラインハルトが言いはなつと、その毅然とした声が、恐慌の霧を吹きはらったかにみえた。兵士たちは彼らの太陽を、不敗の若い征服者の華麗な姿をあおぎみて、急速に信仰心を回復させた。獅子のたてがみを思わせる黄金の髪の若者があるかぎり、彼らは敗北を知らずにすむはずだった。

「醜態をお見せしました。面目ございません。勝ちながらこうも乱れるとは、いささか勝ち慣れて逆境に弱くなりましたようで……」

混乱を収拾して、通信スクリーンにあらわれたミッターマイヤーが恐縮してみせた。ラインハルトはとがめなかった。

「無理もない。まさかああいう小細工をする余裕が敵にあるとは私も予想しなかった。いずれ陽動にすぎぬだろうが、この際は用心しておこうか」

「……御意。それにしても、これはやはり、ヤン・ウェンリーのしわざでありましょうか」

ラインハルトは端麗な唇をかるくゆがめたが、そのような動作さえ優美に映る彼だった。

「あんな小細工を効果的にやってのけるのは、あのペテン師以外におるまい」

「御意。いずれにしても、いったん兵をおさめましょう」

いっぽう、ラインハルトからもロイエンタールからも〝ペテン師〟よばわりされた黒髪の司令官は、旗艦ヒューベリオンの艦橋から、膨大な残留エネルギーの海と化した戦場をながめやっていた。

現在の状況で帝国軍と本気で戦ったとしても勝算はない。個人が勝算のない戦いを挑むのは趣味の問題だが、部下をひきいる指揮官がそれをやるのは最低の悪徳である。ヤンが目的としたのは、大規模な陽動によって帝国軍を混乱させ、同盟軍の潰滅を阻止することであった。その点、ラインハルトは正確にヤンの意図を洞察していたのである。

イゼルローンから、急行に急行をかさね、途中でキャゼルヌの指揮する民間人輸送船団を分離したヤン艦隊は、バーラト星系に立ちよって命令をうけなおすような時間の浪費をせず、ラインハルトさえ予想しなかった速度でここにいたったのである。

「それにしても半日遅かった。やきがまわったとは、こういうことを指すのかな」

ヤンはかるい自己嫌悪の池に足首を浸(ひた)していた。ローエングラム公ラインハルトが、フェザーン回廊からの侵入をはたす可能性について、予見しないではなかったのに、対策をたてるのがまたしても後手にまわった。

　長駆侵入してきた帝国軍に打撃をあたえるには、同盟軍に強力な秘密部隊があること、その部隊が帝国軍のフェザーン方面への退路を絶とうとしていること、以上の二点を帝国軍に信じこませ、将兵の心理的動揺と兵力の分散とを誘うしかない。相手は戦争の天才ローエングラム公であるから、かならず真相に気づくにちがいないが、いささかでも時間はかせぐことができる。そのことを、なぜ、あらかじめビュコック司令長官やチュン・ウー・チェン総参謀長に知らせておかなかったのか。知らせておけば、彼らにもべつの戦いかたがあったであろうに、彼がなすべきことをおこたったために……。

　不意にヤンは首をすくめ、

「あぶないあぶない」

　とつぶやいた。自己嫌悪の浅い池の底に、深い穴があいていることをさとったのである。自分がこうしていれば事態を変えることができた、と思いこむのは、自己過信というべきではないか。今回はこれで充分と言わねばならない。最悪の場合、ビュコックらが完全に潰滅させられたあと、のこのこ戦場にあらわれて各個撃破の標的となる醜態をさらすという可能性もあったのだ。それに、どうにか同盟軍の潰滅を救い、帝国軍が後退したからには、いそいで軍を返してバーラト星系にもどり、無防備の首都にロイエンタール軍が殺到するのを防がなくてはならなかった。

「全艦隊、ただちに首都へむけて転針！」

こいつは過重労働だな、と思いつつ、ヤンは命じた。彼も、ラインハルトにひと泡ふかせたことで小さな快感に身をゆだねているわけにいかないのだった。

やがて、したたかに打ちのめされた同盟軍の残存部隊がヤン艦隊の周囲に集結し、通信がとどこおりなくおこなわれるようになると、ヤンはビュコック老提督の安否をたずねた。通信スクリーンに、白髪の老人の姿を認めてヤンは心から安堵した。

「むざむざ生き残ってしまったよ、部下を死なせて、不甲斐（ふがい）ないことだ」

「なにをおっしゃいます。生きて復讐戦の指揮をとっていただかなくてはこまります」

こうして、最後衛をフィッシャー提督にゆだね、ヤンは首都ハイネセンへ急行した。そして帝国軍の転進追撃にそなえて迎撃のかたちをとりながらフィッシャーが後退をはじめたとき、一隻の帝国軍駆逐艦が接近してくるのが発見された。フィッシャー艦隊は緊張し、「停船せよ。しからざれば攻撃す」との信号を発したが、反応は意外なものだった。

「攻撃なさらぬよう願います。吾々は帝国軍ではありません」

ごく若い男の声が通信でそう主張してきたのだ。

「こちらは自由惑星同盟（フリー・プラネッツ）フェザーン駐在武官ユリアン・ミンツ少尉です。この艦は帝国軍より奪取したもので、搭乗者はすべて帝国と反対の立場にたつものです。同盟首都ハイネセンへの航行を許可ねがいます」

通信士官たちは半信半疑の数秒をすごしたのち、あわててフィッシャー提督に、ことのしだいを報告した。

「こいつはおどろいたな、ユリアン・ミンツか。無事だったのだな」

フィッシャーは感歎まじりの声を発したが、駆逐艦を迎えるにあたっては、熟練した指揮官らしく慎重を期した。詭計（トリック）の可能性、ユリアンがみずからの意思によらず敵に協力をしいられている可能性を考慮したのである。戦艦主砲が照準をさだめるなか、完全武装でその駆逐艦にのりこんだピアッツイ大尉以下の六〇名は、ユリアンからの通信が事実であることを確認した。

吉報は超光速通信（FTL）にのって首都へ飛んだ。

オリビエ・ポプランは、それを知ったときにつぶやいた。

「敵の駆逐艦を奪った？　あんがい、手の早い野郎だったんだな」


「どうも天敵というものがいるらしいな」

秩序回復の途上にある帝国軍を、ひややかなまなざしでスクリーン上に見やりながら、ラインハルトは独語した。たんなる怒り以上のものが、白皙の顔にオーロラのゆらめきをみせていた。

ラインハルトは想起せずにいられない。かつてアスターテ星域において二倍の敵に包囲されながらこれを撃破したとき、またアムリッツァ星域において三〇〇〇万の同盟軍を敗亡せしめたとき、いずれも完勝の直前に彼の手をはらいのけた者こそヤン・ウェンリーだった。アムリッツァ会戦の直後、ラインハルトはビッテンフェルト提督を満座のなかで叱責した。攻勢の時機をあやまってヤンに名をなさしめる直接原因をつくったからである。さらに彼はビッテンフェルトに厳罰をくわえようとしたのだが、その怒りをたしなめたのは、亡き赤毛の友ジークフリード・キルヒアイスだった。ラインハルトの怒りは彼自身にむけられたものであり、ビッテンフェルトはそのとばっちりをうけたのであることを、キルヒアイスは直言し、反省をもとめたのである。

「キルヒアイス、お前がいてくれたら、ヤン・ウェンリーなどに白昼の横行などさせはせぬものを……」

死者にそう語りかけてしまうラインハルトだった。死者を歎くほど自分は人材に不自由してはいないはずだ、と、若い美貌の征服者は自己に言い聞かせるのだが、その声は胸中の空洞を吹きぬけるだけで、なんら建設的なものをラインハルトの精神に生みださなかった。キルヒアイスにたいする思いが失われたとき、自分の過去のうちもっとも清冽（せいれつ）で温かい日々が失われてしまうことを、ラインハルトは知っており、そのおそれはすべての理性と打算にまさっていたのである。

戦場を離脱した帝国軍は、二・四光年を移動して、ガンダルヴァ恒星系にうつり、第二惑星ウルヴァシーへの降下作戦を開始した。その惑星には一〇万人前後の人口と、未開拓の土地と必要なだけの水資源があった。かつて惑星開発の企業が広大な土地を入手し、独占的な開発をはかりながら失敗したため、長らく放置されていたのだが、ラインハルトはこの地に半永久的な軍事拠点の建設を計画したのである。将来、全同盟領がラインハルトの掌中に陥たとき、この無名の惑星は武力叛乱や海賊行為を鎮圧するための根拠地として重要な存在となるはずであった。

第五章　暁闇（ぎょうあん）

I

宇宙暦（SE）七九九年二月の日々について、自由惑星同盟（フリー・プラネッツ）の首都ハイネセンに残された記録は雑多をきわめている。人々の記憶は混乱し、その産物としての資料もいちじるしく整合性を欠く。

「目前にせまった破局から眼をそむけようとする市民が歓楽街にあふれ、急性アルコール中毒の患者やけんかの負傷者が続出し、市街はヒステリックなもやにつつまれた」

「日常、もっとも喧騒をきわめた歓楽街でさえ、この数日、水辺に瀕死の巨体を横たえる老象のように静かだった。市民は沈黙のうちに舞いおりる破滅の角笛を聴いていたのだ」

「絶望が市民を窒息させていた。空気は固体化したように重かった」

「政治的軍事的な逆境は、かならずしも日常レベルの市民生活に影響をあたえてはいなかった。音楽や冗談は死にたえるどころか、異常なまでに活性化していた」

……けっきょくのところ、地域差や個人差も大きかったのであろうし、事態の中途半端なことが混乱と不整合に拍車をかけていた。

市民たちが楽観の美酒に酔うには、暗い材料が多すぎた。なにしろ最大戦力たる宇宙艦隊が侵略者の前に大敗を喫し、首都ハイネセンは敵の手のとどくところにあり、ほかの星系は裸で敵中に放りだされたも同然だったのだから。

ところが、悲観の谷底にうずくまって自己憐愍の甘い涙に耽溺するには、さしこむ光にまだ明るさがあった。〝奇蹟のヤン〟ことヤン・ウェンリーと彼の艦隊はなお健在であって、これは五個艦隊に匹敵する信頼感を市民にあたえたのである。くわえて、ヤンの養子であるユリアン・ミンツが帝国軍の駆逐艦を奪取してフェザーンから帰還したという報は、素朴で単純で無責任な英雄崇拝の感情をあおった。

「さすがヤン元帥の養子だけのことはある。どんな奇略を使ったかしらんが、すえおそろしい逸材だ」

ヤンは惑星ハイネセンの土を踏んだ二時間後に、元帥に昇進させるむねの辞令をうけたのである。イゼルローン要塞を放棄した件による非難をいささか危惧しないでもないヤンだっただけに、これは意外であったが、チュン・ウー・チェン総参謀長と同様の感想をいだいたのである――ふむ、人事権を玩具にする最後の機会を、自暴自棄で生かすことにしたらしい、と。

これはヤンの偏見であったが、いずれにしても彼は三二歳で同盟軍史上最年少の元帥となったのである。過去の記録が三六歳のブルース・アッシュビー提督であり、それも戦死後のことであったから、またしてもヤンは、人事上の記録を更新したわけであった。だからといって、彼が無邪気に喜ぶ気分になれなかったのはむろんのことである。

「返上するほど無欲にもなれないからもらっておくが、いまさらたいしてありがたくもないな。まあ、ビュコック提督のおすそわけと思うことにしようか」

元帥の辞令をうけたヤンは、国防委員長からさしむけられた地上車(ランド・カー)に乗って委員会ビルにむかった。一年たらず前に委員会公用車に乗ったときは査問会の被告としてなかば囚人あつかいだったが、今回は賓客としてであった。同行者は二名、ワルター・フォン・シェーンコップ〝中将〟と、フレデリカ・グリーンヒル〝少佐〟である。留守役のアレックス・キャゼルヌ〝中将〟らもふくめ、国防委員会はヤン艦隊の武勲に比較しての人事の停滞を、一気にまとめて解決したように思えた。

国防委員会ビルにはいった三人は、期待をこめた視線のシャワーをあびながら委員長室に迎えいれられた。すでに知るところではあったが、アイランズ委員長の変貌ぶり——巨大な危機に直面して身心をいちじるしく活性化させた姿に、彼らは無感動ではいられなかった。もっとも、いつまでつづくか、という皮肉な危惧がどうしてもつきまといはしたが。三人に席をすすめると、アイランズは安定した精神を感じさせる視線でヤンをとらえた。

「提督、私は祖国を愛しているのだ——私なりにね」

そのことはヤンも承知していた。だからといって無条件に尊敬する気にはならなかったが。彼の表情が微妙きわまる筋肉のうごきをしめしたとみえて、シェーンコップが人の悪い笑いをかるくひらめかせた。

愛国心が人間の精神や人類の歴史にとって至上の価値を有するとは、ヤンは思わない。同盟人に同盟人なりの愛国心があり、帝国人に帝国人なりの愛国心がある——けっきょく、愛国心とは、ふりあおぐ旗のデザインがたがいにことなることを理由として、殺戮を正当化し、ときには強制する心情であり、多くは理性との共存が不可能である。とくに権力者がそれを個人の武器として使用するとき、その害毒の巨大さは想像を絶する。トリューニヒトの子分としてアイランズが愛国心を語ったら、ヤンは一秒でもいたたまれなかったにちがいない。

「元帥、きみもこの国を愛しているだろう？　だとしたら、吾々(われわれ)はすすんで協調しあうことができるはずだ」

それはヤンがもっとも嫌う論法であったが、事態の糸がもつれるのを防ぐには、おとなしく肯定してみせるしかなさそうだった。すくなくとも、いままで貧弱な政治業者でしかなかったアイランズが、愛国的公僕としての意識にめざめた以上、心細くも燃えあがった火に水をかける必要もないことであった。

「民主主義の成果をまもるために微力をつくすつもりです」

それでもなおヤンは〝国家〟という語を口にせず、形式と誠意とのあいだでかろうじてバランスをとった。委員長はうなずいた。

「私も、いや、政府をあげて元帥の努力に酬(むく)いよう。できることがあれば遠慮なく言ってほしい」

「さしあたり、負けたあとのことだけ考えておいていただきましょう。勝ったら、しばらくは安心できるはずです。その後、平和外交をおこなうなり軍備を再建するなり、それは政治家の領分で、軍人の口出しすることではありません」

「勝つと約束してほしい、などと言うのは、愚かな願いだろうな」

「約束して勝てるものなら、いくらでも約束したいのですが……」

放言と解されないよう口調に注意はしたが、やはりそれは放言だった。ひかえめにみても放言の従兄弟（いとこ）ぶんくらいの地位は主張できそうだった。だが、まったくのところ、それはヤンの本心だった。彼は言葉によって世界を創造した超越者ではなかったから、自分の意思だけで規定されない未来について約束することはできなかった。

「まったくだ。つまらぬことを言った。忘れてもらえればありがたい。どんなかたちであるにせよ元帥を拘束しようとは思わんから……」

このように低い姿勢をしめされると、ヤンとしても、多少は相手が希望をもちうるようにしてやろう、という気になってくる。

「もし戦術レベルでの勝利によって戦略レベルの劣勢をおぎなうことが可能であるとすれば、方法はただひとつです」

ヤンがいったん言葉をきったのは、ことさらに劇的な効果をねらったゆえではなく、咽喉への水分の補給が長時間にわたってとだえたからである。ヤンの前におかれたアイスティーのグラスは、すでに底まで白く乾いていた。あらたな一杯を頼むのはやや気がひけるヤンの前に、口をつけられてないグラスが卓上をすべってきた。フレデリカがヤンにむけてそっとおしやったのである。ヤンはためらいのカーテンをあけて、その善意をありがたくうけた。

「その方法とは、ラインハルト・フォン・ローエングラム公を戦場で倒すことです」

グラスをおいてヤンが言うと、国防委員長の顔に、一瞬、とまどいの波動がゆれた。あまりにも自明のことのように思えたのであろう。そのとまどいが失望へとネームプレートを書きかえるより早く、ヤンは話を核心まで一気に跳躍（ワープ）させた。

「ラインハルト・フォン・ローエングラム公は独身です。私のねらいはそこなんです」

アイランズ委員長は今度こそ途方にくれたように、元帥を見かえした。勤労意欲にめざめた彼の守護天使も、意表をつきすぎるこの発言から、ヤンの真意を洞察するほどの叡知（えいち）はあたえてくれなかった。むろんヤンとしては理論だてて説明するつもりだった。

「つまり、ローエングラム公が死んで、彼に妻子、とくに後継者となる男児がいた場合、部下たちはその子をもりたててローエングラム王朝をつづけていくことが可能です。ですが、彼には子がいない。彼が死ねばローエングラム体制は終わりです。部下たちの忠誠心と団結は、求心力を失って空中分解せざるをえません。彼らは誰のために戦うかを問いなおすために帝国へ帰還し、おそらく後継者の座をめぐって激しく対立するでしょう」

アイランズの両眼、かつては派閥抗争と猟官と利権にのみむけられていたであろう両眼が、理解と賞賛の光をみたしてかがやいた。彼は心地よい興奮にかられ、くりかえしてうなずいた。

「そうか、まさに元帥の言うとおりだ！　ローエングラム公という恒星があってこそ、ほかの惑星はかがやくのだからな。彼が死ねば、帝国軍は空中分解し、同盟は救われる」

アイランズの生涯で、これほど切実に、かつ純粋に一個人の死を願ったことはなかったであろう。ヤンの説明はつづく。

「彼らをなんらかの方法で分散させ、各個撃破をかさねていけば、鋭気と覇気に富むローエングラム公のことです、私を討伐するためにみずから出馬してくるでしょう。その機会をつくらねばなりません。それが唯一の勝機です」

「部下たちがつぎつぎと倒されれば、たしかに彼自身がでてこざるをえないだろうな、理にかなっている」

「まあ戦略や戦術というより心理学の問題ですがね、こいつは」

ヤンはもっともらしく腕をくんでみせた。ラインハルト・フォン・ローエングラム公が宮殿の奥深くに安住することなく、みずから危険と困難をもとめて陣頭にたってくることは疑問の余地がない。あの豪奢な黄金の髪の若者が、たんなる戦士なら、戦いをもとめるだけであろう。もし彼がたんなる権力者なら、勝利だけをのぞむだろう。ラインハルトは戦って勝つことを、価値の最高たるものとしている。覇者の覇者たるゆえんのひとつがそこに存在するのではないか、とヤンは思う。とにかく彼はでてくる——そこまでは自信がある。だが、そのさきのこととなると、完璧な確信などもちようがなかった。そこまでラインハルトをおいこんで、ようやく五分の立場を確保しうるのである。あの絢爛(けんらん)たる戦争の天才と正面から戦わねばならないのだ。しかもそれにさきだって、ラインハルト麾下の名だたる驍将(ぎょうしょう)たちと連戦し、これを連破しなくてはならない。戦術レベルで、今回は尋常ならぬ苦労をしいられることはうたがいなかった。金銀妖瞳(ヘテロクロミア)のロイエンタール、〝疾風ウォルフ(ウォルフ・デア・シュトルム)〟ことミッターマイヤー、と、ふたりを算しただけで、いいかげん疲労を感じてしまうヤンである。

「まあ、ミッターマイヤーとロイエンタールのふたりは、なるべくさけてとおるとしよう。彼らにこだわっていては全体の効率が悪くなる」

ヤンはそう考えた。彼の精神にはマゾヒズムやナルシズムの元素が水準以下しか存在していなかったから、〝強い敵と戦ってこそ意義と成長がある〟などという、戦争と学生スポーツを混同するような観念に毒されることもなかった。要するにヤンは勝たねばならず、どうせなら効率的に――はっきり言えば、なるべく楽に――勝ちたかったのである。ミッターマイヤーやロイエンタールと戦うことになれば、たとえ最終的に勝つにせよ、いちじるしくエネルギーと時間を消耗することは明白であった。


無機質な光がヤンの足もとに薄い影をつくっている。自分自身の影のうごきにやや不機嫌な視線を投げかけながら、退室したヤンは、深刻な疑問の声を脳裏に反響させていた。彼は、偏狭で狂信的な愛国心とは無縁であり、あおぐ旗のデザインがことなるというだけで相手に憎悪をいだくような愚劣さとは遠い存在でありたかった。そんなもののためにラインハルト・フォン・ローエングラムと戦うつもりはなかった。だが、だからといってヤンの立場が正当化できるのだろうか。人は、狂気なくして、戦争という愚行の噴火口に、自己と他者とを投げこむことが可能なのだろうか。まして、彼にはさらに深刻な疑問があるのだった。それは……。

不意に、ヤンたち三人の前に人影があらわれた。考えこんでいたヤンが気づいたのは、むしろブラスターをひきぬきながら司令官の前に立ちはだかったシェーンコップのうごきによってである。金属的な声が、国防委員会につめるジャーナリストの一員であると名のると、用意していたらしい要求をたたきつけてきた。

「ヤン提督、どうかこの場で同盟の全市民にたいして約束してください。悪魔のような侵略者の血ぬられた手から国家と市民を救う、と。きたるべき善と悪の最終決戦（ハルマゲドン）において、正義を勝利せしめる、と。かならず勝って市民の期待にこたえる、と。約束してください、それともできないのですか」

　ヤンは感情のドアに忍耐という錠をかけていたのだが、このとき、その錠があやうくはじけとびそうになった。彼が相手にむきなおり、灼熱した毒舌の熔岩をまさに吐きかけようとしたとき、彼よりはるかに冷静な声が救いをさしのべた。

「元帥閣下は、おつかれでいらっしゃいますし、軍の機密にわずかでもかんすることは、いっさいお話しできません。もしわが軍を勝たせたいとお考えなら、どうかご理解のうえ、おひきとりいただきたく存じます」

　フレデリカのヘイゼルの瞳には、非礼な客をたじろがせるなにかがあった。シェーンコップがジャーナリストをおしのけた。こうしてヤンは、温和な紳士という評判を、失わなくてすんだのである。自分の才覚によらず……。

Ⅱ

ユリアン・ミンツは中尉に昇進した。この件にかんして、すくなくとも大声で異論をとなえる者はいなかった。ユリアンは上司たるフェザーン駐在弁務官ヘンスローの身をまもって敵地から脱出をはたし、しかも帝国軍の駆逐艦を奪いとっているのだから、ひとつの功績が一階級の昇進に値するとすれば、大尉への昇進をとげても不思議はなかったが、それはどうやら〝自由戦士勲章〟の授与という形式で代用されることになりそうだった。

ともかく、若すぎるほど若い英雄の誕生は、一部ジャーナリズムを熱狂させた。ある電子新聞は、「ヤン元帥はミンツ中尉の才能を幼少のころから認めて養子にしたのだ」と書いたが、これは過大評価という言葉の見本に使われてしかるべきものだった。当の若い英雄は、彼を賞賛する人々にたいし、さして愛想がよくなかった。

「ぼくの、いや、私の使用した戦術は、今後も同盟軍が侵略者と戦うに際して、きわめて有効であると信じます。したがって、彼らとの決戦を前にその内容についてくわしくお話しすることは、利敵行為に属すると思われます。どうかご容赦ください」

これはフレデリカ・グリーンヒルが用いた論法の、いわば双生児であったが、無責任で一方的な取材の波濤をさえぎる堤防としては、いたって有効であった。ようやく取材陣から解放されると、ユリアンはイゼルローンで別れた人々との再会をのぞんだが、キャゼルヌ中将が避難民たちの事後処理で、多忙と二人三脚の状態にあると知れただけだった。ヤンに会うには、シルバーブリッジ街の官舎にもどるべきだろうかと考えて走路に乗ったユリアンは、女性の声で名を呼ばれて視線をうごかし、フレデリカ・グリーンヒルの金褐色の頭を見つけて心をスキップさせた。何人かの通行者にすくなからず迷惑をかけながら、フレデリカのたたずむ走路にたどりつく。

「お帰りなさい、ユリアン、あなたもいまやちょっとした英雄ね」

「ありがとう。でも、提督は、ぼくが帰ってきたことはとても喜んでくださるけど、英雄に祭りあげられていることは喜んでいらっしゃらないと思いますね」

「もしかして、それを嫉妬だと思う、ユリアン?」

フレデリカのかたちのいい唇はともかく、ヘイゼルの瞳はかならずしも笑っていなかった。ユリアンはとっさに返事ができずに年上の女性の瞳を見かえし、肺と心臓の機能を乱すことになってしまった。

「……まさか、そんなこと、考えたこともありません」

「だったらいいの。もしあなたがそう考えているとしたら、思いきりひっぱたいてあげたわ。こう、背中と腕を伸ばしてね。わたしは子供のころ手が早いことで有名だったんだから」

フレデリカは、若すぎる同盟軍の英雄を、ごく短時間につづけておどろかせることに成功したのである。信じられない、と、顔全体で語るユリアンに、フレデリカは笑顔をみせた。

「そりゃあ軍隊にはいってからは、おしとやかに、猫の毛皮を三、四枚着こんでいたもの……なかなかの努力だったのよ、これは」

「そうはみえませんでした、ほんとうに」

「それはありがとう」

フレデリカは金褐色の髪をかきあげ、ヤンが国防委員会ビルにちかいホテル・カプリコーンに宿泊する予定だ、と教えてくれた。こうしてユリアンは二月一三日に、殺風景な軍人用のホテルでようやくヤンと再会することができたのである。ユリアンがドアをあけると、なつかしいヤンの声が迎えた。

「やあ、ユリアン、見てくれよ。わが心のごとく、かつ現今の世情のごとし、さ」

註釈(ちゅうしゃく)つきでヤンがさししめしたテーブルの上には、ソーセージ、卵、フライドフィッシュ、マッシュポテト、ミートボールなど無個性な食物のかずかずが、秩序や美学とは無縁な状態で皿につみあげられていた。ユリアンはしみじみと論評せずにいられなかった。

「これほど粗雑な食事をしている元帥閣下って、歴史上ちょっと類をみないでしょうね」

「同感だ。元帥になったら年金もあがることだし、再会を祝して外へ食事に行くか」

「おともします。それにしても、あくまで年金にこだわるんですね」

「当然だろう。せっかくの年金も、同盟政府が存続しないことにはもらいようがない。したがって、私は、老後の安定のために帝国軍と戦うわけだ。首尾一貫、りっぱなものさ」

「いずれにしても、元帥へのご昇進、おめでとうございます」

「私の元帥なんかより、お前の中尉のほうがずっとりっぱだよ」

やや口調を変え、大量生産のソファーに投げだされたハーフコートを取りあげながら、ヤンは亜麻色の髪の少年を温かい黒い瞳で見やった。

「よく無事にもどってきたな。ほんとうによくやった。背も伸びたし、もう一人前だな」

「いえ、ぼくはまだ半人前のひよこです」

胸を内部からみたすものの存在を実感しつつ、ユリアンは答えた。

「いろいろと教えていただかなくてはこまります」

「教えることなどなにもないと思うがな」

ハーフコートをはおったヤンが歩きだしたので、ユリアンはあわてて彼のあとを追い、極度に照明を節約した廊下へとびだした。

「それどころか、こちらが教わりたい。帝国軍の駆逐艦を、どんな魔法を使ってのっとったんだ？　軍事機密とはいっても、私になら教えてくれるだろう？」

立体TV(ソリビジョン)の報道を見ていたらしく、ヤンの口調は愉快そうだった。彼自身が一部ジャーナリズムの厚顔さにはうんざりしているので、ユリアンの処理ぶりがたのもしいのだが、少年としては赤面せずにいられない気分である。

ヤンとユリアンが足をはこんだのは、なつかしい『三月兎亭(マーチ・ラビット)』だった。彼らの到着で満席になるほど、あいかわらずの繁盛ぶりにヤンが祝辞をていすると老ウェイターが破顔した。

「おかげさまで、こういうご時世ではありますが、レストランやホテルの存在しない社会体制というのは、それこそ存在しませんからね。技倆のいいコックは、どんな社会でも食いはぐれることはありませんし、不謹慎ながら、戦争だの亡国だのを気にしてはおれません」

「同感、同感」

ユリアンを軍人などに本来したくなかったヤンは、熱心にうなずき、ローストビーフをメインのだが、星間流通事情の悪化から、幾種かの料理は材料不足をきたしていたのである。

ン・ディッシュにしたごくまっとうなコースを注文した。最初はもうすこし奇をてらってみた
「さて、ミンツ中尉、食事しながら貴官の武勇譚をうかがいますかな」

「からかわないでください。提督がイゼルローン要塞を奪取なさったときの方法を応用しただけですよ」

「ふむ、応用か。特許をとっておくべきだったかな。年金プラス特許料で……」

まるきりジョークに聞こえないな、と思いつつ、ユリアンは語りはじめた。


……フェザーンからの脱出をはかるユリアンにとって、もっとも心配なのは帝国軍の動向であることはむろんだった。いつ態度を急変させ、たけだけしい軍事支配の本質をあらわして民間船をとりしまりはじめるかわからない。

「その点は、おそらく大丈夫でしょう」

マリネスクが自信ありげに保証した。帝国軍は現在のところフェザーンの民間航路のすべてを統制下におこうとはしていない。理由はふたつある。ひとつには政治的な配慮からであって、

軍の占領下にあるフェザーンの民心を不必要に刺激しないためである。だからこそ、直接統治を廃して、もと自治領主（ランデスヘル）補佐官であったニコラス・ボルテックを総督などにしたてて擬似民政をしいている。そのくらいだから過重なとりしまりで商人たちの反発をかうことはさけるだろう。

「なるほど、で、もうひとつは？」

ユリアンが訊ねると、マリネスクは片目をつぶってみせた。

「物理的に不可能だからですよ」

いかに帝国軍が大兵力を擁しているといっても、フェザーンの人口や経済活動の規模からすれば微々たるものである。完全を期してとりしまろうとしても不可能であり、無理にそれをおこなえば流通が停滞し、けっきょくはフェザーン人の反発をかうであろう。

こうしてユリアンたちはフェザーンを出発したのだが、宇宙船が惑星を離れたとき、ユリアンは完全に度胸をすえていた。平和な時代に平和な職業についたわけではないのだから、一〇〇パーセントの安全を期せるはずもない。マリネスク、航宙士ウィロック、マシュンゴ准尉、それに自分自身の才覚と運にまかせて行動するしかないのだ。充分に計算をたてたうえでのことではないか。

もっとも、マリネスクのように万事いきとどいた男が、一点を見落としていた。それは同胞のなかの裏切者という存在である。ボルテック〝代理総督〟は、まず帝国軍にたいして忠誠心をしめす必要を感じ、帝国軍のうち航路の警備・哨戒（しょうかい）にあたる艦に自分の部下たちを乗りこませて、帝国軍の臨検に協力させたのだった。彼にしてみれば、姿を消した自治領主ルビンスキーの行方でも発見できれば、帝国軍の意を迎えることができるし、彼自身の地位も安定度をますとあって、熱心にならざるをえなかった。そして、歴史上、民間人を監視し摘発するという不名誉な任務にかんしては、占領軍の将兵より被占領国の協力者のほうがはるかに有能なのである。ユリアンたちがフェザーンを出発するまでに、三〇隻の船から二〇〇人をこす非合法の客が発見、拘束された。そのなかには、のちにユリアンが帝国軍駆逐艦のデータから知ったことだが、同盟軍のフェザーン駐在首席武官であったヴィオラ大佐もいたのである。

「こいつはどうも甘かったらしい」

ほかの船からはいる極秘情報を検討して、マリネスクがそう言ったときには、フェザーンを出発して一週間が経過し、すでにひきかえすこともかなわぬ状態だった。帝国軍の警備体制もさることながら、フェザーン人の協力者がいるとなると、偽造通行証も無用の長物となるしかないであろう。対応策の決断がつかぬうち、オペレーターが帝国軍駆逐艦の接近を告げた。マリネスクがものがなしげにユリアンを見やった。

「どうも甲斐性のないことで、申しわけありませんが、ここで中途退場らしいですな」

「待ってください、まだ完走のチャンスはあります」

ヤンがイゼルローン要塞を、味方の血を一滴も流すことなく占領したとき、ユリアンはまだ一四歳で、正規の軍人ではなかったが、ヤンの成功例からふたつの教訓を学んでいた。ひとつは、外部から敵を攻略しえないときは、内部から制圧すること。いまひとつは、敵にとってもっとも重要な人物を最初に捕捉し、これを人質にとることである。ユリアンは思考回路をフル作動させて、五分間で作戦をたて、つづく三分間でそれを同乗者の一部にだけ説明した。

「まあ、できるだけやってみましょう」

と最後につけくわえたのは、ヤンの悠然たる態度を意識的にまねたのである。それが効を奏したというより、ほかに方法がなかったからだろうが、提案は了承された。

不審な民間船に停船を命じようとした帝国軍駆逐艦ハメルン4号は、その民間船ののっとりをたくらんだ密航者たちが格闘のすえとらえられたとの報をうけた。一刻も早く危険分子をひきわたしたい、と、ベリョースカ号事務長マリネスク氏は懇願(こんがん)した。自分たちがこんな方向に航行してきたのも、彼らに脅迫されたからである。彼らは同盟軍の士官や下士官たちだが、先刻ようやく隙をみてとらえたから、逮捕をお願いしたい、というのだった。用心深く通信スクリーンをとおして事情を確認したハメルン4号の艦長は、ドッキングののち、危険分子とやらを艦内につれてこさせた。

「のっとりをたくらんだ同盟軍の士官というのはどいつだ」

亜麻色の髪を乱し、顔は汚れ、服の一部を引き裂かれた姿でユリアンがひきだされると、艦長はわざとらしく眉をはねあげた。

「これはこれは、おどろいたな、まだ半人前の孺子(こぞう)じゃないか。同盟軍もいよいよ人材が底をついたとみえる」

艦長は冷笑したが、その冷笑を最終楽章までつづけることはできなかった。電磁石の手錠をはめられていたはずの少年の腕が不意にはねあがって、彼のあごを下からつきあげたのである。一瞬、宙に浮いた艦長の身体が床に横転し、少年におさえこまれたとき、護衛兵のうち三人は、黒い巨人マシュンゴの円柱のような腕で壁にたたきつけられていた。四人めの兵は黒いサイクロンからとびすさって銃をかまえたが、横あいから放たれたビームに右のふくらはぎを撃ちぬかれ、苦痛の悲鳴をもらして床にうずくまった。これはいままでユリアンに銃をつきつけていた航宙士のウィロックが発砲したものだった。

こうして駆逐艦ハメルン4号は、まことにあっけなく不逞の徒に制圧されてしまったのである。

だが、成功した者たちも、踊りまわってみずからを祝福している余裕はなかった。ほかの帝国軍の注意をそらすべく、再度、策をうつ必要があった。ユリアンたちは駆逐艦に乗りうつってベリョースカ号を無人にした。マリネスクは歎いたのだが、やむをえぬ仕儀で、ベリョースカを犠牲にせねばならなかった。

自動操縦のままに突進するベリョースカ号に、三度にわたって警告信号を発してみせたあと、ユリアンは心のなかであやまりつつ、砲撃によってベリョースカ号を破壊した。こうして帝国軍の眼をごまかし、完全に同盟領にはいった時点で、ユリアンは駆逐艦の乗組員たちを救難シャトルに乗せて追放した。そのなかには、フェザーン人の協力者もいた。最初、通信スクリーンの映像を見て、マリネスクらの顔を確認した男である。ウィロックなどは、帝国軍の走狗になったこの男に殺意をいだいたのだが、ユリアンとしては、武器をもたない男を殺すのはためらわれたのだった。食糧と水をあたえるいっぽう、メカ類をロックして四八時間経過しなければ帝国軍と連絡がとれないようにしたのは、彼の芸の緻密さであったろう。あとはひたすら同盟軍との合流をめざすだけだった。

もっとも、いまでもすべてが終わったとは言えない。マリネスクは、あの駆逐艦の所有権がベリョースカ号乗組員にあると主張してやまず、同盟軍を相手に訴訟も辞さないかまえなのである……。

Ⅲ

ユリアンが語るあいだに、食事はすすんで、いつかふたりの前にはデザートのクランベリー・パイと紅茶がおかれていた。

「まあ、マリネスク氏にはなんらかの補償をしてやるべきだろうな。多大の協力をえたのだから」

自分に補償の責任がないと思ってか、ヤンは気前がいい。だが、気前がいいと言えば、もっと大胆なことをヤンはやってのけているのだ。今度はユリアンが訊ねる順番だった。

「イゼルローン要塞を敵の手にお返しになったでしょう？　なにかお考えがあってのことと思いますが、教えていただけますか」

「なに、罠をしかけはしたがね、ごく簡単なことさ」

ヤンはとくに謙遜してみせたわけではない。爆発物のセットで帝国軍の目をくらませておいて、数年後を期してしかけた罠の内容を話してきかせると、ユリアンは肩をすくめた。

「それは、ほとんどぺてんですね。成功したら、帝国軍はさぞ腹がたつだろうなあ。お人が悪いですよ」

「けっこう、最高の賛辞だ」

すましてヤンは言ったが、やや表情をあらためた。

「このことを知っているのはシェーンコップとグリーンヒル少佐だけ、お前で三人めだ。役にたたないにこしたことはないが、必要になるかもしれないから憶えておいてくれ」

ユリアンはむろん喜んで承知したが、旅の収穫を問われて重要なことを思いだした。

「ふたりばかり、注目すべき人物を知ることができたんです。ひとりは直接ですが、もうひとりは間接的にでして、この人は、いまハイネセンにいるそうですよ。提督の旧いお知りあいだとか」

「ほう、美人かな」

ヤンの反応はやや真剣さを欠いている。

「男です。ボリス・コーネフという人です。ご存じでしょう?」

「ボリス・コーネフ……?」

ヤンはナイフをもつ手を宙にとどめたまま、あわただしく記憶の鉱山を掘りかえしたが、手にしたどの鉱石にも、その名は刻印されていなかった。坑道の奥深くからようやくそれを発見したのは、ユリアンから、その人物が幼いころの知己だと具体的に告げられてからである。

「……ああ、あのボリスか、やっとわかった」

「老化の第一現象は、固有名詞を思いだせないことからはじまるんですってね」

「老化だって？　私はまだ三一歳だ」

せこく一歳ごまかしておいて、ヤンはフォークでクランベリー・パイを突き刺した。

「ボリス・コーネフなんてきちんとした姓名を名のるから思いだせないんだ。悪たれのボリス・キッドといえばすぐにわかったさ」

「そんなに悪かったんですか」

「それはもう、親泣かせ、友人泣かせ、他人泣かせ。はた迷惑このうえない悪童だったね。私もずいぶんと迷惑をこうむったものだ」

「そうですか」

ユリアンの声は言葉ほどすなおではない。

「マリネスクさんからの伝聞によると、ボリス・コーネフ坊やの悪戯のかずかずは、優秀な共犯があってこそ実効をあげたということらしいですが」

「コーネフにはいずれ再会を期するとして、ふたりめの注目すべき人物とは誰だ？」

ヤンのごまかしようは、とてもさりげないとは言えなかったが、ユリアンは深追いしないことにした。

「もうひとりは、デグスビイといって、地球教の主教です。ただ、もう自分は聖職者ではなく背教者だと言っていましたけど……」

「そう卑下する理由がなにかあるのかな」

ユリアンはデグスビイから聞いた話の内容をヤンに伝えた。フェザーンの自治領主ルビンスキーと補佐官ケッセルリンクの父子間のあらそいを、ヤンははじめて知ることができた。

なるほど、舞台裏で俳優どうし、とんでもない暗闘を演じていたわけだ、とヤンは考えた。それにしても、息子が父親を殺そうとして返り討ちにあうとは、中世の宮廷悲劇さながらではないか。それにしても、その主教は、なぜそうもフェザーン支配者層の内情に精通することが可能だったのか。地球教は同盟の指導者たちとも浅からぬ関係があるようだが、フェザーンとの関係はさらに深かったのか。それほどに地球教のはりめぐらした地下茎はひろがっているのか。ヤンの関心はそこにむかわざるをえなかった。

「そうです。デグスビイは死ぬ前に言い残しました。すべての事象の水源は地球と地球教にある、過去と現在の裏面を知りたかったら地球をさぐれ、と」

デグスビイが息をひきとったのは、ベリョースカ号から帝国軍駆逐艦ハメルン4号に移乗した直後であった。なかばは自殺であったように、ユリアンには思える。皮膚の色が、内臓のいちじるしい衰弱をしめしており、それがアルコールと薬物の濫用によるものであることは明白であった。おそらく激痛にさいなまれていたであろうが、それを背教の罰として甘受していたようにユリアンには見え、彼を宇宙葬にふしたとき、一片の感傷もともなわないというわけにいかなかったのだ。

「地球にすべてがね……」

ティーカップを両の掌のなかでまわしながらヤンはつぶやいた。精神の地平からたちのぼるスコールの雨雲を、彼は用心深く見まもっているようだった。

「彼はこうも言いました。地球にたいする恩義と負債とを人類は忘れてはいけないのだ、と……」

それこそ、デグスビイがもっとも言いたかったことであるようにユリアンには思える。ヤンはなお雨雲のようすを観察し分析していたが、ユリアンの言葉にうなずいてみせた。

「それは正論だ。だが、正しい認識から正しい行動が生みおとされるとはかぎらないからね。ユリアン、吾々の文明は七〇〇〇年ばかり昔に、地球という小さな惑星の一角からはじまった」

「オリエント、でしたっけ」

「そう、それ以前に未知の高度な文明が存在したという説もあるが、歴史の連続性からみれば、その文明がやはり現在の宇宙文明の母胎と言うべきだろう」

挫折せる歴史学徒はそう語りながら、戦略家としての思考をあわただしくめぐらしていた。瀕死の主教が言いのこしたことを、たんなる妄想の産物とみなすことはできそうになかった。

「だが、地球という一惑星の地表にかぎってさえ、政治や経済や文化の中心は移動した。人類が宇宙に進出した以上、その中心も地球から離れるのはしかたないことだ」

ヤンが推測するに、地球教徒たちは、人類の支配権を地球の手に回復すべく、宗教の枠をこえた活動をおこなっているように思える。そのことを、故人は、自己に許される最大限の表現を使って伝えようとしたのだ。ユリアンのうちに、秘密の一端を知らせるなにかを見いだしたのだろう。

「ユリアン、吾々はチグリス・ユーフラテスのほとりにはじめて都市をきずいた人々とくらべて、それほど精神的にゆたかになったわけではない。だが、よしあしはべつとして、知識はふえ、手足は伸びた。いまさら揺籃にもどることはできない。もし地球が陰謀によって支配権を回復しようとしているとしたら、それはきわめて悪質な反動と言うしかない」

だが、そう思っても、現在のところヤンはうつべき策をまったくもっていなかった。

「では地球のことは放っておくのですか」

「いや、放置しておくわけにもいくまい」

ヤンは大いそぎで脳裏の人名録をひらき、とあるページに朱線をひいた。

「バグダッシュに調査させよう。あの男は戦闘よりその種のことが得意なはずだからな」

……こうして、ほぼ二年間、イゼルローン要塞で無為徒食をつづけてきたもと情報部員は、ひさびさに意義のある任務をあたえられることになったのだ。

「さしあたり、このハイネセンに居残っているフェザーン弁務官事務所の人たちと接触させる。あとは彼の才覚で、毒蛇の尻尾ぐらいつかんでくれるだろう」

「バグダッシュ大佐ですか……」

ユリアンが口にしたのは、質問でも確認でもなく、ひかえめな不同意の念だった。バグダッシュはヤンの帷幕の一員ではあるが、その参加のしかたには、すくなからぬいわくがあったのである。二年前、〝救国軍事会議〟と称する軍部強硬派が、軍事独裁政権の樹立をねらってクーデターをおこしたとき、ヤンの暗殺を目的として彼らがヤン艦隊に潜入させたのがバグダッシュであった。もっともその意図はあっさり看破され、バグダッシュは同志を捨ててヤンに忠誠を誓ったのである。

「ほかに人がいない」

ヤンにそう言われて、ユリアンはひきさがった。話はさらにうつって、ラインハルト・フォン・ローエングラムを打倒すべく画策するヤンの作戦構想がもちだされた。そこでヤンは、アイランズ委員長には話さなかった心情をユリアンにたいしてはうちあけたのである。

「これが成功したとしても、それが歴史にたいしてどのような意義をもつのか、私には疑問なんだ。つまり、ラインハルト・フォン・ローエングラム公を武力によって倒し、帝国軍を分裂させることは、さしあたり自由惑星同盟(フリー・プラネッツ)にとっては有益だ。だが、人類全体にとってはどうだろう」

独裁者が消えさることは長期的に人類にプラスではないか、と、ユリアンは思ったが、そういう単純な見解をヤンがもとめているとは考えられなかった。ヤンはおさまりの悪い黒い髪をかきまわしている。

「帝国の民衆にとっては、あきらかにマイナスだ。強力な改革の指導者を失い、その後は政治的分裂、悪くすれば、いやほぼ確実に内乱がおきるだろう。民衆はその犠牲になる。まったくひどい話さ。こうまでして、同盟の目先の安泰をもとめなきゃならんのかな」

「でも、そんな点にまでかまってはいられないでしょう？　帝国のことは帝国にまかせるしかないと思いますけど」

ヤンは憮然とした。

「ユリアン、戦っている相手国の民衆なんてどうなってもいい、などという考えかただけはしないでくれ」

「……すみません」

「いや、あやまることはないさ。ただ、国家というサングラスをかけて事象をながめると、視野がせまくなるし遠くも見えなくなる。できるだけ、敵味方にこだわらない考えかたをしてほしいんだ、お前には」

「はい、そうしたいと思います」

「これからさきまあ、いろいろたいへんだが、闇が濃くなるのは、夜が明ける直前であればこそというからな」

「国父アーレ・ハイネセンの名言ですね。アルタイル星系から天然ドライアイスの宇宙船で脱出して、一万光年の長征（ロング・マーチ）にでかけるときに、同志をはげましたんでしょう？」

「……と言われているが、真偽のほどはどうかね。革命家や政治運動指導者だったら、誰が言ってもよさそうな台詞さ。だが、国父ハイネセンの台詞となると、無名人が言ったというよりありがたみがでるのさ。神格化、偶像化、そんなものをアーレ・ハイネセンがのぞんでいたはずはないんだが」

ヤンは首をふった。彼は国家至上の思考法にはげしい嫌悪と反発をおぼえるが、国父ハイネセンはすなおに敬愛していた。その産物である民主主義体制をまもるということで、どうやら妥協しているのだが、今回、勝利の結果が帝国の民衆におよぼす作用を思うと、心の翼を水分が重く湿らせてしまうのだった。

Ⅳ

宇宙暦（SE）七九九年、帝国暦四九〇年の二月末から、ヤン・ウェンリー艦隊の蠢動（しゅんどう）がはじまる。それは、後世から〝軍事活動上の芸術〟と称されるもので、華麗な戦術的成功において広く知られるが、戦略思想においても画期的なものであり、さらにその行動の全体が、巨大な陽動作戦であって最終目的はほかにあったことなど、後世の軍事史研究家たちの食指をそそるさまざまな味覚にみちていた。

権限が独裁的なものではなく、民主国家における軍人としてさまざまな制約をうけていたこともあって、ヤンはこれまでラインハルト・フォン・ローエングラムの先手をつねに許す立場だった。それが、事態がここにまでおよんで、ヤンは純軍事的にラインハルトの先手をうつことが、ようやくできるようになったのである。

　これにたいして、いまいっぽうの当事者であるラインハルト・フォン・ローエングラムは、事態の前半においてはやや精彩を欠いたかにみえる。その理由も、戦史家たちの興味の的だが、彼のような比類ない天才にも精彩を欠く時機があるのかと思われるのだった。

　ラインハルトは惑星ウルヴァシーに軍事拠点の建設を開始するとともに、軍の最高幹部たちを集めて、中期的な戦略の立案と決定をおこなった。このとき、オスカー・フォン・ロイエンタール上級大将とヘルムート・レンネンカンプ大将も艦隊をひきいて到着しており、帝国軍の総兵力は二〇〇〇万人に達していた。コルネリアス・ルッツ大将だけはイゼルローン要塞に残留し、回廊の支配権確立をはかっている。こうして、惑星ウルヴァシーの衛星軌道上に総旗艦ブリュンヒルトを乗せておこなわれた作戦会議には、遠征軍の最高幹部がほとんど全員、顔をそろえ、ミッターマイヤーとロイエンタールは握手して再会を祝しあった。

　フェザーン回廊の通過によるイゼルローン要塞の無力化という長期的な戦略目標は、すでに達成され、しかもイゼルローン要塞の奪回に成功するなど、充分以上の収穫をえていた。ただ、同盟軍最強のヤン艦隊が行動の自由を確保したことから、先勝に傲(おご)ってはいられなかったのである。

　中期的な戦略立案は、現状においては、ふたつの案のいずれを選択するかにかかっていた。第一案は、全兵力をあげて敵国の首都ハイネセンを直撃すること。第二案は、他の諸星域を攻略・制圧して首都の孤立をはかり、また将来にそなえて帝国本土からの補給ルートを完全に確保すること。以上のふたつがラインハルトの決断を待っていた。

多くの場合、会議にさきだってラインハルトはみずからの決断を胸におさめていたのだが、このときは白紙状態だった。彼はどことなく気ののらないようすで、提督たちの討論の声に鼓膜をくすぐらせていた。

「ここにいたって逡巡する必要はいささかもない。いっきょに敵の首都を撃って、征服の実をあげるべきである。そのためにこそ、一万数千光年の征旅をおこなったのではないか」

むろん、反対の意見もある。

「ここにいたったからこそ、短兵急な行動はさけるべきである。首都を制圧したところで、同盟じたいが瓦解するとはかぎらぬし、地域的な反抗の続出に手をやく可能性もある。むしろ周辺を制圧し、首都の権力者たちを物心両面からおいつめて彼らのほうから和を乞わせるにしかず」

活発な議論は、しかしなぜかラインハルトの精神を刺激せず、結論がでないまま会議はいったん幕をおろした。若い独裁者は、頭が重く、夕食の際も味覚がにぶかった。

翌朝、ラインハルトはベッドからおきあがれなかった。三八度をこす熱を発したのである。駆けつけた医師は、やがて恐怖にちかい不安を春の氷のように融かして、過労による発熱との診察をくだした。医師を呼んだ親衛隊長キスリング大佐も彼におとらず安堵したものである。

考えてみれば、一〇年以上というものひたすら走りつづけてきた。枕に黄金色の頭をあずけながら、ラインハルトはそう思った。自分を憐んでそう回想したわけではない。事実、彼は戦争と政治の二本のロープに両手をかけて、たゆむことなく高みをめざしてきたのだ。敵手であるヤン・ウェンリーにくらべ、ラインハルトは勤勉の持続性においてはるかにまさっていたから、手のとどく範囲につねに彼の判断を必要とする政戦両面の仕事をおいていた。

たまには休むのもよいであろう。体調の悪いときには精神的活力もそこなわれる。それをおして思考し決断しても、健康なとき以上の果実を収穫するのは不可能であろう。あせってもしかたのないことだった。

「今日と、できれば明日もゆっくりお休みになることです。平凡ですがそれがいちばんですぞ」

医師の忠告をすなおにうけいれたラインハルトは、眠りの精の庭園をひとめぐりして正午ちかくに目をさまし、水をもとめて枕もとのインターホンのスイッチをおした。

熱をだして寝こむなど、ラインハルトにとってはこの七年間なかったことである。幼いころは、しばしば熱をだした。そのつど、姉アンネローゼが看病してくれた。じつのところ、たいした熱でもないのに、額にあてられる姉の掌の、陶器に似た感触をもとめて、床から起きださなかったこともある。

「すこしだけ熱があるわね。寝ていたければそうなさい。どうせすぐにあきて起きだしたくなるのだから、ラインハルトは……」

姉の言うことは正しかった。午前中は清潔なシーツの感触を満喫したが、姉の手で昼食の野菜スープを食べさせてもらうと、みずみずしい筋肉が運動をもとめだし、どう弁解して起きだす許可をもらおうかと悩んだものだ……。

盆(トレイ)にクリスタル・ガラスの水さしとグラスをのせてはこんできたのは幼年学校の生徒だったが、とび色の髪と暗緑色(ダーク・グリーン)の瞳にラインハルトは記憶があった。彼が視線で問いかけると、エミール・フォン・ゼッレという名の少年は、グラスをささげもって深くおじぎをした。

「フロイライン・マリーンドルフから、閣下のお世話をするように、と、おおせつかりました」

「お前は医学の心得があったのか?」

ラインハルトはからかったのだが、少年はきまじめに反応した。

「父が医者でした。私も幼年学校を卒業したら軍医学校へすすみたいと思っております」

少年が過去形をつかったことにラインハルトは気づいた。

「それで、ご父君はどうなさっている?」

「三年前に戦死しました。巡航艦の艦医をつとめていましたが、アムリッツァ会戦のときに艦ごと吹きとばされてしまって……」

少年の口調は淡々としていた。

「でも、閣下が讐(あだ)をうってくださいました。アムリッツァで叛乱軍を撃滅なさって……母のぶんもお礼を申しあげます」

グラスにみたされた冷水をほとんど一息に飲みほすとラインハルトはやわらかく声をかけた。

「はやく軍医の資格をとれ。お前に私の主治医になってもらうからな」

感激の情動が、少年の瞳に、きらめくような光彩をあたえた。エミールは頬を燃えたたせて、憧れの対象である若い美貌の独裁者に、努力を誓約した。憧れほど強烈な原動力となって若者をかりたてるものはないであろう。

医師がキスリング大佐にともなわれて入室し、疲労と発熱との関係について独創性の欠片もない意見をあらためて述べたあと、噴霧式注射器で解熱剤と栄養剤を注射した。傍で黄玉色の瞳をむけているキスリング大佐に、主君への忠勤ぶりをみせつけるようでもあった。キスリングのほうは、むろん、医者が不穏なうごきをみせたら即座に射殺するつもりであったろう。

ふたたびラインハルトは眠った。断続的に夢を見た。最初、姉のアンネローゼが、皇帝の後宮におさめられる前の姿で、彼の夢の庭園にはいってきた。質素だが清潔な服を着て、彼のためにオニオン・パイを焼いてくれている。その香ばしい匂いが消えて、スクリーンの星空を背に、赤毛のジークフリード・キルヒアイスが笑顔をみせると、なつかしさとともに、ついぐちがでるのだった。

「お前が生きていてくれたら、私はこんな苦労をせずにすむのだ。お前に遠征軍の総指揮をとってもらって、私は帝都で内政に専念していられるのに……」

わがままを言っているうちに眠りの国から放りだされてしまった。まばたきして視点をさだめながら意味もなくつぶやきを発すると、薄いカーテンのむこうで人影がうごいて応答があった。傍にずっとエミール少年がひかえていたことをラインハルトは思いだした。なんでもない、と、金髪の若い独裁者は答えたが、額や頸すじに汗がにじんでいるのに気づいて、ふいてもらうことにした。少年はていねいに命令を実行したあと、ためらいがちに、戦いにのぞんで武勲を祈る、と告げた。

「案ずるな、エミール。能力がおなじであれば運が勝敗を左右する。私は自分自身の運のほかに、友人からも運をもらった。その友人は運だけでなく、生命も未来も私にくれたのだ」

ラインハルトは一瞬、瞼を閉じた。かたちのないなにかが彼にそうさせたのだ。

「私はふたりぶんの運を背負っている。だからヤン・ウェンリーなどに負けはせぬ。案ずるな」

ラインハルトが責任をおっているのは、ひとりにたいしてだけではない。遠征軍二〇〇〇万の将兵と、二五〇億の帝国人民とに、彼は責任をおっている。だが、このとき、ラインハルトにとっては、ただひとりの少年に安心感をあたえてやることがもっともたいせつなことだった。彼自身にもわからない理由で、金髪の若者はそう思ったのである。

第六章　連　戦

I

〝距離の暴虐〟とは、銀河系宇宙の三分の一にまで拡大した人類社会を武力によって統一支配することがいかに困難なことであるか、それを指摘した発言であるが、発言者は皇帝マクシミリアン・ヨーゼフ二世のもとで司法尚書をつとめ、剛直をもって鳴ったミュンツァーであると言われる。マクシミリアン・ヨーゼフは彼の忠告をいれて自由惑星同盟（フリー・プラネッツ）への侵攻計画を破棄し、治世二〇年のあいだ、まったく外征をおこなわなかった。

これにたいし、〝距離の防壁〟をとなえたのは、自由惑星同盟の初代元首にえらばれながら老齢と盲目を理由に固辞したグエン・キム・ホアである。彼は、一万光年の長征途上に没した国父アーレ・ハイネセンの親友であったが、建国後、公職にはつかず、ハイネセン記念財団の名誉会長に就任しただけであった。その彼が、政府首脳に国防政策の今後を問われて、「帝国本土とわが共和国との距離が、最大の防壁となってくれるだろう。よほど巨大な野心と才能をもつ者が時をえてはじめてこの防壁を打破するだろうが、一世紀やそこらは案ずるにおよばぬ」
と答えた。グエンは宇宙暦五三八年に没した。ラインハルトがこの世に生をうける二三八年前のことである。

「つまるところ距離とは、軍事的には、輸送・補給・通信・指揮系統のすべてを律するものであり、これらの困難度はおおむね距離の増大に正比例する」

ことは軍事上の常識であり、これを軽視したがため、帝国軍も同盟軍も一度ならず苦痛と屈辱にみちた敗戦を経験せねばならなかった。

宇宙暦（SE）七九九年、帝国暦四九〇年にいたって、ラインハルト・フォン・ローエングラムは、〝巨大な野心と才能をもち、時をえてはじめて〟距離の暴虐をねじふせ、防壁を打破したかにみえた。しかし、一二〇〇〇万人にのぼる大軍の補給や帝国本土との連絡を思えば、たかだか一会戦の勝利ごときに喜んではいられなかった。圧倒的に有利な態勢にあることは事実だが、強大な遠征軍が弱小な防御軍に敗れた戦史上の例はいくらでもあるのだ。

〝距離の暴虐〟は、人的資源の面からも、深刻な影響をあたえる。どれほど多くの征服者が、望郷と厭戦（えんせん）の念にたえかねた将兵の反逆やサボタージュによって野心をくじかれたことであろう。

「世界の涯（はて）まで」

と叫ぶ征服者に、兵士たちは拒否の瞳をむけて答えた。

「行きたければ、あなたひとりで行くがいい。私たちは故郷に帰って家族のもとで死にたいのだ」

と。まして古代には、風土の差からくる疾病が、肉体をも害した。現在はそれがないだけよいかと言えばかならずしもそうではない。頭上にふりあおぐ星座のかたちがことなるのは、長いあいだには兵士の心を蚕食（さんしょく）する。帝都オーディンから一万五〇〇〇光年、ラインハルトの心には、けっして遠い距離ではないが、兵士たちの心がはばたく距離は、ラインハルトよりはるかに短いのだ。それにしても、オーディンを根拠地とするかぎり、同盟への遠征、またそれが完了してのちの支配には、〝距離の暴虐〟がつきまとうであろう。

「いっそフェザーンを新帝国の首都としようか」

昨今（さっこん）、ラインハルトはそう考えている。同盟を完全に征服したとき、彼の支配する領土は一挙に二倍の広さに達する。それを効率よく、また高い統一性を維持しつつ支配するには、現在の帝都オーディンは新領土から遠すぎるのだ。フェザーンであれば、旧領土と新領土との結節点に位置し、物資と情報の集積拠点として支配の中枢たりえるであろう。フェザーン回廊の両端にイゼルローン要塞のような軍事拠点をきずけば、軍事的にも難攻不落となりえるはずである。もともとオーディンは、ルドルフ大帝がきずいたゴールデンバウム王朝の根拠地であり、ラインハルトが無批判にそれを継承すべき理由はなかった。あたらしい王朝には、あたらしい首都がふさわしい。旧王朝の虚飾を廃した、質実な首都が……。

だが、当面、ラインハルトは未来の首都ではなく惑星ウルヴァシーの基地に建設の情熱をそそがねばならなかった。

ヤン・ウェンリーの最初の一撃は、イゼルローンを経由して惑星ウルヴァシーにいたるべき輸送船団にたいしてくわえられたのだった。これはウルヴァシーを恒久的に基地化するための第一歩となるべきもので、二〇〇〇万人の一年ぶんの食糧と燃料、植物工場および兵器工場のプラント、各種資材、液体水素等を満載した二四〇個の巨大な球型コンテナを八〇〇隻の巡航艦と護衛艦がガードしていた。

球型コンテナは、ニッケル隕石(いんせき)の内部をトンネル状にくりぬき、氷をつめて両端を密封したあと、恒星反射鏡によってこれを熱してつくる。熱が中心部まで浸透した瞬間、大量の氷が一気に蒸発して爆発的に膨張し、薄いニッケルの外皮をもつ巨大な中空の球体ができあがるのだ。これに推進ユニットをつけ、貨物をつめこめば、球型コンテナは完成する。ただ、当然ながらこのようなコンテナは自衛手段を有しないので、護衛の艦隊を必要とするわけである。

その指揮官となったのはゾンバルトという若い少将で、みずから申しでてその任についたのである。どんな地味な任務でも、とにかく自分の存在をうりこみたかったのだ。

若い軍人は、とかく戦闘のみを重視して補給を軽視する傾向がある。若いとはいっても主君よりは年長なのだが、ラインハルトはその点に思いをいたして、同盟の兵力が完全に崩壊したわけでもないのだから、充分に用心すること、つねに本隊との連絡を絶(た)やさず、危険を感じたらただちに救援をもとめることなどを指示した。ゾンバルトは胸をはって言いはなった。

「もし失敗したら、この不肖な生命を閣下にさしだし、もって全軍の綱紀を正す材料としていただきます。どうぞご安心を」

　その高言に眉をしかめたのは、ラインハルトよりもミッターマイヤーやロイエンタールらの宿将たちだった。ミッターマイヤーは、自分が行くと申しでたが、ラインハルトは豪奢な黄金色の頭をふってそれをしりぞけた。いかに補給が重要でも、ロイエンタールやミッターマイヤー級の将帥まで投入するのは、人的資源の浪費に思えたのだ。ラインハルトは、

「高言したからには責任をとれ」

　と言ってゾンバルトを送りだした。

　ゾンバルトは満々たる自信と揚々たる意気を両手にかかえて出発し――完璧にラインハルトの期待にそむいた。才能がなかったわけではないが、緊張感を持続させることができない男だったのだ。また、自分に不適格な任務をかってでるあたり、自己評価も正確さを欠いていたであろう。いずれにしても、彼は、すべての神経と牙をとぎすまして機会をうかがっていたヤン艦隊の敵手たりえなかった。

　連絡が不定期になったことから危機を予測したラインハルトの命令で輸送船団を迎えにでたトゥルナイゼン中将の艦隊が駆けつけたとき、コンテナは膨大な物資ごとすべて破壊され、三〇隻にまで撃ちへらされた護衛艦が、主人にはぐれた犬のようなたよりなさで戦場を徘徊していた。加害者は遠く走りさって影も見えない。

　ゾンバルト少将は戦死をまぬがれたが、数日の余命をながらえただけにすぎなかった。おめおめと帰還してきた彼を、ラインハルトは許さなかったのだ。

「補給路をねらうのは、敵としては当然の戦法である。わざわざその点を注意したにもかかわらず、また、高言にもかかわらず、油断から貴重な物資をそこなうとは、弁解の余地なし。みずからを裁け」

ゾンバルト少将は毒物による自殺を命じられた。提督たちは粛然とした。ミッターマイヤーなども弁護しなかったのは、ここで助命すれば軍律のけじめがつかないからである。非情だがやむをえざるところだった。

一罰百戒の心理的効果があらわれたところで、ラインハルトは最高幹部たちを招集し、宣告した。

「これまで確たる方針をたてずにいた私にも責任はあるが、一時的な侵攻と寇掠をこととするならともかく、征服を永久のものとするためには慎重を期せねばならない。敵の組織的な武力は、これを徹底的に排除すべきであると考える」

ヤン艦隊は首都ハイネセンにもどらず、べつの集結地と補給地をもとめてバーラト星系を去っている。一戦ごとに集結地と補給地を変えるという基本戦略が、その行動の根底にあることを、ラインハルトはその天才によって見ぬいたが、それだけに敵を捕捉撃滅する困難が思いやられた。ともかく、ヤンのいる場所を探しださねばならない。発見すれば大兵力を集中させてたたきつぶす。

「シュタインメッツ提督」

ラインハルトは指名した。

シュタインメッツ大将は、麾下の艦隊をひきいて即座に惑星ウルヴァシーを進発した。

Ⅱ

帝国軍の補給船団を覆滅させたことは、ヤン艦隊にとってむろん大きな成功であった。だが、この成功はより大規模な、より苦しい戦いへのステップでしかない。ラインハルト・フォン・ローエングラムをひきずりだして正面からの決戦をしいるには、戦いつづけ、かつ勝ちつづけねばならず、それはしだいに困難さを増大させていくのは確実である。勝てば勝つほど、よりすぐれた敵が出現してくるのは、借金するほど利子がふえていくありさまに、奇形的な相似をしめしており、考えると、ヤンはいささかばかばかしくなってくる。そんな彼を見てユリアンが笑った。

「いよいよ、〝ぼやきのユースフ〟二世ですね」

ユリアンは当然のような顔でヤンの傍にいるのだが、じつは中尉昇進の辞令はうけたものの職務変更命令はでていないので、正式にはいまだフェザーン駐在武官であって、ヤンの部下ではないのである。そのことにヤンが心づいたのは、うかつにもハイネセン進発後のことだった。ユリアンのほうはむろん知っていて沈黙していたのである。事態をたくみに処理したのはフレデリカ・グリーンヒル少佐だった。ユリアン・ミンツ中尉はフェザーンで入手した情報をヤン提督の戦術決定の資料として提供すべき義務がある——という理論で、いつのまにかユリアンの席を確保してくれたのだ。ユリアンは心から感謝した。ヤンはしばらくのあいだ口のなかでなにかつぶやいていたが、大声で正論をとなえようとはせず、いつかなにも言わなくなってしまった。

シュタインメッツは、覚悟していたよりはるかに早く、三月一日にヤン艦隊を発見した。これはむろんヤンがことさらみずからの存在を誇示してみせたからであるが、それはシュタインメッツの知るところではない。ただ、発見した宙域が問題だった。ライガール、トリプラ両星系の中間で、どの航路からも遠く離れているのだ。理由は、むろん、フェザーンで収集されたデータのなかに記されていた。

「ブラック・ホールの存在が確認されております。シュワルツシルト半径は九キロほどですが、質量は六京トンの一〇〇億倍、危険宙域の半径は最大限三二〇〇光秒、九・六億キロにおよぶと推定されます」

「一〇億キロ以内には接近しないほうが賢明か」

それにたいするオペレーターの返答は、その一〇億キロの距離にヤン艦隊が遊弋していると いうものだった。しかも帝国軍の接近にともない、凸形陣を編成し、こちらに先端をむけているという。

「つまり奴らはブラック・ホールを後背にして布陣しているというのだな。どういうつもりだ」

シュタインメッツが小首をかしげると、参謀長のナイセバッハ中将が司令官の疑問を彼の主観でときあかしてみせた。

「後背に危険地帯をひかえるということは、攻撃するがわにも、攻撃法の幅をせまくさせます。後背へ迂回できないのですから。それがねらいでしょう」

なるほど、とシュタインメッツはうなずいた。ナイセバッハの主観とはいっても、充分に客観的な説得力を有していた。シュタインメッツは艦隊に凹形陣の編成を命じた。自然と人為、双方の理由によって、両軍は正面からの激突を余儀なくされているかにみえた。

双方が射程距離にはいったのは、同日二一時である。まずヤン艦隊がいっせいに光の束を敵に投げかけ、帝国軍が応射して、めくるめく光彩の滝を暗黒の宇宙空間に出現させた。やがて帝国軍が微速前進し、同盟軍が後退をはじめた。ゆるやかな、だが確実なペースで帝国軍は前進をつづけ、同盟軍は不平満々だが力不足という体でおされていく。シュタインメッツは、はやる心をおさえ、凹形陣の両翼をのばして、静かに、だが断固として半包囲の態形をととのえていった。

戦況が一転したのは三月二日五時三〇分のことで、それまで帝国軍におされて半包囲下にあると見えた同盟軍が突如として急進をはじめ、激烈な砲火と機動力を駆使して、ほとんど一瞬にシュタインメッツ艦隊の中央を突破したのだ。さらに突破をはたした同盟軍は敵の後背で左右に展開し、帝国軍をブラック・ホールへむけておしまくりはじめた。

これは完璧なまでに成功した〝中央突破・背面展開〟戦法であった。シュタインメッツの、凹形陣からの半包囲戦法が、まったくの逆効果となったのである。むしろシュタインメッツは、計算だてた陣形などとらず、地の利と力にまかせて正面から並列前進すべきであったのだ。猪突猛進タイプの指揮官であれば、そうしていたにちがいない。シュタインメッツは一流の指揮官であったから、より完全な勝算をもとめて陣形をつくり、それが致命傷となったのである。ヤンの陣形が、守勢ではなく突撃攻勢のためのものであることまでは、彼は読めなかったのだ。

ヤン艦隊は、いまや半球状に帝国軍をおしつつみ、徹底的な一点集中式の砲撃をあびせ、シュタインメッツ艦隊をブラック・ホールの重力圏へむけておいこんだ。帝国軍はなだれをうって、密度が六〇〇兆倍に達する異常な重力場の淵――事象の地平線へおいつめられた。ヤン艦隊の砲撃は苛烈をきわめ、突出をはかる帝国軍の艦艇はつぎつぎと爆発炎上して光の塵(ちり)となった。

ヤンの旗艦ヒューベリオンのオペレーターが、突然、たかぶった声を発して司令官の注意をうながした。

「後背に敵です！　挟撃されるおそれがあります」

報告をうけるがわは、報告するがわの一〇分の一も興奮をしめさなかった。ヤンは黒ベレーをぬいで、おさまりの悪い黒い髪をかきまわした。

「後背というと、どのていどの距離だ？　時間的距離でいい」

オペレーターは操作卓(コンソール)にとびついて数字と格闘し、三時間前後という推定をしぼりだした。

ヤンはひとつうなずくと、ベレーを頭にのせ、くしゃくしゃの髪をおしこんだ。

「では二時間で敵を破り、一時間で逃げだすとしようか」

映画のあとには食事、と言いかえても違和感をおぼえさせないさりげない口調で〝奇蹟(ミラクル)のヤン〟は言い、攻撃のさらなる強化を全艦隊に指令した。

シュタインメッツ艦隊は、断崖から追い落とされる野牛の群さながらに、いまや重力場の深淵へ落ちこみつつあった。艦レベルの重力制御能力では、対抗するのは不可能だった。

「助けてくれ、ひきずりこまれる……!」

悲鳴が帝国軍の通信回路のなかで衝突しあい、やがてちぎれるように消滅していった。ブラック・ホールの、抵抗しえない巨大な重力が、シュタインメッツ艦隊をひきずりこんだ。中心部の艦艇は自由落下状態で一直線にブラック・ホールへ吸いこまれてゆき、その周辺の戦艦はすさまじい潮汐力によって紙人形のようにねじれ、引き裂かれながら、巨大な重力の波動にのり、みずからの意思に反して宙を突進していった。〝事象の地平〟に没するとき、それは〝かつては戦艦であった〟金属と非金属の塵の塊にすぎなくなっていた。全推力をあげてブラック・ホールの吸引力に抵抗する艦でも、まず艦内の人間が高重力のため内臓を破裂させ骨をくだかれて死にいたり、動力炉が爆発し、火球となりつつ消滅への暗いトンネルにむかって飛びつづけることになるのだ。それは死に直面した蛍(ほたる)の奇怪な群舞だった。光さえも吸収する重力場のため、スクリーンは底知れず暗く、勝者たちは異様な非現実感の虜囚となって、つぎつぎと消滅する火球の、ほんの一部を黙然とながめやった。

シュタインメッツ艦隊は、半数を〝事象の地平〟下に永遠に沈めさった。残る半数のうちさらに過半が砲撃によって破壊され、重力と敵襲をのがれて味方のもとへ帰還しえたのは全軍の二割にすぎなかった。この二割は、ヤン艦隊の砲火をあびつつ、みずからシュワルツシルト半径ぎりぎりの線へ突進し、双曲線軌道にのって船の推力にまさる速度をえ、脱出に成功したのである。司令官はかろうじて離脱に成功したが、蒼白な顔色は死者のそれにひとしかった。

ブラック・ホールとの挟撃でシュタインメッツを完敗せしめたヤンは、前言を撤回した。逃走する予定を中止して、あらたな敵との交戦を決意したのである。ひとつには、逃げたところでおいつかれて後背から攻撃される可能性が高かったからだが、いまひとつは、いくつかの情報を総合して、増援軍の司令官がヘルムート・レンネンカンプ大将らしいと知ったからである。ラインハルトは、シュタインメッツひとりにまかせるのを心もとなく感じ、急いで増援軍を派遣したのだった。充分にあうという計算のもとにであったし、実際、わずか三、四時間の差で、ヤンは二倍の敵に圧倒されるところだったのである。レンネンカンプの行動も迅速だったといわねばならない。

「ミスター・レンネンか」

と、ヤンは勝手に他人の姓を省略してつぶやき、ほんの数秒、あごに片手をあてて考えこんだ。やがて指を鳴らしたが、これは当人にだけ、それもわずかにしか聴こえなかった。ヤンの指令は、ヤン艦隊に属する者でなければ、諒解も承服もしがたいものだった。

「敵が射程距離にはいる直前に、主砲を三連斉射、その後、ライガール星系方面へ逃走すること。ただし、ゆっくりと、しかも整然と」

ヤン艦隊のなかでも、この命令の意味を完全に理解した者はおそらく皆無であったろうが、さからった者もまたいなかった。命中するはずもない三連射で無限の闇を切り裂いたあと、前進する帝国軍におされるように逃走を開始する。最初、それにつられるように速度をあげた帝国軍だが、急にレンネンカンプ司令官から後退の命令が伝えられ、不審と不満の声をあげながらも後退をはじめた。

その瞬間、スクリーンを凝視していたヤンは全艦隊に反転攻撃を指令したのである。

絶妙のタイミングだった。レンネンカンプ艦隊は、みずからの後退によって敵の攻勢にはずみをつけるかたちになってしまった。ふりそそぐ閃光が、闇と帝国軍の艦艇とを同時になぎはらい、爆発光がスクリーンと人間の網膜を灼いた。爆発光の壁は短時間のうちに艦隊旗艦にせまり、レンネンカンプは戦意を喪失してさらに後退した。十三時にいたって、なかば潰走(かいそう)状態の帝国軍がようやく秩序を回復したとき、ヤン艦隊は今度こそ本格的に逃げさってしまっていた。

「……なぜ敵は攻勢を中断して後退しようとしたのでしょう。あのままおしつづけていれば勝てたでしょうに」

ヤン艦隊の旗艦ヒューベリオンの艦橋で、ユリアン・ミンツが黒髪の青年元帥に問いかけた。ユリアンならずとも不思議なところである。

「レンネンは」

と、ヤンは説明した。先日、イゼルローン要塞の攻防戦でヤン艦隊に誘いこまれて痛撃をあびている。それにこりていれば、こちらが隙を見せればむしろ罠の可能性を考えて用心するはずだ。同盟軍の逃走ぶりがわざとらしければ、後退したくなるにちがいない。その心理をヤンは巧みについたのである。もし彼が復讐心にたけりくるうだけの単純な指揮官であれば、ヤンとしては味方の出血をおそれて、ひたすら逃げるしかないところだった。

「これでまた私を憎む未亡人や孤児が何十万人かできたわけだ。すべて背おいこむのは、ちと私の肩には重いな。地獄へ一回堕ちただけですむものやら……」

一日に二個艦隊を連破するという偉業をなしとげたのに、ヤンの表情には厚い雲がかかっていた。

「提督が地獄へいらっしゃるなら、ぼくもおともします。すくなくとも、寂しくはありませんよ」

冗談めかしながら、ユリアンがそのじつ心から言った。

「ばかなことを言うんじゃない」

ヤンは表情をやわらげて苦笑した。

「お前には天国へ行ってもらって、釣糸で私を地獄からつりあげてもらうつもりなんだ。せいぜい善行をつんでおいてほしいな」

なるべくそうします、と答えはしたが、ユリアンの心はヤンの戦いぶりを反芻するほうに飛んでいた。戦略にも戦術にも、心理学的な要素がいちじるしく強い場合があることを、ユリアンは学んだのである。シュタインメッツもレンネンカンプも、無能な将帥ではないだけに、ヤンがしかけた心理上の陥穽(かんせい)にみずからおちこんだのだった。あるていど強い相手のほうが、かえって読みやすいものらしい、とユリアンは心のノートに書きとめたのだった。

「……ヤン艦隊に所属していたら、生命がダース単位であってもたりやしない。一日に二個艦隊と連戦するのだからな」

ヒューベリオンの戦闘艇搭乗員(ファイター・パイロット)控室では、中佐への昇進をはたした〝撃墜王(エース)〟オリビエ・ポプランがぼやいている。僚友のイワン・コーネフがおもおもしく論評した。

「お前さんの場合、一ダースの生命のひとつごとに一ダースの女が必要だし、なにかとたいへんだな」

「そいつはすこしちがうな。おれの生命のひとつごとに、一ダースの女がおれを必要としているんだ」

「なに、お前さんがいなくなれば、彼女らはべつの男にべつの美点を見つけるだけのことだよ」

相手を返答に窮させておいて、イワン・コーネフはおもおもしく、今度はあくびをしたのだった。

Ⅲ

シュタインメッツ、レンネンカンプの両艦隊がヤン・ウェンリーの時間差各個撃破戦法の前に連破されたことは、ラインハルトの自尊心にするどい一撃をあびせずにおかなかった。彼がひきたてもし、評価もしているふたりの提督が、文字どおり手玉にとられたのである。感情の激すること、輸送船隊が破壊されたときの比ではなかった。

「卿らにはよい勉強になっただろう。卿らのレベルでは測ることのできない相手がいるのだ。私が卿らに現在の地位をなぜあたえたか、それをよく考えて一からでなおせ」

蒼氷色の視線で、ひざまずく両提督をつきさしながらラインハルトは手きびしく叱責し、艦隊の再編を完全にすませるまで戦場に立つことを禁じた。それですんだことに、両提督よりも同僚たちが胸をなでおろしたであろう。

じつはラインハルトはレンネンカンプを更迭してイゼルローン要塞司令官にうつし、かわってルッツを呼びよせようとしたが、秘書官のヒルダことヒルデガルド・フォン・マリーンドルフに反対されたのである。理由は三つあった。ひとつは、レンネンカンプを更迭しながらシュタインメッツを留任させれば、更迭された者が不公平感をいだくということ。ふたつは、すでにゾンバルト少将を粛清して一罰百戒をなしたのに、ここでまた厳罰をくだしては人心を萎縮させること。みっつは、イゼルローン要塞司令官の職が、左遷された者のおちつきさきとして軽視される結果になりかねないことである。ヒルダに説かれて、ラインハルトはそれを正論と認め、シュタインメッツとレンネンカンプに叱責をくわえるにとどめたのだった。ふたりそろって前線からはずせば戦力が低下しすぎる以上、ヒルダの意見をいれるしかなかった。

ラインハルトの蒼氷色(アイス・ブルー)の瞳は、体内で荒れくるう嵐を映しだしてするどすぎる光を放ち、それを静めるのにまる一日が必要であった。


殺風景きわまる内装と調度ながら、惑星ウルヴァシーには高級士官用の宿舎がすでに建設されており、ロイエンタールとミッターマイヤーは、数カ月ぶりに人工のものではない大地の感触と、ワインぞえの会話を楽しむことができた。それぞれの戦場での日々を語り終えると、話題はどうしても現在彼らが脅威に直面しているこざかしい敵将についてのことになってしまう。

「奴の戦術はまったくみごととしか言いようがない。しかし、まさかヤン・ウェンリーが戦術レベルでの勝利を蓄積させて、戦略レベルでの勝利に直結させようとしているとも思えないがな。どういうつもりでいるのか」

何気なく感想を口にして、ロイエンタールは友人の顔を見やったが、色のことなる両眼にかるい不審の光をたたえた。

「なんだ、なにか思いあたることでもあるのか」

「うむ……」

ミッターマイヤーは腕をくんだ。

「言ってみろよ、おれにだけ」

彼らの会話の口調は、泥と油にまみれて前線で苦闘していた下級士官時代のものとことならない。けっきょく、ためらいつつもミッターマイヤーが口を開いたのは、その雰囲気のゆえであったろう。

「ローエングラム公が言われたことがある。同盟軍が戦略上の不利を一気にくつがえすには、戦場において自分を、つまりローエングラム公を倒すことだ、それ以外に彼らの勝機はない、と」

「ほう……」

金銀妖瞳(ヘテロクロミア)にたたえられた光彩には、微妙なゆらめきがあった。彼の友が危惧をおぼえずにいられないある要素をそれはもっている。

「すると、戦術レベルでの勝利にヤン・ウェンリーは固執しているように見えるが、これすべてローエングラム公を自分の前にひきだして正面決戦をしいるための下準備というわけか」

「そう考えれば筋がとおる」

「たしかにな」

うなずくロイエンタールを見やりながら、ミッターマイヤーは友人と自分のグラスにワインをそそいだ。

「ローエングラム公がお倒れになれば、吾々(われわれ)は指導者を失い、忠誠の対象を失う。これ以上、誰のために戦うのかということになる。敵としては願ってもないことだ」

「誰をもって後継者となすか、それもさだまってはいないからな」

「誰が後継者になってもローエングラム公ほど絶対の支持はえられんだろう」

ミッターマイヤーの口調は、親友の眼光とおなじく、単純なものではありえなかった。彼はロイエンタールがゆたかな理性とともに非理性的な情念をあわせもつことを知っていた。それが、どこか投げやりな印象をあたえる漁色だけにとどまらず、乱世の雄としての野心に連動すると、はなはだ危険な香りを発散するのである。現在のところ、それを知る者は自分だけであろうが――とミッターマイヤーは思っている――ロイエンタールには自重と自愛をのぞみたかった。いたずらに才能を浪費し、平地に無用な穴をうがつべきではないと思う。

親友の心情を知ってか否か、ロイエンタールは空になったワインボトルに愛惜の目をむけた。

「もうおしまいか。できればあと一本ほしいところだが」

「残念ながら、輸送部隊が全滅して以来、補給関係者の機嫌と気前が、はなはだ悪くなった。高級士官ばかりがよい目を見るわけにもいかんしな」

「ワインやビールならまだしも、肉やパンの配給がとどこおりはじめると、兵士たちの士気に影響するぞ。古来、飢えた軍隊が勝利をえた例はないからな」

「やはり、飢える前に戦わざるをえないか」

それはけっきょくのところ、ヤン・ウェンリーによってラインハルトが正面決戦をしいられることを意味する。ここまで有利な戦局をつくりあげ、同盟の首都を指呼の間にのぞみながら、帝国軍の驍将たちは、焦燥と不安の二重奏を脳裏の一角に低くひびかせていた。

とかくするうちに帝国軍は第三の犠牲者をだした。アウグスト・ザムエル・ワーレン大将がまたもヤン艦隊のために敗北をしいられたのである。

ワーレンは、帝国軍がつぎの補給を待って空しく日を送ることに異議をとなえ、独自の作戦行動案をたててラインハルトにそれを上申（じょうしん）した。つぎのように、彼は若い主君を説いたのである。

「吾々がフェザーンでえた情報によりますと、同盟軍は国内に八四カ所の補給基地、および物資集積所をもうけております。わが軍が補給部隊を攻撃されたからには、目には目をもって応じ、彼らの補給基地を襲い、できれば物資を強奪してきたいと思いますが」

ラインハルトがその行動案を許可したのは、小さな欲に目がくらんだためではなく、いまだ最終的な決断がつかず選択に迷っていたことの裏がえしだった。いますこしの時間を彼は必要としていたし、いずれにしても補給物資は多いほうがよく、兵士の士気（モラール）を向上させる機会ものがすわけにいかなかった。

いっぽう、ヤンにしてみれば、帝国軍の本拠地がガンダルヴァ星域にある以上、そこを監視していれば彼らの動向がかなりの確度でわかるのだ。これにたいし、ヤン艦隊は首都ハイネセンを離れていずこかに消えてしまっており、帝国軍は一点に監視の目を集中させることができなかった。このハンディキャップは、無能という表現にほどとおい帝国軍の将帥たちにとっても、いちじるしい不利となってはたらきかけたのである。

こうして、タッシリ星域の同盟軍補給基地を襲撃すべく進発したワーレン艦隊は、途中で、タッシリ方面からのこのことという感じであらわれたヤン艦隊と正面から遭遇することになった。むろん、ヤン艦隊からすれば、わざわざ敵の進路に行進曲の伴奏をつけて登場してみせたのである。気づいてもらわねば、はなはだ失望するというものであった。

非武装の輸送船は、艦隊の中心部に位置して敵の攻撃をさけるというのが軍事上の常識である。ところがこの艦隊は、球型の輸送コンテナをさきにたて、後方に戦闘用艦艇が、女王につかえる侍従のごとくしたがっているのである。これでは前方からの攻撃に対応しうるはずがない。この原則性を欠いた油断ぶりこそ、遭遇戦の証拠である。ワーレンはそう見た。

帝国軍が一糸の乱れもない凹形陣をとって殺到していくと、同盟軍の前進は急停止した。それからが醜態であった。交戦するにしても味方のコンテナが邪魔になる。横に陣形を広げるにしても、凹形陣に対抗しようとすると層が薄くなる。右往左往のあげく、帝国軍が最初の発砲をおこなうと、いっそいさぎよいと評したいほど簡単に逃げだした。むろんこれはヤン艦隊の偽態(ぎたい)だったのだが、あまりにも真にせまっていたので、参謀長のムライ中将が、

「うちの艦隊は逃げる演技ばかりうまくなって……」

と皮肉ったものである。

ワーレン艦隊は、僚友であるシュタインメッツやレンネンカンプの屈辱をはらすように同盟軍を追いまくったが、司令官は無秩序な攻撃の続行をやめさせ、当初の目的である物資の収集

をおこなうよう命じた。ワーレンは戦意を目的に優先させるような男ではなかったのだ。コンテナをひっぱっていた輸送船はとうに逃げさっていたので、八〇〇個をこすコンテナはゆたかな物資もろとも無傷で帝国軍の手におちた。同盟軍というぶざまなアヒルは、黄金の卵を産みおとしてくれたのだ。

だが、帝国軍がコンテナの大群を艦隊中心部に集め、古代北欧海賊（バイキング）さながらの凱歌（がいか）をあげて帰還の途につこうとしたとき、同盟軍が反転して追いすがってきた。

「コンテナをまもりつつ後退せよ」

そう命じたワーレンは、みずからの旗艦を最後尾に位置せしめ、逆撃の指揮を陣頭でとった。整然たる陣形と砲火は同盟軍をたじろがせ、ひとたび肉薄した同盟軍は、閉口したように、後退を開始した。それでもなお距離をたもっておそるおそるついてくる。

「未練がましいことだ。まあ、貴重な物資をうばわれては無理もないか……」

ワーレンは旗艦のスクリーンをながめながらつぶやいた。

ところが、そのとき、帝国軍の中心部に保護されるかたちとなった球型コンテナから、不意に、数本の光条がひらめいて帝国軍に襲いかかったのである。密集態形の内側から発砲されては回避しようがなく、駆逐艦一隻が破壊され、巡航艦一隻と駆逐艦二隻が損傷をこうむった。これは帝国軍をおどろかせるにたりた。

「コンテナのなかに敵の戦闘要員がひそんでいたとは！　吾々の物資ほしさを見すかしての小細工か」

舌打ちしたワーレンは、コンテナの輸送を断念し、彼らの胃のなかにもぐりこんだ不逞な寄生虫どもを駆除するよう命令した。コンテナは、八方から集中するエネルギー・ビームの糸にまきつかれ、一瞬の痙攣ののち、爆発した。それはただの爆発ではなかった。

白熱した光の塊が、帝国軍将兵の視界を直撃した。爆発は連鎖して生じ、帝国軍の中心部に巨大な宝石の群を現出させた。ひとつの宝石は代価として数万の兵士の生命を要求した。

コンテナに搭載されていたのは、わずかの自動射撃システムと膨大な液体ヘリウムだったのである。そこにエネルギー・ビームが集中したのでは、帝国軍はみずからの手で巨大な爆発物を完成させたようなものだった。熱と光の乱流が内側から帝国軍を引き裂いた。各艦の航宙士たちは、たがいの衝突を回避するため血相をかえてメカと格闘したが、彼らの努力にむくいたのは、急速前進していっきょに砲門を開いた同盟軍の猛攻だった。

陣形と精神の双方に混乱をきたしたワーレン艦隊は、おそいかかるヤン艦隊の砲火の前に、徹底的にたたきのめされた。数十万本のエネルギーの鞭が帝国軍にむけてあびせられ、帝国軍は苦痛の悲鳴をあげてのたうちまわった。炸裂する光芒は、そのまま、帝国軍の傷口から噴きだす血のしぶきだった。帝国軍の艦艇はつぎつぎと乗員もろとも火球と化し、流血の色と量をさらにゆたかにした。

「……人間なにかとりえがあるものだ」

ヤン艦隊の旗艦ヒューベリオンの艦橋で、スクリーンを見やりながら、シェーンコップ中将が司令官の作戦をそう論評した。ユリアン・ミンツは声もなく光と闇の群舞に見いっていた。

ヤンは、帝国軍がコンテナを艦隊中心部において周囲を分厚く艦艇の群でかこむであろうこと、したがって自動射撃システムであっても充分な命中率がえられるであろうことまで計算してワーレンを罠におとしたのだ。

一方的な破壊をほしいままにし、熱狂的な歓声をあげる部下たちのなかで、だが、ヤンは楽観主義と手をとりあうことができずにいた。

「ローエングラム公の怒りと矜持も、そろそろ臨界点に達しただろう。物資も長期戦をささえるほどの量はない。近日中に、全軍をあげて大攻勢にでてくるはずだ。おそらく、これまでにない苛烈な意志と壮大な戦法をもって……」

周囲の将兵が視線を集中させたので、ヤンは、自分が、心のなかで語るはずの言葉を、無意識に口からだしてしまったことに気づいた。孤独のうちに心の壁面をひびひとつなくたもちつづけるのは容易ではないのだった。

Ⅳ

帝国軍のうけた打撃と衝撃は、いちだんと深刻なものになった。かろうじて残兵をまとめ、生還したワーレンは、若い帝国元帥の前にひざを折って敗戦の罪を謝したが、ラインハルトは一言、

「もうよい」

と冷たい怒りをこめて言いすてたきり、席を蹴って部下たちの前から姿を消してしまった。

残された提督たちは肩をおとし、撫然たる自分自身の表情を、たがいの瞳のなかに映しあった。

「ワーレンほどの用兵巧者までしてやられるとはな」

提督たちの声は、うめきにちかかった。

「いや、用兵巧者だからこそ、してやられたのだ。その点シュタインメッツもレンネンカンプも同様だ」

これは彼らの負けおしみではなかった。ワーレンが戦意だけゆたかな男であれば、コンテナなど放っておいて逃げる敵を追いかけていたであろう。そうであれば、かえってヤンの詭計におちいることなくすんでいたに相違ない。その意味では、あきらかに、ワーレンの理性がワーレン自身の足をからめとったのだ。だがワーレンは、敗れはしたものの、一本の麦すら収穫できなかったわけではない。彼は全面潰走の寸前で艦隊の秩序を回復させ、そのいっぽうでヤン艦隊の戦闘後の行動を偵察していたのである。その結果、タッシリ星系方向からあらわれたヤン艦隊は、そのまま戦場を通過してロフォーテン星区方面へ姿を消しさったことが確認された。

ヤン・ウェンリーは一戦ごとに艦隊集結地と補給地を変え、移動しつつ戦っている。

かつてラインハルトが天才によって直感した事実がほかの提督たちの目にもあきらかになると、帝国軍の驍将たちは、一瞬、声がなかった。この意味するところは、ヤンが特定の根拠地をもたず、むしろそれを積極的な戦略思想として確立しつつあるということだ。

「まいったな、同盟領それじたいが奴の基地になっているというわけか」

ファーレンハイトがあわい水色の瞳に、にがにがしさと感歎の思いをとけあわせてつぶやいた。これはいわば正規軍によるゲリラ戦というわけであり、帝国軍は本拠地をもたぬ敵を追って戦わねばならないのである。その困難さを考えると、いままで彼らが踏破(とうは)してきた一万光年余の征路も、長いものと思えなくなるほどだった。

考えてみれば、イゼルローン要塞をさえ、あっさりと放棄してのけたヤン・ウェンリーである。ハードウェアとしての根拠地に執着しないのは予測しえたが、ここまで徹底するとは、そらおそろしいほどであった。

ミッターマイヤーが軍靴のかかとで床を蹴りつけた。

「……一個艦隊」

低い声に、膨大な量の感情がこめられている。賞賛と屈辱、感歎と怒り、それは熱くたぎる感情のスープだった。

「わずか一個艦隊で、わが軍を翻弄(ほんろう)している！　奴が好きなときに好きな場所に出現することができるにしてもだ」

同盟軍の補給基地が八四カ所にのぼることは、帝国軍の知るところだが、そのいずれをヤンがつぎの根拠地とするか。それは予測しがたいところで、この場合、知識がかえって迷いの原因となるのである。

「二年前、リップシュタット戦役で門閥貴族のどら息子どもと戦ったとき、奴らみたいに無能な輩はいないと思った。だが、とんでもない誤りだった。ヤン・ウェンリーがいかに智謀の主といっても、たかだか一個艦隊にしてやられるおれたちの醜態を見ろよ」

ミッターマイヤーがなげくと、ファーレンハイトが水色の目を光らせて提案した。

「いっそ八四カ所の補給基地ことごとくを占拠ないし破壊すればよい。そうすればヤン艦隊は飢えてうごけなくなろう」

「机上の空論だ」

ロイエンタールが冷然とつきはなす。

「全軍をあげてうごけばガンダルヴァ星系のわが軍根拠地が空になる。八四カ所のことごとくを制しようとしても、それは兵力分散の愚をおかすだけのことだ。現にいままでヤンにしてやられたのは、すべて、各個撃破をもってではないか」

「ではロイエンタール提督は、手をこまねいて奴らの蠢動を見すごすとおっしゃるのか」

ファーレンハイトが口調を鋭角的なものにした。金銀妖瞳の提督はおちつきはらって相手の舌鋒をいなした。

「そうは言わぬ。追ったところで奴は逃げるだけという点を指摘しているのだ。いまいたずらにうごけば奴にしかける機会をあたえるだけだ」

「といって、悠々と冬眠を決めこむほど、吾々の物資はゆたかではないぞ」

「だから、ヤン・ウェンリーを誘いだす。罠にかけて奴を誘いだし、包囲撃滅する。これしかないだろう。問題は、どのような餌で奴をつりあげるか、だ」

「とにかく、ヤン・ウェンリー艦隊の主力さえたたけば、同盟軍はただ辞書のうえの存在でしかなくなるはずです。彼を倒さねば吾々に最終的な勝利はない」

ミュラーが沈痛な光を砂色の両眼にたたえた。

このとき、帝国軍の領袖たちの目が、同盟の首都や政府よりヤン・ウェンリー艦隊にむけられていたのを、固定観念としてしりぞけることはできないであろう。同盟政府よりヤン・ウェンリーの武力こそが、彼らにとっては現実の脅威であった。政府なき軍隊が自立化したとき、征服者たちの権力と権威はたもてようがないのである。

「同盟軍の行動にはかならずパターンがあるはずだ」

そう言いだしたのは、若く血気と野心に富んだトゥルナイゼン中将であった。そのパターンを解析さえすれば、ヤンがつぎにどの根拠地にあらわれるかが知れるであろう。

「ばかか、きさまは」

正直すぎる表現を、ビッテンフェルトがつかった。

「その調子で行動パターンが読みとれるまで待っていたら、何年かかるか知れたものではない。それともすべての補給基地をヤン・ウェンリーが食いつぶすまで待つか」

怒りと不平で顔を赤くしたトゥルナイゼンに目もくれず、〝黒色槍騎兵（シュワルツ・ランツェンレイター）〟の指揮官はミッターマイヤーらにむきなおった。

「ヤン・ウェンリーがさかりのついた猫のようにうごきまわろうと、そんなものは放っておいて敵の首都を直撃すればいいのだ」

ビッテンフェルトは言いはなった。表現はいささか下品ながら、それほど的をはずれた意見でもなかった。

「そして吾々の大部分は本国へひきあげる。すると無傷のヤン・ウェンリーがいずこかの補給基地からでてきて、首都を奪回し、同盟を再建するだろう。それを倒すために、また遠征しなくてはならん」

ミッターマイヤーの抑制された口調が、かえってビッテンフェルトを刺激したようであった。

「卿らはヤン・ウェンリーをおそれること、小羊が狼をおそれるごとしだな。後世の冷笑をどうするつもりだ」

毒舌は痛烈をきわめたが、ミッターマイヤーは激しなかった。

「おれがおそれるのはヤン・ウェンリー一個人ではなく、本国と前線との距離だ。それを理解できぬと言うのであれば、卿と語ることはなにもない」

ビッテンフェルトは沈黙した。相手の言わんとすることを諒解したからである。現在のところ本国やフェザーンとの通信はほぼ完全にたもたれているが、補給にかんしてはいささか心もとなかった。補給なしに戦えると考えるような愚劣な精神主義者は、ラインハルトの陣営にいなかった。

諸将の結論がでぬところへラインハルトからの命令がくだった。

「全提督を招集せよ。作戦をさだめた」

そう言われた総参謀長オーベルシュタインは、作戦の内容を知りたく思ったが、金髪の若者はこうつけくわえただけで、くわしい説明はしなかった。

「一カ月を出でずして、ヤン・ウェンリーの艦隊は宇宙から消滅するだろう。楽しみにしていることだ」

オーベルシュタインはひきさがった。根拠もなく大言壮語するような主君を、彼はもったおぼえはなかったのである。

V

提督たちの参集したホールは、みごとなまでに装飾性を欠いていた。ヤンによって輸送隊が潰滅していなければ、いますこし建築と内装に配慮がはらわれたであろうが、いまのところ優美なのは、壇上にたたずむ若い独裁者の容姿だけと言ってよかった。だが、優美な唇から発せられた言葉は辛辣をきわめた。

「卿らに問う！　宇宙の深淵をこえ、一万数千光年の征旅をなしてきたのはなんのためだ。ひとりヤン・ウェンリーに名をなさしめるためか。武人としての卿らの矜持は、羽をはやして何処へか逃げおおせでもしたか？」

提督たちの幾人かは、至近に雷鳴を聴いたかのごとく、黒と銀の華麗な軍服につつまれた身を硬直させた。ことに、〝ヤンひとりに名をなさしめた〟ワーレン、シュタインメッツ、レンネンカンプの三提督は、見えざる手で後頭部をおさえつけられたかのように視線を下にむけてしまったが、ワーレンが決然と顔をあげ、若い主君を直視した。

「閣下の常勝の令名をそこない、罪の大なるを胆に銘じております。ですが、いえ、だからこそ、あえて申しあげます。あらたなる勝利によって敗北をつぐなうことをお許しいただきたい、と」

「期待しよう。だが、そろそろ私自身がでてらちをあけたいのでな」

ラインハルトの瞳が提督のひとりにむけられた。

「ロイエンタール！」

「はっ」

「卿は艦隊をひきいてリオヴェルデ星域におもむき、そこの敵補給基地を攻略するとともに周辺航路を制圧せよ」

ロイエンタールが返答をのみこんでラインハルトを見かえすと、若い独裁者は低く笑ってみせた。

「わかるな？　これは偽態だ。他の者にも、それぞれ艦隊をひきいて私のもとから離れてもらう。私が孤立したと見れば、ヤン・ウェンリーは洞窟から野原へでてくるだろう。網をはって、そこを撃つのだ」

提督たちの視線が交錯した。

「すると、閣下はご自身が囮になり、直属の艦隊のみでヤン・ウェンリーの攻勢に対処なさるおつもりですか」

一同を代弁するかたちでナイトハルト・ミュラーが問い、若い主君の眼光に返答をえて、思わず声を高めた。

「それはあまりに危険すぎます。どうか私だけでも、前衛としておそばに残ることをお許しください」

ラインハルトは一笑した。

「無用な心配だ。私が同数の兵力ではヤン・ウェンリーに勝てぬとでも思うか、ミュラー」

「いえ、そのような……」

絶句したミュラーにかわって、ミッターマイヤーが一歩進みでた。

「その点を心配してはおりませんが、名将とはいえヤン・ウェンリーは一介(いっかい)の艦隊司令官にすぎません。閣下おんみずから互角の立場で勝負をなさるにはおよびますまい。どうかご自重を願います」

その声も若い独裁者にしりぞけられた。

「なるほど、卿の弁舌は傾聴に値するが、情報によればヤン・ウェンリーはこのほど元帥に昇進したそうだ。私も帝国元帥であるからには、彼と同格といって大過(たいか)あるまい」

「閣下と同格の者など、宇宙のどこにもおりません」

トゥルナイゼンが熱烈に叫んだが、それ以上具体的な提案はしなかったので、ラインハルトはそっけなくうなずいただけであった。オーベルシュタインが義眼に、ロイエンタールが色のことなる両眼に、それぞれ冷笑の色を走らせてトゥルナイゼンを一瞥した。「追従者が」と言いたげであった。

ミッターマイヤーがせきばらいをした。

「わかりました。閣下がお決めになったからには、小官らの口をはさむことではありません。ただ、ご深慮(しんりよ)の一端をお教えいただければ、小官らも安心できるのですが」

「その点は考えている。ひとつ卿(けい)らの不安をはらってやるとしようか」

ラインハルトは隅にひかえていたエミール少年に蒼氷色(アイス・ブルー)の瞳をむけ、ワインをもってくるよう命じた。その口調はむしろ頼むというにふさわしい柔和さで、提督たちのかるいおどろきを誘わずにいなかった。ラインハルトが傍のデスクの上に厚い紙の束をのせていることに、このときようやく気づいた者もいた。

緊張の見えざる鎖にしばられながらエミールが赤ワインの瓶とグラスをはこんできて、グラスに酒をみたし、うやうやしくラインハルトにさしだした。一滴もこぼさなかったことについては、少年自身より提督たちのほうが安堵したかもしれない。

ラインハルトの手、彫刻家が最大の情熱と最高の注意力を結集して造形したかのような手がしなやかにひるがえると、ワイングラスから真紅の液体が濡れた光となって紙の束にふりそそいだ。

提督たちの視線が、血にひたされたかのような紙の束に集中した。焦点が完全にあえば紙が炎をあげるであろうと思われるほどに、彼らの視線は熱かった。ラインハルトの指が紙を一枚つまんでもちあげた。もう一枚、さらに一枚と作業がつづくうち、ミッターマイヤーやロイエンタールの目に理解の色がくわわりはじめた。ついに、ワインがしみとおらない紙があらわれると、若い独裁者は一同を見わたした。

「見るがいい。薄い紙でも、数十枚をかさねれば、ワインをすべて吸いとってしまう。私はヤン・ウェンリーの鋭鋒にたいするに、この戦法をもってするつもりだ。彼の兵力は私の防御陣のすべてを突破することはかなわぬ」

　ラインハルトの言いようは抽象的なものだったが、歴戦の驍将たちははっきりとさとった。彼らの主君が芸術ともいえる用兵案を創出し、実行しようとしていることを。

「そして、彼の進撃がとまったとき、卿らは反転した艦隊をもって彼を包囲し、その兵力を殲滅(せんめつ)し、私の前に彼をつれてくるのだ。生死は問わぬ。彼の姿を自由惑星同盟(フリー・プラネッツ)の為政(いせい)者どもにしめし、彼らに城下の盟を誓わせよう」

　誰が音頭をとったわけでもない。提督たちは無言のままいっせいに敬礼した。彼らの若い君主が戦争の天才であるゆえんを、またひとつ彼らはさとったのである。

　ヒルダことヒルデガルド・フォン・マリーンドルフ伯爵令嬢がラインハルトにあらたまって面会をもとめてきたのは、夕食のあとであった。くどい、と言われるのを覚悟のうえで、ヤンとの正面決戦をさけるよう進言にきたのである。くすんだ色の短い金髪を照明にきらめかせつつヒルダは説いた。

「ヤン艦隊などに目もくれず、惑星ハイネセンを陥し、同盟政府を降伏させるのです。そして彼らをしてヤン・ウェンリーに無益な抗戦をやめるよう命令させれば、戦わずして征服の目的を達せられましょうに」

「そして私は純軍事的にはヤン・ウェンリーにたいして敗者の位置に立つことになるな」

「…………」

「いや、だめだ、フロイライン。私は誰にたいしても負けるわけにはいかない。私にたいする人望も信仰も、私が不敗であることに由来する。私は聖者の徳によって兵士や民衆の支持をうけているわけではないのだからな」

ラインハルトの秀麗な顔に、自嘲めいた翳りがゆらめき、ヒルダをはっとさせた。この若者の知性の鋭利さは、かえって不幸の原因となるのではないか、と、いまさらながら彼女は思う。

「ではお望みのままに。わたしも旗艦に乗っておともいたしますから」

「いや、フロイライン・マリーンドルフ、あなたは戦場の勇者ではない。また、それはあなたにとってごくわずかの不名誉にもならぬ。ガンダルヴァに残って吉報を待っていてもらおう。今度の戦いは先日のそれの比ではない。観戦の余裕はなかろう」

ヒルダは抗議しかけたが、ラインハルトはかさねて言った。

「あなたに万一のことでもあれば、ご父君のマリーンドルフ伯に申しわけのしようがない」

もはやヒルダはなにも言えなくなった。アロイス・フォン・リリエンクローンという名の中尉が、二〇名からなるヒルダの護衛隊を指揮することになった。

ラインハルトのベッドをととのえにきたエミール少年が、敵将ヤン・ウェンリーを非難した。逃げまわって堂々と戦わないのが卑怯だというのである。金髪の若い独裁者は、微笑とともに美しい頭を横にふった。

「エミールよ、それはちがう。名将というものは退くべき時機と逃げる方法とをわきまえた者にのみあたえられる呼称だ。進むことと闘うことしか知らぬ猛獣は、猟師のひきたて役にしかなれぬ」

「でも、公爵閣下は、いままで一度もお逃げになったことがないではありませんか」

「必要があれば逃げる。必要がなかっただけだ」

静かで、さとすような口調だった。

「エミール、私に学ぼうと思うな。私の模倣は誰にもできぬ。かえって有害になる。だが、ヤン・ウェンリーのような男に学べば、すくなくとも愚将にはならずにすむだろう……いや、お前は医者になるのだったな。らちもないことを言ってしまった」

自分がなぜこの少年に、心の回廊へ立ちいることを許すのか、否、むしろ彼のほうから立ちいらせるのか、ラインハルトは自分なりの解答を見つけているのだが、正しいかどうかはわからない。一種の代償行為であるかもしれなかったが、ラインハルト自身は認めたくないところであろう。

「私にはほかの生きかたはできないのだ。いや、もしかしたらできたのかもしれないが、子供のころにこの道を歩むようにさだまったのだ。私は奪われたものをとりかえすために歩みはじめた。だが……」

　ラインハルトは沈黙した。「だが……」そのあとになんとつづけるつもりであったのか、エミールには想像すらできなかった。ラインハルトは視線をはるかなところから目前の少年にむけなおした。

「もう寝なさい。子供には夢を見る時間が必要だ」

　それはかつてラインハルトが姉アンネローゼに言われた言葉だった。泊まりにきたジークフリード・キルヒアイスと、せまいベッドのなかでとりとめもなく語りあっていると、姉がドアのところから声をかけるのだ。「もう寝なさい。子供には夢を見る時間がおとなよりずっと多く必要なのよ」……

　エミールが最敬礼してでていくと、ラインハルトの心は急速に現実の敵へむかって収斂（しゅうれん）した。彼は硬質ガラスの窓辺にたたずんで夜空を見はるかしつつ独語した。

「お前がのぞんだことだ。のぞみどおりにしてやったからには、私の前にでてくるだろうな、奇蹟（ミラクル）のヤン」

　乱舞する星群のかがやきにむけて、ラインハルト・フォン・ローエングラムは蒼氷色（アイス・ブルー）の視線を射こんだ。戦いによって至高の座をえることをのぞむ者の瞳であった。黒と銀の布地につつまれた腕を前方へ伸ばし、掌を硬質ガラスにおしあてる。自身の脈動の反射をガラスに感じて、金髪の若者は、微笑未満の表情を秀麗な顔にひらめかせた。充実した昂揚感が彼の身内にみち、すべての細胞を躍動させる。

一瞬、彼は幸福だった。彼が最大の味方を失ってから一年半がすぎようとしていた。そして彼はいま最大の敵をえようとしているのだ。

ラインハルトには敵が必要だった。彼自身がいくら光りかがやいても、その光を反射させる対象がなくてはかがやきそのものがむなしかった。

四月四日、ウォルフガング・ミッターマイヤーが艦隊をひきいてエリューセラ星域へと進発した。翌五日、エリューセラと隣接するリオヴェルデ星域へむけてロイエンタールの艦隊が進攻していった。

金銀妖瞳(ヘテロクロミア)の青年提督は、旗艦トリスタンの艦橋にたたずみ、遠ざかる惑星をながめやった。

「全軍が反転してヤン・ウェンリーを包囲殲滅する、か……」

その独語は九割がた口のなかにあったので、聞いた者は当人だけであった。

「みごとな戦略ではある。だが、反転してこなかったときはどうなるのだ?」

第七章　バーミリオン

Ⅰ

いわゆる〝バーミリオン星域会戦〟がどの時点から開始されたのかを確定するのは容易ではない。それにさきだつ帝国軍三個艦隊の敗亡を第一幕とするなら、宇宙暦(SE)七九九年、帝国暦四九〇年の二月にはこの戦いはすでに開始されていた。また、自由惑星同盟(フリー・プラネッツ)の全宙域を罠としてヤン艦隊を巨大な蜘蛛(くも)の巣にとりこめようとしたラインハルトの壮大な戦略が具体的に発動されたのは四月四日、ミッターマイヤー艦隊がエリューセラ星域へ進発したときである。それを知ったヤンが、帝国軍の本拠地ガンダルヴァ星域への出動を指令したのは四月六日であり、一〇日にはすでにヤンから顧問として招かれていた〝銀河帝国正統政府の軍務尚書〟ウィリバルト・ヨアヒム・フォン・メルカッツがヤンのもとへ到着している。

　メルカッツが出立のあいさつをするためおとずれたとき、亡命政権の首相であったレムシャイド伯爵は蛍光塗料を塗りたくったような顔色で、自分を見捨てるとしか解釈しようのない宿将の行為をなじった。メルカッツは誤解や曲解にたいしていちいち過敏に反応する男ではなかった。
「私はここにいても、なんのお役にもたてんでしょう。伯爵閣下のためにも、皇帝陛下のおんためにも。むしろヤン提督に協力して、ローエングラム公を打倒することに最後の可能性を見いだしたいのです。閣下には、そのための行動の許可をいただきたいと思っているのですが……」

レムシャイド伯は沈黙した。幼い皇帝のことに一言も言及しなかった自己を恥じる心情も、ごくわずかながら存在したようであった。

メルカッツが宰相府をでると、ベルンハルト・フォン・シュナイダーが敬礼で上司を迎えた。五名の、いささかくたびれた帝国軍の制服を着た男たちが彼にしたがっている。ほろにがい微笑をたたえて、シュナイダーは男たちをかえりみた。

「これが帝国正統政府軍の全員です。どこまでも閣下のおともをすると申しております」

メルカッツは〝政府軍兵士〟の面々を見わたした。年齢にも体格にも統一をかき、二〇歳になるかどうかという最年少の男は、あきらかに父親ゆずりと思われるサイズのあわない古服を着て窮屈そうだ。最年長の者はメルカッツと同世代に思われた。彼らに共通する唯一のものはその表情で、忠誠心と勇気と自己満足の微妙な融合をどの顔にも見いだすことができた。メルカッツは彼らを説得しようとしてあきらめた。彼らの意思と欲求のおもむくままにまかせる以外ないことが明白だったからである。こうして七名の軍隊がヤン艦隊にくわわった。

じつのところ、この種の〝不正規兵(イレギュラーズ)〟をともなったのはメルカッツだけではなかった。すでにラインハルトと一戦をまじえて敗退を余儀なくされたモートン、カールセンの両提督が、激減した兵力を再編してヤン艦隊に合流したが、これなど国防委員会や統合作戦本部に申請はしたものの返答を待たず実行にうつされたもので、ある意味では軍部の秩序がすでに有名無実化していることを証明するものだった。

　これらの事情から、〝最終決戦時における同盟軍の義勇兵的性格〟が論じられることになるのだが、義勇兵というものは戦意と勇気に富んではいても、装備や指揮系統の点からいえば〝烏合(うごう)の衆〟である。武装抵抗運動(パルチザン)においては実力以上の貴重な戦力となりえるが、大艦隊どうしの正面決戦において有効に力を発揮しえるとは考えにくい。ヤンはかつて〝救国軍事会議〟の内戦の際にも、血液の温度ばかり高い義勇兵志願者の大群になやまされたものだった。今回、モートンやカールセンの指揮能力はヤンの欲するところであって、その点はなんら文句をつけようがなかったのだが……。

　ところが、それらのほかにも、ヤンは身近なところに不正規兵(イレギュラー)の存在を見いだしたのである。ユリアン・ミンツにつきしたがって黒い巨体をはこぶルイ・マシュンゴ少尉だった。

　帝国軍の動向に関する最新の資料を、フレデリカ・グリーンヒル少佐がもってきたとき、ヤンは黒い巨人を遠く見やりながらただした。

「あれはなんだ、いったい」

「なんだっておっしゃっても、あれはルイ・マシュンゴ少尉ですわ」

「そいつはわかっている。なぜあいつまでこの艦に乗りこんでいるんだ」

「むろんユリアンがいるからでしょう、りっぱな護衛役ですわ」

簡単にフレデリカは言ってのけ、公私の別について自分をたなあげにした台詞をつぶやいているヤンを完全に沈黙させてしまった。マシュンゴは自分のための席を確保したのである。

フレデリカが持参してきた資料を私室で読みすすむうち、ヤンは、心の地平線上にかかった太陽が沈んでいくのを感じて、ため息をつかずにいられなかった。その資料によれば、ローエングラム公ラインハルトの本隊も、諸将の艦隊につづいてガンダルヴァ星域を進発したというのである。ガンダルヴァ制圧をめざしたヤンの意図はまずここで修正を余儀なくされた。

「おそろしい男だな」

ヤンは心のなかでつぶやき、そのつぶやきが冷たい恐怖のしたたりとなって全身の細胞に浸透するのを実感した。

ラインハルト・フォン・ローエングラムの構想力の雄大さ、そして計算の緻密さ。いずれかいっぽうを手にいれることさえ凡人には困難であるのに、金髪の若者はその双方とも極北をきわめているのだ。

ラインハルトが麾下の提督たちを遠く派遣して、本隊の孤立をよそおいつつ、じつは巨大な罠のなかに同盟軍を誘いこもうとすることは、ヤンの予測のなかにあった。だが、ラインハルトがガンダルヴァ星域をでてくることは予想の枠をはずれていた。ヤンは、ラインハルト麾下の提督たちが最大限、本隊から離れたタイミングをつかんで、彼らが反転し殺到してくるまでのあいだに、短期決戦によって勝利をえるつもりだった。だが、ラインハルトは本隊そのものをもうごかしたのだ。たくみに曲線を描いてはいるが、コンピューターの想定によれば、その行動の速度と角度は、提督たちが本隊からもっとも遠い宙点、反転攻勢の限界点に達したとき、ラインハルト自身はバーラト星系に突入し、同盟首都ハイネセンを肉眼にとらえるべく計算されている。彼のバーラト星系突入をふせぎ、首都周辺宙域の戦場化をはばむには、ヤンの当初の計画よりはやい時点でラインハルトと直接交戦しなくてはならない。当然ながら、ミッターマイヤーやロイエンタールは、ヤンの当初の予定より戦場にちかく、よりはやく反転してくるであろう。前方にラインハルト、後背にロイエンタールやミッターマイヤー、彼らを同時にひきうけて完勝をおさめえると信じこむほど、ヤンは自分を美化してはいなかった。ヤンの勝算は、帝国軍を完全に分断し、最高司令官たるラインハルトを各個撃破の対象とすることで、はじめて五割のラインに指先をかけることができるのである。

「五割もあるかな……?」

ここで事態は、はじめて戦術レベルになるのだが、ヤンの立場はあいかわらず有利とはいいがたい。ヤンは勝たねばならないのだが、ラインハルトは麾下の提督たちが戦場に駆けつけるまで戦線を維持しさえすればよいのである。ラインハルトの性格からして、〝負けないこと〟より〝勝つこと〟を貴しとするにちがいないが、その積極性、能動性は底知れぬ智略をともなっており、闘牛の暴走とは次元がちがうのだった。それでも、ヤンはこの雄敵に勝たねばならないのだ。

「勝たねばならない、か……」

ヤンはほろにがく笑った。〝ねばならない（マスト・ビー）〟という思考法は、彼の好むところではなかった。心のおもむくままにすべてがかなうものではないにせよ、なるべくは自主と自発の道を歩みたいものだ。実際は、人生の足跡のひとつひとつに後悔の塵がつもっているのだが……。

「それにしても、えらいことだ。誰かかわってくれないものかな」

……むろん、そんな者がいるはずはなかった。いつもヤンは彼以外に料理しようのない材料をおしつけられてキッチンに立たされてきたのである。

遠慮がちなノックの音に気づいて、ヤンがリモコン・ドアをあけると、亜麻色の髪の少年が緊張した表情で立っていた。同年代の少女たちが見れば、りりしさを見いだして鼓動を高くすることだろう。

「はいってもよろしいですか、元帥」

「お前にむけて閉ざすドアは私はもっていないよ。はいりなさい」

保護者より四年はやく中尉の階級を手にいれた少年は、一礼して入室した。亜麻色の前髪が端整な顔に落ちかかるのを、うるさげにかきあげる。椅子にすわり、用件を問われると、ユリアンは身をのりだした。

「ローエングラム公が全軍を分散させたことを、どうお考えですか？」

「どう考えると言われてもな」

「ではぼくの考えを述べさせていただきますけど、これはあきらかに罠です。これほど公然と各提督をばらばらの方面へ出動させたのは、本拠地を空にしたから攻撃してこい、と誘いをかけているのです。行けばかならず罠にはまります」

「どんな罠かね？」

ヤンの表情にも声にももやがかかっていたが、ユリアンの視線にはそれをつきぬける熱っぽいするどさがあった。彼はヤンの顔から視線をはずさず、一気に言葉をつむぎだした。

「わが艦隊が敵の本拠地に接近したら、タイミングを測って各艦隊がいっきょに反転し、巨大な網のなかに吾々を追いこんで包囲殲滅する、そういう罠です」

ヤンは五稜星を白く染めぬいた黒ベレーをぬぎ、それで顔をあおいだ。このようなとき、少年の洞察の正確さをほめてよいものかどうか判断がつかなかったのだ。

「むろんご存じだったんでしょう？　ぼくにわかるくらいですから。それなのに、あえて罠のなかに飛びこむとおっしゃるんですね」

ヤンが無言のまま黒い頭をかきまわしているので、ユリアンはいちだんと身をのりだした。

ヤンは少年の熱意をかわしえないとさとり、うけてたたざるをえなかった。

「やれやれ、ふつうは年少者が突進を主張して、年長者がそれを抑えるがわにまわるものだが、どうも逆になっているようだな。私がローエングラム公に負けると思うのかい？」

「そんな言いかたで口封じをなさるのは卑怯です」

一瞬の沈黙のあと、非を認めてヤンは頭をさげた。

「……悪かった。お前の言うとおりだ。こんな言いかたは卑怯だった」

「いえ、ぼくこそ生意気なことを申しあげてすみません」
ヤンはくんでいたひざをといてすわりなおした。
「なあ、ユリアン、私は勝算のない戦いをしないことをモットーにしてきた。今度もけっして
そのモットーにそむいているわけではないんだ」
「勝算はおありなんですね？」
「正直なところ、多くはない」
ヤンは黒ベレーをかぶり、そのなかにおさまりの悪い髪をおしこんだ。うけてたつと決めた
以上、可能なかぎりは事実と真実を知ってもらいたかった。真実などというものは完全に知っ
てもらいようはないのだが。
「だけど、これは唯一の機会なんだ。ローエングラム公は私のねらいを正確に読みとったうえ
で、私に誘いをかけてきている。純粋に打算だけで考えれば、私の存在など無視して首都ハイ
ネセンを衝いてもよいのだ。いや、そちらのほうがおそらく効率的だろう。なのに彼はそうせ
ず、いわば私の非礼な挑戦をうけてくれたわけだ」
「その意気に感じて、こちらも堂々と正面から戦うということなのですか」
ヤンは自分自身の心のひだを照射するような表情で考えこんだ。
「いや、私はそれほどロマンチストじゃないよ。私がいま考えているのは、ローエングラム公
のロマンチシズムとプライドを利用していかに彼に勝つか、ただそれだけさ。じつはもっと楽
をして勝ちたいんだが、これが今回は最大限、楽な道なんだからしかたない」

ユリアンはなにか言いかけて、かたちのいい唇を閉ざした。ヤンを困惑させたり動揺させたりするのは、彼の本意ではなかった。だが、ほんとうはもっと楽な方法があるのではないか、ともユリアンには思えるのである。それを問うことはなぜかためらわれた。彼はただこう言った。

「とにかく無理をなさってはだめですよ」

うなずいたヤンはうれしそうだった。

「大丈夫だよ。無理するのは私の趣味じゃない。心配してくれてありがとう」

II

いよいよ根拠地を出発するという前の日、四月一一日のことであるが、ヤンは麾下の全将兵に半日間ながら休暇をあたえた。出戦にさきだっての慣例であり、ヤンはこの種の慣例はよくまもったのである。

「司令官よりの伝達事項だ。本日二四時までは自由行動とする。みんな思いのこすことのないように」

ムライ中将からそれが伝えられると、陽気だがどこか実質性をかく歓声がわきおこった。根拠地たるルドミラは軍事基地と岩石だけでなりたつ小惑星で、さしたる娯楽施設があるわけでもなく、時間の自由がそのまま行動の自由を意味するとは言えなかったのだ。オリビエ・ポプランが僚友イワン・コーネフを見やって肩をすくめた。

「ハイネセンやイゼルローンでならともかく、こんなところで自由行動と言われてもな。まあいい、おれは一夜の情熱のお相手をみつくろうことにするが、お前さんはどうする?」

「部屋で寝ている」

「くだらんことを堂々と言う奴だな」

「くだらないかね」

「ジョークだったらくだらんし、事実だったらいっそうくだらん」

「お前さんはジョークのほうが好きだからな」

さりげないコーネフの目つきをうけて、ポプランはかるく胸をそらした。

「ジョークだけでは生きられないが、ジョークなしでは生きたくないね、おれは」

「お前さんは存在じたいがジョークだろうが」

「……このところ悪意の表現にみがきがかかったのとちがうか、コーネフさん」

「いやいや、もてない男の嫉妬にすぎませんよ、気にしないでくださいい、ポプランさん」

ふたりの撃墜王はシニカルな笑顔を見せあうと、それぞれの方向へ歩きさった。

フレデリカ・グリーンヒル少佐は、〝夜十二時までの自由(シンデレラ・リバティ)〟をどうすごすか思案にくれる必要はなかった。ヤン・ウェンリーから彼の私室に来るよう言われたからである。フレデリカが、ごくわずかな化粧をごくわずかになおして部屋にはいると、ヤンが、表情の選択にこまりはてたといったようすで強化ガラスのテーブルにむかっており、彼女を迎えると、しかつめらしく椅子をすすめた。

ヤン・ウェンリーは宇宙の戦場にあっては数万隻の大艦隊を指一本でうごかすことができる。しかし、もともと歴史学者志望であったこの青年は、人生という演劇のすべての場面で名優であったわけではない。ある場面においては、彼は、舌ひとつろくにうごかしえない大根役者だった。それでも舌のエンジンを苦労しつつうごかして相手の名を呼んだ。最初、〝大尉〟と呼び、〝少佐〟と訂正し、光に三〇〇万キロほど旅をさせてから〝ミス・グリーンヒル〟と呼びなおし、そのつど美しい副官に返事をさせておいて、あとをつづけようとしなかった。それは悪意のためではなく、臆病のためであった。一〇倍の敵と戦うとき以上の精神のばねをはたらかせて、ヤンは四度めの呼びかけをした。

「フレデリカ」

今度は、ヘイゼルの瞳の若い女性は即答しなかった。およそ画期的なことだった。ヤン・ウェンリーが彼女のファースト・ネームを呼ぶなどということは。ヘイゼルの瞳を大きくみはって、ようやく彼女は「はい」と答え、それによって彼女も言葉の自由を回復した。

「一一年間の時間を、ようやくとりもどせたような気がしますわ」

フレデリカはやわらかく微笑した。

「元帥がわたしのファースト・ネームを呼んでくださったのは、エル・ファシル星系で生命を救ってくださったとき以来です。憶えていらっしゃいます？」

恥じいったヤン・ウェンリーは、安物の自動人形さながらに頭(かぶり)をふった。

帝国軍に包囲されたエル・ファシル星域からいかにして多数の民間人を脱出させるか、当時二一歳のヤン中尉は、たよりなげに頭をかきながら、その後の人生で無数に生みだされることになる〝ヤンの奇蹟〟の最初の一ページを開こうとしていた。フレデリカが昼食をはこんでいくと、

「ありがとう、ミス・グリーンヒル」

一四歳の少女にむかって、若い中尉はきまじめに言い、おもわず笑いだした少女は、フレデリカと呼んでくれるよう、いっこうに軍人らしく見えない学者の卵ふうの青年士官に頼んだのである。〝エル・ファシルからの脱出行〟は、ヤンにとってもフレデリカにとっても、ひとつの出発点となった。終着点はまだ彼らの視線のとどかぬところにある。このときヤンがめざしているのは折り返し点に立つことだったのだが、足ぶみ状態からぬけだすのは容易ではなかった。

「フレデリカ、この戦いが終わったら……」

そこまでは系統だてて言ったヤンだが、感情と意思との整合をつけそこねて、あとにつづいた言葉はらちも脈絡もないものだった。

「私はきみより七歳も年上だし、なんというか、その、生活人として欠けたところがあるし、そのほかにも欠点だらけだし、いろいろとかえりみてこんなことを申しこむ資格があるかどう

か疑問だし、いかにも地位利用をしているみたいだし、目の前に戦闘をひかえてこんな場合にこんなことを申しこむのは不謹慎だろうし……」

フレデリカは呼吸をととのえた。表面上の混乱にまどわされることなく、彼女はヤンの心情を把握していたのである。鼓動がはやくなるのを自覚した。

「だけど言わなくて後悔するよりは言って後悔するほうがいい……ああ、こまったものだな、さっきから自分のつごうばっかり言ってる。要するに……要するに、結婚してほしいんだ」

一気に関門を突破したヤンは、肺が空になるほど大きく息をはいた。優柔不断をけとばすには、すくなからぬ体力が必要だったのだ。フレデリカは心に翼がはえて勢いよくはばたくのを感じた。この申しこみにたいする答えを、彼女はどれほど長いあいだ、考えてきたことだろう。

「ふたりの年金をあわせたら、老後も、食べるにはこまらないと思いますわ。それに……」

フレデリカは言葉をさがしたが、彼女の優秀な記憶力はこのとき所有者をうらぎった。ゆたかにそろえていたはずの言葉は、どこかへ旅にでてしまっていた。

「わたしの両親は八歳ちがいでした。そのことをもっと早く申しあげておくべきでしたわ。そうしたら……」

フレデリカは笑った。笑おうと以前から決めていたのである。そうしなくては、まったくことなる表情になってしまって、ヤンを狼狽させるのではないかと思ったから。だが、彼女はヤンを見て、彼が彼女の喜びに感応していないことを知った。同盟軍史上最年少の元帥、そのくせ軍服を着ていてさえ軍人らしく見えない青年は、ベレーからはみだした前髪の下から、おちつかなげに彼女を見やっている。

「あの、どうかなさいましたか」

ヤンは表現しがたい表情をしていた。しいて言えばそれは、教官の口述試験をうける士官学校生徒の表情だったが、実際そのころに、これほど深刻な表情をしたことは一度もないヤンなのである。彼は、ベレーをぬいでそれに話しかけるように困惑した声をだした。

「……返事をまだしてもらってないんだが、どうなんだろう」

「え⁉」

フレデリカはヘイゼルの瞳をみはり、自分のうかつさに気づいて頬を熱くした。イエスかノーかについては、彼女にとってあまりにも明白なことだったので、彼女の思考も言動もその地点をかるく通過してしまい、ハードルの存在に気づきもしなかったのである。フレデリカは、踊りまわる心に手綱をつけてなんとかうごきを制御すると、ようやく答えることができた。

「イエスです、閣下」

フレデリカはくりかえした。自分の声が自分だけに聴こえて、ヤンには聴こえていないのではないか、という不合理きわまる疑念にかられたのだった。

「イエスですわ、閣下、ええ、喜んで……」

ヤンがぎごちなくうなずいた。また彼が言葉の選択に苦しむ順番がまわってきたのだ。

「ありがとう。なんと言うか……なんと言ったらいいのか……なんと言うべきか……」

けっきょく、ヤンはなにも言えなかったのである。

アレックス・キャゼルヌ中将の私室にはいってきたユリアン・ミンツは、どこか重力に異常を感じさせるような歩調だった。不審に思ったキャゼルヌは、理由を知ると一笑し、グラスに薄い水割りをつくって少年にすすめた。

「……そうか、とうとうヤンの奴、なけなしの勇気を総動員したか」

ユリアンはうなずき、勢いよくグラスをかたむけたが、かるくむせてしまった。氷がぶつかりあって涼しげな音をたてる。キャゼルヌはにやりと笑うと自分のグラスにも酒をみたした。

「まあ基本的にはめでたいことだ。ひとつ乾杯といこうか」

ユリアンはグラスを見て、アルコールのせいだけでなく赤面し、乾杯より早くグラスに口をつけてしまった非礼をわびた。キャゼルヌはグラスに氷を落とし、先刻よりほんのすこし濃い酒を少年の前におしやった。乾杯の動作がすむと、ユリアンが訊ねた。

「基本的にめでたいとおっしゃいましたけど、どういうことなんですか」

「そりゃヤンにはめでたいさ。なんとあいつに嫁さんのなりてがあったんだからな。それも特上のな。グリーンヒル少佐にしても、まあ物好きの極致ながら好きな相手と結婚できるわけで、まことにめでたい。なにしろ、葬式はひとりでできるが結婚式はふたりでないとできないしなあ」

「それで、どうして、基本的に、なんて留保をつけるんです?」

キャゼルヌは即答をさけて自分にだけ三杯めをつくった。グラスを手にすると、口をつけぬまま答える。

「それは、お前さんが乾杯の前に一杯あけてしまった、その理由さ」

「……」

「ミス・グリーンヒルのこと、あこがれていたんだろう、お前さん」

ユリアンは完全に上気した。空（から）のグラスを音高くテーブルにおくと、氷があわただしいダンスを踊った。

「ぼくは、おふたりを祝福してるんです！ ほんとうです、おふたりともぼくは大好きだし、これはもう当然の結果で……」

「わかってるよ」

キャゼルヌはおだやかに少年を制した。

「もう一杯いくか」

「……ええ、薄く」

中将は少年の注文に過不足なく応じてくれた。

「こいつはおせっかいと承知で言うんだがな、恋愛にかぎらず、人の心のメカニズムは数学じゃとけない。方程式などたちやしないんだ。お前さんの場合はあこがれですむ段階だから、まあ、きれいな想いでというやつで消化される。ところがもっと深刻になると、ひとつのものにたいする愛情が、ほかのものへの愛情も尊敬も失わせてしまう。善悪の問題じゃない。どうしようもなく、そうなってしまうんだ。正直、そうなってはちょっとこまると思っていた。お前さんは頭もいい、性格もまずりっぱなものだ。だが、そんなものとかかわりなく、火ってやつは燃えあがるものでね」

「ええ、わかります」

「ふむ、まあ、わかるのはいいことさ、たとえ頭のなかだけでもな」

見すかしたようにキャゼルヌは言い、話題を転じた。

「しかし、あのふたりは結婚しても提督とか少佐とか呼びあうのかな」

「まさか、そんなこともないでしょう」

かたどおりの反応をユリアンがしめすと、キャゼルヌはしかつめらしい表情をつくった。

「いや、おれの家内も、結婚した当初は、おれをキャゼルヌ中佐と呼んでいたものさ。呼ばれるたびについ敬礼したくなったね」

ユリアンは笑ったが、八割がた礼儀だということはキャゼルヌにはわかりきっていた。

「それにしても、これこそ全員が生き残ってからの話だが、あいつらが結婚したらユリアンはどうする？　まあ、うちへ下宿すればいいことだが」

アルコールとそれ以外のものが、ユリアンの吐く息を熱くしていた。彼は底まであけたグラスを卓上にもどし、たてつづけに小さなせきをした。

「新婚生活の邪魔をする気はありませんよ。ええと、なんと言ったかな、馬にけられて死ぬってやつ、ぼくはいやですからね」

冗談めかしたが、ヤンとフレデリカが結婚したら、自分はしばらく彼らのもとを離れようと思うユリアンだった。

ユリアンの胸のなかで、まだ見たことのない惑星の像が、不明確ながらも形状をととのえつつある。それは帝国領の辺境に位置する小さな恒星系の小さな惑星。太陽系の第三惑星、地球という。人類にとって、かつては唯一の居住世界であった。その名を、死に瀕したデグスビイ主教の口から聞いたとき、ユリアンは一度そこへ行ってみる必要を感じたのだ。

そこになにがあるのか、むろんユリアンには予知できない。歴史のヴェールを一部分でも引き裂きうる刃が隠されているなら、それを手にしなくてはならない。ただ、それはたぶんに願望のミルクが混入しており、知的予見だけのブラック・コーヒーとはいえないのだった。

だが、行ってみるだけの価値はあるように思える。ユリアンは知的予見力においてヤンに遠くおよばないが、だとすれば行動と実見によってその短所をおぎなうべきだった。現在と未来とに、ヤンとはことなる方法でアプローチすべきだった。この戦いが終わって生命があったら、ヤンとフレデリカの結婚を見とどけたら、そのときは地球へ旅立とう。

「お幸福に……」

ユリアンは口のなかでつぶやき、胸のなかにただようある思いを抽斗にしまいこんで鍵をかけた。

このとき、少年を見やるキャゼルヌの目に、興味と共感の光がたたえられているようでもあった。

Ⅲ

根拠地を出発したヤン艦隊は、一路バーミリオン星系をめざし航行をつづけた。

「いつのまにやら大家族になってしまったからな、ヤンも統制がたいへんだろう」

キャゼルヌがユリアンにむかって言ったが、この男自身も〝不正規兵(イレギュラー)〟なのである。イゼルローン要塞が失われたからには事務監たる彼の席も消えたはずなのだが、つぎの職務が決しないまま、後見人顔で旗艦ヒューベリオンに乗りこんでしまっているのだ。

距離の縮小と緊張の増大は、この場合、完全な対応関係をしめしている。バーミリオン星系の最外縁部に達し、スクリーンに早春の小さな果実に似た弱々しい恒星の姿をみとめたとき、同盟軍の幹部たちは体内の血管が収縮する音をたしかに聴いた。

「たよりない太陽だな」

アッテンボロー中将が恒星にまで毒づいたのは、過敏になった神経に、ひときわその姿が不快だったからであろう。恒星が明るく、力強くかがやいていれば、それはそれでべつの非難をこうむったかもしれないが。

「このあたりでローエングラム公を阻止しないと、あとがない」

それは共通の認識というより確定した事実であるので、幕僚たちはいまさら口にする気にもなれなかった。彼らは無言の協定にしたがって彼らの司令官に視線を集中させ、ヤンがメルカッツを相手に悠然と会話を楽しんでいる――ように見える――のを見て、心の負担をややかるくした。司令官が健在なかぎり、奇蹟のおこる可能性に期待がもてるのである。

五稜星を白く染めぬいた黒ベレー、黒いジャンパーとハーフブーツ、アイボリーホワイトのスカーフとスラックス。元帥に昇進したところで、ヤンの軍装が変化するわけではない。階級章の星の数がひとつふえるだけのことである。ただ、それが象徴するものの意味は、一般にはきわめて大きなものに思われるのだが、当人の言動にはいっこうに変化がみられず、あいかわらず彼は軍人らしく見えない一青年だった。

ヤンの傍に顧問としてひかえているメルカッツは帝国軍の黒と銀の制服を着用していた。四〇年以上にわたって彼の身体になじんできたデザインである。こちらはごくしぜんに、軍人というより武人としての風格をにじませた初老の男で、フレデリカ・グリーンヒルが最大限ひいき目に見ても、メルカッツのほうがヤンの上官に見えるのだった。

双方の前哨戦は、無言の偵察競争というかたちで、ごく静かに開始された。同盟軍はバーミリオン星系の一二五〇億立方光秒におよぶ宇宙空間を一万の宙域に細分し、二〇〇〇組の先遣偵察隊によってそれをカバーし、集中する情報を分析するシステムをつくりあげたが、それを指揮運営したのはムライ参謀長であって、このように精密な作業を管理する点で、彼は黒髪の司令官の能力をはるかにしのいでいた。ヤンは考えつくまでのことはするが、実施の段階になるとわずらわしさがさきにたってしまうのだ。本人が弁解するところによると、一一年前、困難をきわめたエル・ファシルよりの脱出行の際に、事務的勤勉さは磨滅させてしまったということなのだが……。

　偵察戦に突入して三〇時間は、緊張の水位を微増させる沈黙がつづくだけであったが、ついに帝国軍の姿が発見された。チェイス大尉の指揮するＦ０２という偵察グループの一下士官が発見者であった。

「大尉、あれを……！」

　部下の声は、声量こそ抑制されていたが、完全に調子がはずれており、大尉を緊張させるに充分すぎるほどだった。彼の視界がとらえたものは、暗黒の宇宙空間を蚕食しつつ拡大する光点の群であった。それはいまや波濤となって、背後の弱々しい星の光をのみこみ、彼らへむかって音もなくおしよせてくる。

　大尉は超光速通信（FTL）のスイッチをいれたが、声も指も微妙な震えをおびていた。

「こちらＦ０２先遣偵察隊……敵主力部隊を発見せり。位相は〇〇八四六宙域より、一二二七宙域方向をのぞんだ宙点（ポイント）で、わが隊よりの距離は四〇・六光秒……至近です！」

　いっぽう、帝国軍の索敵網も、前方を徘徊する小ねずみの小集団を発見していた。先行偵察衛星からの映像と、哨戒小集団からの報告を最初にうけたのは、かつてジークフリード・キルヒアイスの麾下でキフォイザー会戦に参加したロルフ・オットー・ブラウヒッチ中将である。

　小ねずみどもを追って捕捉撃滅するかと部下に問われ、彼は頭（かぶり）をふった。

「たかが偵察隊を撃って小功をほこるなど、せこいまねをするな。それより、彼らの帰る方向をさぐれば、敵主力の位相が知れるではないか」

ブラウヒッチの指示は的確で、同盟軍FO2先遣偵察隊は敵の位相を味方に知らせると同時に、逆の作用もはたしたのである。彼らは帰投するに際して直進コースをたどるようなことはむろんしなかったのだが、軌跡の多少の曲線性など、戦術用コンピューターによって容易に解析しうるのだ。

ブラウヒッチの報告をうけたとき、ラインハルトは、総旗艦ブリュンヒルトの艦橋で、頭上にひろがるディスプレイ・スクリーンが映しだす星の海に見いっていた。白皙の顔が、星々の光の雨に濡れて蒼みをおび、白磁の像が水底に沈んでいるようにもみえた。周囲の者は声をかけることをはばかり、ごくしぜんに息をひそめてそれぞれの任務に没頭していた。その神殿めいた沈黙を破って、敵艦隊の接近を若い帝国元帥に告げたのは、パウル・フォン・オーベルシュタイン上級大将であった。

「おそらくバーミリオン星域のあたりで敵と接触することになりましょうな」

進発に際してのオーベルシュタインの推論は、ラインハルトが全面的に首肯していたところでもあった。古来、戦場となるべき地点は、敵と味方との暗黙の諒解のもとにえらびだされることが多い。今度の場合、バーミリオン星域がまさにそれで、ヤン・ウェンリーもここを決戦場と目(もく)すであろうことを、ラインハルトはなぜかうたがいもしなかった。

「……やはりここか」

さして感動した表情もしめさずに金髪の若者はつぶやいたが、首席副官シュトライト少将を呼ぶと、全軍に休息を命じた。おどろく副官に、ラインハルトは笑顔をむけた。

「すぐに戦闘が開始されるわけではない。いまは緊張をほぐしておいたほうが、かえってよいだろう。三時間ほど自由にすごさせてやれ。飲酒も許可する」

副官が退出すると、ラインハルトは指揮官席にすわったまま睫毛の濃い目を閉ざし、心が宇宙を浮遊するままにまかせた。

同盟軍のほうも、期せずして全軍に休息を命じていた。ただし最高幹部たちは会議室でコーヒーカップを前に話しあっている。ヤンはコーヒーをひと口すすった。彼にはコーヒーのよしあしはほとんどわからない。銘品にたいしても冷淡である。

「ローエングラム公は、いまさら言うまでもないが比類ない天才だ。正面から同兵力で戦ったら、まず勝算はすくない」

「かもしれませんな」

シェーンコップは率直である。〝逃げる〟とか〝負ける〟とかいった表現が、ヤン艦隊では禁忌(タブー)となっていないのである。

「ですが、あなただってそう悪くはない。今年にはいってからも、帝国軍の名だたる用兵巧者をたてつづけに三人、手玉にとったではありませんか」

「あれは運がよかったのさ。それだけではないが、とにかく運がよかった」

それはヤンの本心である。本会戦にさきだって三個艦隊の各個撃破をはたしたヤンだが、ラインハルト・フォン・ローエングラム自身はむろん、オスカー・フォン・ロイエンタールやウォルフガング・ミッターマイヤーが正面の敵となっていれば、ああも計算どおりに凱歌を作曲しえたとは思われない。勝てないとは思わないが、短時間で勝てるとは、より以上に思えない。ことが前哨の段階であるからにはラインハルトが自分自身や帝国軍の双璧を投入してくれるとは考えられず、それゆえにこそ賭けてみる気になったのだ。たしかに成功はしたが、だからといって運命の女神が自分を寵愛していると思いこむ気にはなれなかった。むしろ、あの連勝で幸運の金貨を費いはたしてしまったような気すらする。

メルカッツはおだやかな目で、息子のような年齢の青年司令官を見たが、口にだしてはなにも言わなかった。

「敵陣の幅はせまいな。そのぶん、深みと厚みがあるようだ。中央突破をはかる気だろうか」

パトリチェフ副参謀長がくんだ腕は、ヤンの倍ほども太い。本来、デスクワークより前線指揮にむいた男であるのだろうが、いわゆる〝ヤン艦隊〟が第一三艦隊と呼ばれていた当時から、ヤンはこの陽気で活力にみちた大男を一貫して司令部においている。

「放し飼いにしておくと心配なんだろうよ」

とはオリビエ・ポプランの蔭口だが、ヤンにしてみれば、パトリチェフがヤンの作戦を理解して、

「なるほど」

とオペラ歌手級のゆたかな低音(バス)でうなるとき、兵士たちにあたえる安堵感がいかに大きなものであるか計算をしてはいるのである。

実質的な意味より、幕僚たちの精神安定に重きをおいた一連の話合いがすむと、幕僚たちは退室したが、ワルター・フォン・シェーンコップがあとに残った。ヤンは彼を見てひとたびは視線をはずし、またもどして口を開いた。

「勝てると思うかい、中将」

「あなたに、ほんとうに勝つ気があればね」

シェーンコップの声は、冗談ですましうる範囲を一歩以上こえていた。ヤンとしては、聞きながすわけにいかない。

「私は心の底から勝ちたいと思っているんだがね」

「いけませんな、ご自分で信じてもいらっしゃらないことを他人に信じさせようとなさってては」

ヤンは沈黙した。いまの彼には、シェーンコップの辛辣な舌鋒に対抗するのは困難なように思えた。

「あなたが勝つことだけを目的にする単純な職業軍人であるか、力量にたいする自覚もなしに権力だけを欲する凡俗な野心家であるか、どちらかなら私としても煽動する甲斐があるんですがね。ついでに自分自身の正義を信じてうたがわない信念と責任感の人であれば、いくらでもけしかけられる。ところがあなたは、戦っている最中でさえ、自分の正義を全面的に信じてはいない人ですからな」

ヤンが返答せずにいると、シェーンコップは空のコーヒーカップを指ではじきながら話をつづけた。

「信念なんぞないくせに、戦えばかならず勝つ。唯心的な精神主義者からみれば許しがたい存在でしょうな、こまった人だ」

「……私は最悪の民主政治でも最良の専制政治にまさると思っている。だからヨブ・トリューニヒト氏のためにラインハルト・フォン・ローエングラム公と戦うのさ。こいつは、なかなかりっぱな信念だと思うがね」

言いながら、ヤンは、シェーンコップの指摘の正しさを内心で認めざるをえない。彼は自分の言ったことをすべて信じてはいないのだ。

古代の地球において、民主国アテネが専制国スパルタと抗争したとき、小国メロスは中立をまもっていずれの陣営にも属さなかった。メロスが従属を拒否したことに怒ったアテネは、メロスを民主政治に敵対するものとして軍隊を侵攻させ、住民を虐殺し、その領土を併合し、みずからの行為を民主政治の勝利と称して祝杯をかかげたのである。この醜悪なパラドックスは、その後の人類の歴史に悪しき模範となって確立され、大義名分は侵略者の羞恥心にとって最後の下着となった。侵略や虐殺が、くるった専制君主の野心からでたものであれば、まだ救いがある。絶望としかいえないのは、民衆がえらんだ指導者によって民衆が害される場合である。民衆はときとして彼らを侮蔑する者に熱狂の拍手を送る。ルドルフ・フォン・ゴールデンバウムは、玉座へいたる道の途中までを、たしかに民衆の肩にのって通過したのだ。それが〝最悪の民主政治〟の帰結だった。まったく、ヤンは、自分自身の言ったことを全面的に信じるわけにはいかないのだった。それにしても、と、ヤンは思う。最悪の専制は、破局のあとに最善の民主政治を生むことがあるのに、最悪の民主政治が破局のあとに最善の専制を生んだことは一度もないのは奇妙なことだ、と……。

休息が終わると、たちどころに第一級臨戦態勢が発動された。ひとたびは弛緩した精神活動が、急速に発火点にむかって収斂していく。もはや、あらゆる索敵メディアが、前方に巨大な敵の存在を告げ、将兵の心に警報をひびきわたらせている。

「敵との距離、八四光秒」

オペレーターの声はマイクにのって全艦に流れ、兵士たちの肺と心臓を冷たい手でしめあげた。呼吸と鼓動がともにはやくなる。体温が上昇する者もいるであろう。

「だんだんちかづいてくるな」

「あたりまえだ。遠ざかってどうする」

砲塔や銃座でかわされる兵士どうしの低い会話は、緊張と不安の微妙なブレンドだった。いたずらに熱すれば炎を吹きあげ、自分も他人も焼きつくしてしまう。

ヤンはいつものように指揮デスクの上にすわりこみ、片ひざをたてて正面のスクリーンを見つめていたが、ふと視線を流して幕僚たちをながめわたした。その視線は、メルカッツ、ムライ、シェーンコップ、ユリアン・ミンツ、マシュンゴ、フレデリカ・グリーンヒル、パトリチエフの順でうごいたが、一瞬といえども停滞せず、スクリーンにもどると、もう移動しようとしない。フレデリカは大きな安堵と、ほんのわずかな落胆とを同時に感じながら、黒ベレーをぬいでおさまりの悪い髪をかきまわす若い元帥の姿を見やった。彼は彼女のものだった。しかし、彼女だけのものではなかった。自由惑星同盟(フリー・プラネッツ)の、一〇〇億人をこす人々が彼にのぞんでいることにくらべれば、彼女が彼にのぞんでいるのは、ごくささやかなものだった——いや、それとも、大それたことであるだろうか。未来を彼と共有したいと思うのは。

ヤンがベレーをかぶりなおした。フレデリカも心をひきしめてスクリーンに神経を集中させた。すべては戦いのあと、生き残ってからだ。

「敵軍、イエロー・ゾーンを突破しつつあり……」

オペレーターの声は、事務的な調子の底に唾液の分泌不足を感じさせる。その声が急に高さをまして、

「完全に射程距離にはいりました!」

そう告げたとき、すでに砲手の指は発射ボタンの上におかれ、彼らは呼吸すらとめて総司令官の射撃命令がくだるのを待ちかまえている。ヤンは呼吸をととのえながらかるく片手をあげ、あげた速度の一〇倍の速さでふりおろした。

「撃て!」

光の竜が数十万匹、暗黒の空間を突進していった。彼らの牙が獲物にとどくよりはやく、帝

国軍の光の竜たちも檻から放たれ、虚空を走って敵に襲いかかった。牙と牙が衝突し、めくるめく光芒となって炸裂する。

もっともせまい意味での〝バーミリオン星域会戦〟がはじまったのである。宇宙暦（SE）七九九年、帝国暦四九〇年の四月二四日一四時二〇分であった。

Ⅳ

炸裂する光芒は、宇宙を無音の鳴動でみたした。白熱した光の渦を、あらたな光の剣が切り裂き、四散し分解する艦体は乱舞する影となって、網膜を灼きつくす光景にアクセントをそえる。開戦から三〇分たらずのあいだに、戦局は一気に激闘の様相へとなだれこみつつあった。

だが、〝バーミリオン星域会戦〟は、当初、むしろ平凡なかたちで開幕したと言うべきであろう。ラインハルト・フォン・ローエングラムも、ヤン・ウェンリーも、相手こそが奇策をしかけてくるかとうたがい、それに対応してうごくことを考えていたため、ごく正統な戦法で最初のステップを踏まざるをえなかった。

ラインハルトはヤンの攻勢にたいして、史上に類を見ない〝機動的縦深防御〟の戦法を考案していた。ヤンにもむろん思案があった。ただ、それはどちらも相手に先制させてのうえでないと、発動しえなかった。したがって、壮絶な砲戦と華麗な光芒とは、両者いずれにとってもかならずしも本意ではなかった。しかし戦いは開始され、ひとたびうごきだすと、荒れくるう野生馬のように騎手の手綱をきらって勝手に走りだしてしまったのである。ラインハルトは行動にだして、ヤンは心のなかで、それぞれ舌打ちし、軌道の修正に神経網のかなりの部分を使わねばならなかった。

局地的な戦況の変化は、急激かつ無秩序であったので、ラインハルトやヤンでさえ、そのすべてに対応することは不可能だった。指示をあたえても、それが伝達されるまでに情況が変化してしまうので、けっきょくのところ意味をなさないのである。帝国軍の最前線から、いかにうごくべきかご指示を請う、との報がもたらされると、ラインハルトの蒼氷色(アイス・ブルー)の瞳に雷光がひらめいた。

「それぞれの部署において対応せよ！　なんのために中級指揮官がいるのか。なにもかも私がしなくてはならないのか⁉」

いっぽう、同盟軍の状況も、帝国軍のそれと比較してましとは言えなかった。細部にわたる指示を最前線の指揮官がもとめてきたとき、ヤンはため息をついて答えた。

「そんなことは敵と相談してやってくれ。こちらにはなんの選択権もないんだから」

最高指揮官の思惑とはべつに、戦闘は急速に熾烈(しれつ)さをましつつあった。ビームとビーム、ミサイルとミサイルが、敵意に燃えて衝突しあい、破壊力と防御力が優劣をきそった。破壊力がまさればエネルギー中和磁場と装甲は突き破られ、致命的な熱と光の乱流が艦内を席巻する。防御力がまされば膨大なエネルギーはむなしく拡散するが、ときとして弱小な獲物がそのあおりで揺動し、爆発することすらある。両軍は放出されたエネルギーの怒濤に翻弄されながら、ビームを射出し、ミサイルをたたきこむ。みずからが腹に核融合ミサイルの直撃をこうむり、一瞬ごとに艦体を引き裂かれながら、なおビームを射出して敵艦を切りきざむのだ。艦それじたいに人間の偏執がのりうつっているようだった。

帝国軍の砲火が虹色の光彩を放ちつつ襲いかかり、ヤンの旗艦ヒューベリオンの周囲に大小の火球を出現させた。巡航艦ナルビクが艦体の中央に直撃をこうむり、青ざめた光の泡を噴きだしつつまっぷたつに折れたとみると、それぞれがあらたな光の塊となって宇宙の一角を照らしだした。

ヒューベリオンの艦長アサドーラ・シャルチアン中佐が、浅黒い精悍な顔に危惧の表情をひらめかせた。

「司令官閣下！　旗艦が前にですぎております。集中砲火の的となるおそれがありますので後退を許可いただきますよう」

艦長にむけたヤンの黒い瞳は、鷹揚な信頼感をたたえていた。

「艦レベルの指揮は艦長にまかせてある。中佐のよいように」

だが、一〇分もたたないうちに、ヤンはみごとに前言をひるがえした。

「なんだってこんなに後退するんだ、指揮がしにくいじゃないか」

それは、帝国軍の一部が、他部隊との連係を欠いて突出を開始したからであった。つけこむ隙さえ見いだせば、ヤンの精神のビルディングを構成する柱のひとつ――用兵家としてのそれ

——がひときわ力をますのである。ヤンは身をのりだし、フレデリカに指示をあたえた。

けっきょくのところ、指令が徹底を欠いたというしかないが、突出した帝国軍の第一陣が敵にたいしてまさに砲門を開こうとしたとき、その後背から第二陣が殺到してきたのである。衝突回避システムが急作動し、帝国軍の各艦は、接近する質量をさけて無秩序に踊りまわった。航宙士たちは神と悪魔をののしりながら操縦盤にしがみつき、けんめいに制御をはかった。

その混乱はごく短時間のものにすぎなかったが、ヤンにとっては充分だった。同盟軍の各艦は、時ならぬ舞踊を演じる敵にむけて、いっせいに主砲を撃ち放した。各処に生じた光の点は、たちまち球に成長し、たがいの輪郭を打ち消しあってつらなった。

帝国軍の艦列に巨大な穴があいた。それはエネルギーと虚無との奇形的な混合体であった。膨大なエネルギーの渦は、生命の存在を拒否する冷厳さにみちている。

そのありさまは、遠く戦艦ブリュンヒルトからも望まれて、金髪の若者の怒気をさそった。

「いったいトゥルナイゼンはなにをしているのか⁉」

ラインハルトの声に、通信士官が恐縮し、妨害電波や電磁波の干渉と戦いながら、連絡をとろうとこころみた。オペレーターたちも、いり乱れる敵味方の識別に汗を流し、トゥルナイゼンが本来の部署から離れて突出し、無秩序な艦隊運動のあげく敵にたたきのめされているのを確認したのだった。

「たいした勇者だ」

オーベルシュタインが両の義眼からひややかな光を発散させた。

「声は遠くにとどくのに、目はちかくのものしか見えない。忌避すべき輩ですな」

「この戦いが終わって、生き残っていたら卿の忠告にしたがうとしよう」

ラインハルトは吐きすてた。

「だが、さしあたり、生き残るためには奴の戦力が必要なのだ。トゥルナイゼンと連絡をとれ！」

連絡用のシャトルが、ラインハルトの命令をおさめた通信カプセルをかかえて、旗艦ブリュンヒルトの船腹から発進していく。迂遠なことだ、と、ラインハルトは腹だたしくなるが、ほかに方法がない以上どうしようもないのである。

戦意と野心ばかり先行させているトゥルナイゼンが本来の部署にもどらないと、ラインハルトの計画は戦術レベルでくずれてしまう。襟首をつかんでもひきずりもどし、陣形を秩序だてる必要があった。このままなしくずしに消耗戦に突入しては、こちらのほうがヤン・ウェンリーの奇略にはまる危険性がある。

ラインハルトの危惧は的中した。ヤンは、苦労したすえのことであるが、陣形をたくみに変化させて、トゥルナイゼン以外の帝国軍の前方部隊を凹形陣の砲火の焦点へさそいこんだのである。そのタイミングの絶妙さは、傍のメルカッツに感歎の目をみはらせるほどで、帝国軍はストローに吸いだされでもするかのように、陣形をくずして同盟軍の砲列の前にさきをあらそって躍りでたのだった。

「撃て！」

それは密度と正確さにおいておそるべき砲撃だった。狂気にかられた野牛のように驀進してきた帝国軍は見えざる壁に衝突したかのごとく停止した。光と熱が波だち、荒れくるうなかで、勇気と昂揚感にみちた兵士たちが一瞬にして人間の残骸と化した。爆発光は上下と左右に連鎖して、人間がつくりうるかぎりの絢爛たる光の宝石細工を生みだした。だが、ひとつひとつの宝石の内部には、優美でも華麗でもない生と死の姿があるのだ。

ある者は瞬間的に肉体を蒸発させた。ある者は生きながら焼かれ、意味をなさぬ絶叫をまきちらしながら、死への急斜面をすべり落ちていった。閃光に網膜を焼かれ、視力を奪われた兵士は、逃げまどう味方につきとばされ、むきだしになった配電路に顔をつっこんで、スパークする火花のなかで絶命する。

残酷さが彼らの戦う目的ではなかった。だが、正義と信念こそが、この世でもっとも血を好むものであることを、誰もが理解せずにいられなかったであろう。最高指導者が呼号する正義を実現させるため、彼らの信念が飽食するまで、無数の兵士が生きながら焼かれ、腕や脚を失わなくてはならないのだった。国家の統治者が正義や信念を放棄すれば、兵士たちは、傷口からはみでた内臓を見つめながら恐怖と苦痛のうちに死なずにすむのである。だが、自分が戦場から遠い安全な場所にいるかぎり、権力者たちは、正義と信念とは人命よりはるかに貴重だと主張しつづけるにちがいない。もしラインハルトが彼ら凡庸で卑劣な権力者たちと一線を画しうるとすれば、彼がつねにみずから陣頭に立つことにあったであろう。

「母さん（ムッター）、母さん（ムッター）……」

爆風で両脚を吹き飛ばされた若い兵士が、両手だけで床をはいながら、血の泡とともにかすれた声をはきだした。その身体の上を、傷つき血に汚れたべつの兵士が、よろめきつつ踏みこえていく。肋骨(ろっこつ)のくだける音がして、若い兵士の両眼が光を失う。

残酷さも悲惨さも、いっぽうだけの専売品ではなかった。したたかな応射をこうむった同盟軍も、苦痛にのたうちまわっていた。

電磁カタパルトから撃ちこまれたウラン238弾が戦艦の装甲を貫通し、超高熱を発して爆発する。全身を炎の腕に抱擁された兵士が、奇怪な絶叫をあげて床を転げまわる。その床もすでに灼熱しており、飛散した血が白い煙をあげて蒸発する。ブロック放棄の命令が飛び、血まみれの生存者たちが火と煙の指をはらいのけながら、体力の許すかぎりの速度で、密閉式ドアにむかって走りだす。傷口から流れでる血が床に接吻すると、あらたな蒸気が生じ、靴底をとおす熱が足裏を焼く。ふたたび爆発が生じ、熱風の巨大な手が兵士たちをはりたおした。鋭い角をもった金属とセラミックの破片が高速で宙を飛び、ヘルメットごと兵士の首を切断する。首を失った死体が、血のシャワーをふりまきつつ、ようやく起きあがりかけた僚友の上に倒れかかると、あらたな悲鳴がおこる。床についた掌は一瞬に焼けただれ、ひきはがすと皮膚が床の上にとりのこされ、むきだしの肉は火傷と血で紫色の手袋をはめたように見えるのだった。ドアが閉鎖され、地獄の光景を遮断しても、生存者の前には殺戮地獄の門が扉をあけているのだ。

時間は、その経過に比例する犠牲を声高に要求した。殺戮と破壊はいよいよ激しく、いよいよ量的に拡大し、帝国軍と同盟軍はみずからを救いがたい、煮えたぎる泥濘(でいねい)の深みへと落としこんでいった。

第八章　死　闘

I

　当初、〝バーミリオン星域会戦〟に参加していた兵力は、帝国軍が艦艇一万八八六〇隻、将兵二二九万五四〇〇名であり、同盟軍は艦艇一万六四二〇隻、将兵一九〇万七六〇〇名である。数字はほぼ互角であり、同盟軍の補給線がより短いこと、縦深陣形をとった帝国軍に遊兵が存在することを考慮すると、優劣はほとんどなく、しいていえば同盟軍が〝不利ではない〟と表現しえたであろう。

　ただ、帝国軍はミッターマイヤー、ロイエンタール、ミュラー、ビッテンフェルトらの強大な増援軍を期待できるのにたいし、同盟軍の金庫にはもはや一枚の銅貨も残ってはいなかった。ここで敗退すれば、首都ハイネセンまで文字どおり一兵すら配置されておらず、自由惑星同盟(フリー・プラネッツ)の命運は、ラインハルト・フォン・ローエングラムという一個人を打倒しうるか否かにかかっているのだった。

　事態の重さは、同盟軍指揮官の心をおしつぶすにたりる。責任の巨大さに発狂しても柔弱とそしることはできなかったであろう。ヤンがそうならずにすんだのは、以前から、人間の能力と可能性に限界があることを知っており、開きなおっていたからである。彼ヤン・ウェンリーがラインハルト・フォン・ローエングラムに勝ちえないとしたら、すくなくとも同盟軍に、ラインハルトに勝ちうる者は存在しないのだ。

だが、それとても、恐怖と苦痛のうちに死んでいく兵士たちの姿を見ずにすめば——の話であった。自分が大量殺人者であるとの自覚は、ヤンにとっていまさらのものではなかったが、映像化された破壊と流血の惨状は、歴史学者志望の青年の心を冷やすのに充分だった。これだけのことを過去にもおこない、現在もおこなっている自分に、家庭の幸福をもとめる資格などあるだろうか、と思わずにいられないのである。それが、いままでフレデリカ・グリーンヒルの思いにむくいることのできなかった最大の原因だった。ようやくのりこえたかにみえても、完全に心の整理をつけることはできそうにない。むろん、ヤンが家庭の幸福をあきらめれば死者がよみがえるわけではないのだが……。

そもそも〝バーミリオン星域会戦〟は、そこへいたる戦略的過程の壮大さと緻密さにおいて類を見ず、後世、用兵家として神話的なまでの名声をえるふたりの若い元帥が正面から戦った点においても特筆すべきものである。にもかかわらず、戦闘の第一段階は、彼らふたりが演出し指揮したものとは信じえないほどの混乱と暴走の様相をあらわし、双方にとって不本意な消耗戦となりかけたのだった。それが破局に直結するものであることを察知した彼らは、期せずして戦局の収拾につとめ、際限なくつづくかと思われた殺しあいに一時の幕をひくことに、ようやく成功したのである。この洞察と判断、そして処理の成功が、彼らの非凡さを消極的ながら証明するものであったかもしれない。

「なんとまあ、まずい戦いをしたことか」

ヤンは資料に目をとおしながら歎息した。用兵学というものの本質的な冷酷さは、いかに効率よく味方を死なせるかという点にあるが、今回、彼はその軌道を悪い方角へ逸脱して、貴重な戦力を消耗させてしまったのである。気分が深刻になるのもやむをえないことだった。

「もっと兵力があればなあ。あと一万隻、いや、五〇〇〇隻、いやいや、三〇〇〇隻でいい。そうすれば……」

これはまはだしく建設性を欠くぐちであって、状況の改善にまったく役だつものではなかった。それと承知で歎息したヤンは、黒い頭髪をかきまわすと、気をとりなおして、作戦の再構築にかかった。

司令官以外の者には、それぞれの任務があった。軍医と看護婦は医療システムのすべてを動員して負傷者の治療にあたったが、人道性と効率とを比較すれば後者をとらざるをえない彼らのやりかたは、ある意味で残酷そのものだった。最初に麻痺ガスで痛覚神経を眠らせておき、患部を切除して人工の臓器や皮膚にかえてしまう。治癒不可能な傷をおった腕や脚をレーザーメスで切断し、水素電池を内蔵した義手や義足をとりつける。これらの措置は、電子照射による生体細胞の活性化が不可能となった時点ではじめておこなわれるのではあるが、半数は患者の同意なしでおこなわれるため、意識を回復した重傷者が、あるべき場所に手や足を見いだしえず、音程のくるった叫びを発して抗議するのだった。だが、手足を返せと叫んだところで、切断されたそれは、すでに焼却処理されている。衛生上、保存しておけないのである。こうして身体の一部を機械化された人間が死者とほぼ同数に量産されていくのだ。

二七日にはいる早々、戦局は最初の変化をみせた。無秩序な殺しあいを収束させ、自軍の再編成を可能なかぎりのスピードですませると、ヤンは速攻を指令したのである。

正面に展開した敵にたいし、ヤンがこれほど能動的になった例はめずらしい。多くは、敵のうごきに対応してうごくヤンであり、さらには、正面から戦うのをさけて奇襲をおこなうのが彼のやりかただった。いっぽう、〝同盟軍速攻〟の報をうけたラインハルトはごく常識的に迎撃を指令したが、いつもの彼のダイナミズムからすればこれも稀有の例に属した。

「これがそもそも、〝バーミリオン星域会戦〟をして混乱にいたらしめた原因である。もともとラインハルト・フォン・ローエングラムの用兵は先制攻撃をもって、ヤン・ウェンリーの用兵は柔軟防御をもって、それぞれの特長とするにもかかわらず、おたがいのその特長を殺し、みずからが相手の技によって終局の勝利をえようとしたのである」

後世の戦史家には自信満々でそう評する者がいるが、自動的にであろうと他動的にであろうと、状況が完成された以上、ラインハルトもヤンも闘技場の柵のなかで最善をつくすしかなかった。また、彼らにはそれぞれ、そうすべき理由があったのである。

ヤン艦隊は計算されつくした円錐(えんすい)陣形をもって帝国軍に襲いかかった。開かれた砲門から有形無形のエネルギーが破壊神(シヴァ)の鎚(つち)さながらに帝国軍にふりそそぐ。帝国軍の応射も凄絶(せいぜつ)だったが、ヤン艦隊の前進を阻止するにはいたらなかった。咲き乱れる爆発光は、より多く帝国軍の艦艇を照らしだした。

　直撃をうけた駆逐艦が、視神経を攪乱(かくらん)するさまざまな色彩の閃光につつまれたかとみると、無数の金属と非金属の細片と化して四方へ飛び散る。激突するエネルギーの束が、光と熱の飛沫(しぶき)をはねあげ、無秩序な乱流となって艦艇を揺動させる。数十万の火箭(かせん)は嵐となって艦体を乱打し、引き裂かれた傷口から膨大な空気と兵士が暗黒の虚空へ吸いだされる。

　純白、オレンジ色、真紅、青、緑、紫。炸裂する光芒のひとつとして目にやさしいものはない。これに音響がくわわれば、発狂者の数は飛躍的に増加するだろう。

　ヤン艦隊の火力局所集中戦法が大きな効果をあげなかったことは過去にないが、今回も例外でなかった。絶えることなくわきおこる光芒の渦は、帝国軍にしたたかな損害をあたえ、それに劣らぬ量の恐怖と狼狽を生んだ。帝国軍は一瞬、後退するかにみえたが、それを断念し、水平方向に移動しようとした。しかしそれはヤンの察知するところとなった。

　砲火をさけて迂回しようとした帝国軍は最悪のくじをひいてしまった。山峡から平原へと流れでる大河のように、まさに拡散しようとした彼らは、直前の密集した態形に、正面から集中砲火をうけたのである。

　これほど効率的な砲撃は、ヤンの記憶にあっても特筆すべき記念碑であった。砲手たちは、ろくに狙点もさだめぬ砲撃で、つぎつぎと爆発の火球をつくりだし、荒れくるうエネルギーによって、血と炎の油彩画を虚空に描きだした。ひとつの火球の炸裂は、それに数百倍する人間の死を意味するのだ。

帝国軍は一方的に撃ちのめされ、艦列をくずし、陣形を拡散させた。ヤンはその機をのがさなかった。簡潔な、だが力感にみちた指令が全軍に伝達された。

「突進！」

ヤン艦隊の円錐陣はフル・パワーで前方につきすすみ、鉄の剣が青銅の盾をつらぬくように帝国軍の横列陣を突破した。

オペレーターが狂喜の声をうわずらせた。

「完全に突破しました！　突破です！」

旗艦ヒューベリオンの艦橋を歓声がみたしたが、ヤンは幕僚たちの歓喜に感応しなかった。

「薄すぎる……」

口にだして言ったのはただそれだけで、あたかも肉屋のナイフさばきに不平を申したてる客のような台詞だった。ユリアンには、ヤンの言わんとすることが理解できた。帝国軍の防御陣が、これほど容易な突破を許すはずがない。

「すぐにつぎの敵がくるぞ」

司令官の予言は半時間もたたぬうちに現実のものとなった。一二時方向にあらたな敵が出現し、横列陣から砲火をあびせてきたのである。

ヤン艦隊は猛スピードで前進をつづけながら、得意とする一点集中式の砲撃で横列陣の数カ所に穴をうがち、そこから敵中に躍りこむと、零距離射撃で帝国軍をなぎたおした。先頭をきったのはマリノ准将の部隊である。

マリノ准将は、シャルチアン中佐の前任者として戦艦ヒューベリオンの艦長をつとめていたことがある。艦長としての有能さと艦隊指揮官としての有能さは、かならずしも同質ではないが、彼はその双方をかねそなえていた。彼の部隊は錐をもみこむように帝国軍の横列陣に浸透し、突き破った。ところが、歓声がいまだおさまらぬうち、前方にまた光点の群が出現し、左右に展開した。またしても横列陣の歓迎である。

「またでてきやがった。いったい何重の防御網をしいているんだ？　大昔のペチコートじゃあるまいし」

ののしったマリノ准将は、不機嫌そうに幕僚たちを見わたしたが、むろん誰も答えなかった。歓喜の風船がしぼむと、あとには不安と疲労の薄いもやがただよった。

それでも同盟軍は進撃のスピードをゆるめず、砲門を開いて第三陣に襲いかかり、激烈な、だがそれほど長くはない戦闘のすえに、文字どおりこれを蹴散らした。三たび歓声があがり、それは第四の横列陣が発見されるまでつづいた。

四月二九日、ヤン・ウェンリーの速攻によって、すでに帝国軍は迎撃陣の第八層までを突破されていた。だが、同盟軍の前方には第九層が横列陣を展開し、数千の光点をつらねて迎撃の態勢をとっている。

「なんという厚みと深みだ……」

ヤンは歎声を発せずにいられなかった。帝国軍が彼を迎撃するにあたって、おそらく前例を見ないほどの重厚な縦深陣をしくであろうことを、充分ヤンは予測していたが、これほど徹底しているとは、じつのところ思わなかったのである。個人の予測など、いくらでも事実によって凌駕されるということわざの、生きた実例がここにあった。メルカッツが腕をくんだ。

「まるでパイの皮をむくようだ。あとからあとから、つぎの防衛陣があらわれる」

「際限がありませんな」

ムライ参謀長が首をふると、ワルター・フォン・シェーンコップ中将が皮肉なかたちに口もとをゆがめてみせた。

「いまさらやめるわけにもいかんでしょう。九枚めの皮をむきにかかりますか、それとも……」

ヤンは傍のメルカッツの顔に視線を送り、もとめていた解答をえてうなずいた。この期におよんで前進をやめたところで、なんらえるものはない。より水が深く泥が厚くなるのを承知で、湖心へと歩いていかねばならない同盟軍だった。それにしても、ローエングラム公ラインハルトが見えざる糸をたぐって同盟軍をひきずりこむ、その手さばきがみごとにも不気味にも思えるのだ。だいいち、これほど深い縦深陣の奥にあって、ローエングラム公はどのようにして戦況を把握しているのか、また同盟軍の正面につぎつぎとあらわれる帝国軍は、自分の出番がくるまでどこに姿を隠しているのか。

「閣下……」

ひかえめな声はユリアンの口から発せられたものだった。

「なんだね」

「はい、閣下、ローエングラム公がなにをしようとしているのか、わかったような気がします」

ヤンはかるく眉をしかめて亜麻色の髪の少年を見やった。被保護者へのひいきと解されるのがいやで、ヤンはときどき手厳しくなるのである。

「表現は正確にすることだ。ローエングラム公がなにを考えているかということと、なにをやっているかということ、この両者のあいだには一光年からの距離があるよ」

「はい、でもこの場合は一光日の距離もないと思います」

幕僚たちの視線がユリアンに集中した。ヤンは一瞬の間をおいて、少年に意見を述べるようながした。

「ローエングラム公がねらっているのは、わが軍に消耗をしいることです。それも物的にだけではなく心理的にもです。ことさら、ひとつの陣が突破されるとつぎの陣があらわれるのは、その証拠です」

「そのとおり」

つぶやいたのはメルカッツで、ヤンは黙然と少年を見つめている。ユリアンは、流れるように語るのではなく、ひとつひとつの言葉を、自分自身に確認するような話しかたをしていた。

「彼らは前方からやってくるのではありません。それでしたらセンサーに捕捉されるはずですし、ローエングラム公が戦況を把握するのもむずかしくなります。思うに、わが軍とローエングラム公とのあいだには、本来、何者も存在しません。敵の兵力はむしろ、左右に、薄いカードのように配置されていると思います」

ユリアンはひと息ついてから結論をのべた。

「つまり、彼らは左右からスライドして、わが軍の前方にあらわれてくるんです。これをなんとかすれば、ローエングラム公の本営を直撃できるのではないでしょうか」

ユリアンの表現は、明快さと正確さにおいて比類なかった。少年が語りおえると、最初にメルカッツがうなずいた。

「なるほど、そのとおりだ。よくも考えたものだな」

ヤンは歎息した。このような陣形であれば、ローエングラム公は戦況を直視しつつ、左右にひかえた部隊を横に移動させて同盟軍の前に立ちはだからせることが可能なのだ。それにしても、と、フレデリカ・グリーンヒルは思う。ヤンの歎息は、ローエングラム公ラインハルトとユリアンと、いずれにむけられたものなのだろうか、と。

そのとき、オペレーターから報告がはいった。帝国軍の単座式戦闘艇ワルキューレの群が至近にせまっているという。

「ポプラン、コーネフの両戦隊で迎撃させろ」

ヤンはそう命じ、つぎの短期的な戦術を考えるため、指揮デスクからシートにおり、黒ベレーを顔の上にのせた。


こうして一六〇機のスパルタニアンと一八〇機のワルキューレが、巨艦のあいだを高速で飛びかいながら接近格闘戦（ドッグ・ファイト）を演じることになった。

オリビエ・ポプランにたいする悪口は数多くあるが、臆病者という呼称はそのなかに存在しない。彼が出撃を前にして恐怖と不安におののく姿を見た者は、すくなくとも、生ける者のなかにはいなかった。

「ウイスキー、ラム、ウォッカ、アップルジャック、各中隊、そろっているな。敵に飲まれるなよ。逆に飲みこんでやれ」

酒の名をつけた麾下の各中隊にポプランはいつものあいさつを送り、ゴーサインで八方に散開させた。

ポプランの部隊は三機一体の連係プレイで知られるが、隊長自身は単独で敵機を葬りさることに自己の美学を見いだしている。彼は無謀としかみえない、そのじつ充分に計算されたスピードと勢いで敵機の群に突入し、ビームの一閃で一機を、二閃で二機を、たちまち光の華に変えてしまった。その絶倫の技倆に敵兵は声をのんだが、勇気と功名心にかられたパイロットの操縦になるワルキューレ二機が、巨大な獲物をねらってたけだけしく躍りだし、傍若無人な敵の後背にくらいついて火箭をあびせかける。

「おれに対抗する気か？　半世紀ばかり早いと思うがね」

冷笑したポプランは、後背に追跡者をまつわりつかせたまま、敵の戦艦めがけて宙を疾走していった。光子弾の曳光（えいこう）がスパルタニアンの機体に接吻しそこなうのを無視し、戦艦の直前で急上昇する。センチ単位で算（かぞ）えられるほどの至近に艦体を見ながらのぼりつくして一回転する。だが、ポプランを追ってきた二機のワルキューレは回避に失敗した。一機は正面から戦艦の胴体部に激突し、オレンジ色の火球となって四散する。いま一機は急上昇をこころみたが、機体の腹を戦艦に接触させ、摩擦の火花をはねあげながら、亀裂のはいった機体を宇宙の深淵へ吸いこませていく。

「こいつは撃墜した数のうちにはいらんだろうな。コーネフとの撃墜競争に負けてしまうぞ」

悠然と独語したポプランの余裕は、だが、長くはつづかなかった。彼の部下たちは、過去にない苦戦をしいられていたのだ。帝国軍ワルキューレ部隊は、八〇機の撃墜記録をもつホルスト・シューラー中佐の指揮下に、やはり三機一体の戦法をもって同盟軍に対抗し、さらに味方の艦砲との緊密な連係で、同盟軍のスパルタニアンを捕捉撃滅していったのである。スパルタニアンは帝国軍の艦砲の射程内に追いこまれ、つぎつぎと砲火の前に蒸発していった。

ポプランが部下たちを糾合（きゅうごう）したとき、激減したその数に愕然としたのだが、アップルジャック中隊の責任者モランビル大尉の報告は苦痛にみちていた。

「アップルジャック中隊の生存者は小官以下二名のみであります。ほかはすべて戦死しました……ほかはすべて……」

急激に声が弱まり、ポプランの胸に不吉な楔をうちこんだ。

「どうした、おい?」

もどってきた声は、先刻の声とことなっていた。うちのめされた疲労感だけが共通点だった。

「小官はザムチェフスキー准尉であります。アップルジャック中隊の生存者は、たったいま、小官一名のみになりました」

ポプランは音をたてて息を吸いこみ、吐きだすと、罪もない操縦盤に右の拳をたたきつけた。

名だたるポプラン戦隊の半数ちかくが永遠に失われたことは、同盟軍を戦慄させたが、より強い衝撃は扉の奥にひそんで彼らを待ちうけていた。帰還したポプランが士官食堂で飛行服のままウイスキーをあおっていると、コーネフ戦隊の副隊長コールドウェル大尉が疲労とふたりづれで歩いてきたのだ。

「おい、お前さんたちの隊長(ボス)はどうした? おれ以上に不景気な面(つら)を見てやりたいんだがな」

気圧の低い声をかけられて、コールドウェル大尉は立ちどまり、困惑とためらいの表情に顔全体を占領させたすえ、重い声で答えた。

「現在では小官がコーネフ戦隊の隊長代行をつとめております、ポプラン中佐」

撃墜王は、不機嫌を絵に描いて額縁をつけたような顔で、あらたな一杯を飲みくだした。

「おれはいま、まわりくどい説明をゆっくり聞く気になれんのだ。お前さんたちの隊長はどうした」

大尉は観念し、誤解しようのない返答をした。

「戦死なさいました」

ポプランは殺意に似たものをこめた眼光で大尉をにらんだ。幾種かの感情の不整合が、かえって怒号をおさえこんだようであった。

「何機がかりでやられた？」

「は……？」

「何機がかりでやられたと訊いているんだ。イワン・コーネフが一騎撃でやられるはずはない。帝国軍は何機がかりでコーネフを袋だたきにしたんだ？」

大尉は目を伏せて被告の表情をつくった。

「コーネフ隊長の戦死は接近格闘戦（ドッグ・ファイト）の結果ではありません。巡航艦からの砲撃によるものです」

「……なるほどな」

ポプランが不意にテーブルから立ちあがったので、コールドウェル大尉は思わず半歩後退した。

「コーネフの野郎をかたづけるのに、帝国軍は巡航艦が必要だったか。だとしたら、おれのときには戦艦が半ダースは必要だな」

ポプランは笑ったが、その笑いに、大尉は熱雷の存在を感じずにはいられなかった。ポプランの強靭(きょうじん)な手首がひるがえり、飛来したものをコールドウェルは反射的にうけとめた。酔いを感じさせない歩調で士官食堂をでていく撃墜王の背中を見送って、大尉は自分の手に視線をおとした。空(から)になったコーン・ウイスキーの瓶が彼の手におさまっていた。

帝国軍の第九陣も突破をはたすと、ヤン・ウェンリーは幕僚たちに作戦の変更をつげた。眠そうな目で幕僚たちを見わたす。べつに演技ではなく、連戦の疲労で実際に眠たかったのである。

「ローエングラム公の戦術は、極端なまでの縦深陣によってわが軍の消耗をはかることにある。ミンツ中尉の指摘したとおりだ。このまま前進するのは愚劣というものだが、停滞すれば時間をかせがれて、やはり彼の術中に陥ることになるだろう。したがって、敵の重厚きわまる布陣をいかにくずすか、唯一の勝機がそこにある」

おもしろくもない前置きをしておいて、ヤンは、彼の頭脳活動の成果を幕僚たちに披露し、あらたな作戦を指示した。

こうして四月三〇日にいたり、戦局は二度めの劇的な変化をしめすのである。

Ⅲ

この段階において、ラインハルトはなんら能動性をしめさず、ヤンの攻勢をうけとめてはその浸透力をそぎとることに専念している。ヤンとの正面からの戦いは、広大きわまる自由惑星同盟（フリー・プラネッツ）同盟領の全体を罠とした包囲殲滅戦の一部分にすぎないのだ。諸将が派遣された宙域から反転してバーミリオン星域へ殺到してきたとき、はじめてこの戦いはクライマックスをむかえるのである。その華麗かつ壮大なクライマックスにさきだつ準備が、比較的地味なものになることは、やむをえなかった。

ラインハルトは、ヤンの攻勢をうけとめるために、二四段にのぼる迎撃陣を用意していた。かつて諸将に言明したごとく、薄紙をかさねて、こぼれたワインを吸いとるようにヤンの戦力を減殺していくつもりであった。ヤンが感歎を禁じえないほどに卓絶したラインハルトの戦法を、さらに補強するのは、ひとたび突破された防御陣の戦力が、左右に拡散し味方の後方にまわりこんで、あらたな防御陣の一部となることであった。かくして、ヤンは勝てども勝てども、永久機関めいた無限の防御陣に直面することになるのである。

これまで、その戦法は完璧に機能していた。ところが四月三〇日にいたって、ラインハルトにかたちのいい眉をひそめさせる事態が生じた。同盟軍の前進が停止したのである。それどころか、八〇万キロの距離を後退して、探査の困難な小惑星群の蔭にひそみ、なにやら画策するように思えるのだ。やがてもたらされた報告は、かなりの数の艦隊が、帝国軍の正面を避け、同盟軍から見て右翼、帝国軍から見て左翼の方向へ移動しているというものであった。

ラインハルトは蒼氷色(アイス・ブルー)の瞳にわずかな陰翳(いんえい)をたゆたわせた。ヤン・ウェンリーがいたずらに兵力を分散させるとは思えない。目的はこちらの兵力を散開させるにあるのだろうが、問題は、出動した敵軍が主力か否かということである。義眼の参謀長パウル・フォン・オーベルシュタインが考えこむ主君に声をかけた。

「故意に見せつけるようなうごきからすると、囮のようにみえますが、あんがい、それこそが主力部隊かもしれませんな。いずれにせよ、こちらが兵力を分けるのは愚策というものです」

ラインハルトはうなずいたものの、その動作には賛同というより保留の色が濃かった。彼は戦術家としてのオーベルシュタインに過大な期待はいだいていない。義眼の総参謀長はすぐれた戦略家であり政略家であったが、実戦にかんしてはラインハルトの華麗な才華におよばないのだ。

ラインハルトは自分の手が胸のペンダントをもてあそんでいることに気づいた。ペンダントにおさめられている赤い頭髪の所有者が生きていれば、ラインハルトによい助言をしてくれるにちがいなかった。彼を失って、ラインハルトは、戦争計画の策定からその実施までを、ひとりでおこなわねばならなくなったのだ。失われたもののなんと巨大なこと、失ってはならぬものを失った愚かさのなんと深いことであろう。

「ご決断を、閣下」

オーベルシュタインに言われて、ラインハルトは心を現実の地平にひきおろした。それでもなお、決断をくだすのにいくばくかの時が必要だった。

「全軍を左翼方向へふりむけよ。囮とみせて実兵力をうごかすのが敵の作戦と思われる。正面に立ちはだかって、奴らの鼻面をたたきのめせ」

万全の自信を、このときラインハルトは欠いていた。当初の完璧な迎撃法を変更すべきではないかもしれない、との思いが、脳裏を遊弋していた。もしジークフリード・キルヒアイスが彼の傍にいてそう進言すれば、すなおにしたがったにちがいない。しかし生来の覇気が、これまでとってきた消極策にたいする反動を必要とした。若さの発露かもしれなかった。部下の提督たちの武力を借りずヤン・ウェンリーを打倒したいという誘惑もあった。ヤンの戦術を読んだという思いもあった。なによりも彼は、つねに先手をとることになれており、たとえ一戦場に限定しても、先手をとられることにたえられなかったということもあろう。心の混沌を完全に整合しえぬまま、ラインハルトは積極策に転じたのである。

ラインハルトの本営に直属する少数の部隊をのぞいて、帝国軍は陣容を再編し、左翼へ迂回しつつある敵にむけて急速前進した。防御一辺倒から攻勢に転じたことで、若い提督たちは意気さかんだった。

だが、敵を射程にとらえかけた帝国軍は、愕然とせざるをえなかった。同盟軍の主力と思ったのは、二〇〇〇隻ほどの囮部隊だったのだ。それが一万隻にちかい数と見えたのは、多数の隕石を牽引してレーダーをだましたのである。この囮部隊が帝国軍の主力をひきつけているあいだ、小惑星群の隠れ家から躍りでた同盟軍主力は、猛然とラインハルトの本営をめざしていた。

同盟軍は最大戦速で突進する。この機会をのがせば、彼らの敗北は必至だったからだ。ダスティ・アッテンボローなどは、床を踏みならしつつ部下を叱咤し、がらあきになった宇宙空間を巨大な矢のようにつらぬいていった。

帝国軍が気づいたとき、同盟軍はすでに彼らの後背の空間を横断して、ラインハルトの本営に肉薄しつつあった。その突進のスピードは、〝疾風ウォルフ〟ことウォルフガング・ミッターマイヤーでさえ舌をまくと思われるほどのものだった。

トゥルナイゼン、ブラウヒッチ、アルトリンゲン、カルナップ、グリューネマンらの諸将はあわてて囮部隊への前進を停止し、反転しようとして、囮部隊からの砲火をあび、すくなからぬ損害をこうむった。とくに、慣性をつけた巨大な隕石を艦列に撃ちこまれると、数隻が一度に破壊されてしまう。だが、そのようなことを意に介してはいられなかった。後背から囮部隊の砲火にたたかれながらも、帝国軍は同盟軍の艦列に攻めかかった。

これが成功していれば、帝国軍は同盟軍に強烈な横撃をくわえることになったであろう。しかし、ヤン・ウェンリーの用兵は巧緻をきわめていた。帝国軍の先頭集団がビームとミサイルを乱射しつつ同盟軍の右側面に一撃をくわえたとき、同盟軍は艦列をくずし、左方向へなだれをうってのがれた――ように見えた。同盟軍の艦列は左へ大きく湾曲し、第二撃によって中央から分断されるかと思われた。トゥルナイゼン、ブラウヒッチらはそう確信し、囮にしてやられた屈辱を一気に挽回しようとたけりたって、さらに突進をかさねた。

変化は急激に生じた。分断成功を確信したつぎの瞬間、帝国軍の提督たちは、自分らが同盟軍の完全な包囲下にあることを知って呆然となった。同盟軍分断のきざしともみえた艦列の湾曲は、じつは右側面からの帝国軍の攻勢に対処した変形凹形陣のくぼみの部分だったのである。正面から対峙していたのであれば、みすみす凹形陣の中央にはまりこむ愚を、帝国軍はおかさなかったであろう。自分たちが敵の側面を襲っている、との錯覚が、彼らをヤン・ウェンリーの、神技ともいえる用兵の犠牲者にしたてあげることとなった。

いまや帝国軍の後方を遮断するかたちとなった囮部隊からの砲火もくわえて、同盟軍は前後左右から帝国軍に襲いかかった。

無数の光条が帝国軍の艦列を串刺しにし、光のナイフが艦艇を切りきざんだ。包囲され、行動の自由を失った帝国軍は、めくるめく爆発光のなかで、死と破滅への急斜面をころげおちていった。

「アルトリンゲン艦隊、潰滅しつつあり」

危機感と恐怖にみちた報告が、旗艦ブリュンヒルトに深海さながらの沈黙をもたらした。兇報はさらにつづいた。

「ブラウヒッチ艦隊も戦線崩壊の状態」

報告するオペレーターの声は、抑制を失う寸前にある。ラインハルトは知っていた。崩壊しつつあるものは、たんに艦隊でも戦線でもなく、彼の不敗の神話と、それにもとづく権力の栄光であることを。

「してやられたか……」

独語したラインハルトの白い秀麗な顔を、自嘲の翳りが流れおちた。壮大な包囲網が完成すれば彼の敗北はありえなかったが、それよりはやくヤン・ウェンリーの掌が彼をつかんでにぎりつぶそうとしている。完成されない包囲網など、ぶざまな兵力分散でしかなく、各個撃破の絶好の対象となるしかない。

「勝ちつづけて、勝ちつづけて、最後になって負けるのか。キルヒアイス、おれはここまでしかこれない男だったのか」

ペンダントを白い手ににぎりしめて、底知れぬ孤独のなかで彼は無言の問いかけをした。赤毛の友は答えてくれなかった。彼を答えられなくしたのはラインハルト自身だった。

帝国軍はいまや崩壊寸前の身をかろうじてささえているようにみえた。あたかも、落雷にうたれた樫の大木のように。

ラインハルトの高級副官アルツール・フォン・シュトライト少将が、若い主君の前に歩みよった。誠実な理性の人と称される彼は、破局に直面してなお最善をつくす決意の色をたたえて進言した。

「閣下、すでにシャトルの用意ができております。どうか脱出のご決意を……」

副官を見かえしたラインハルトの瞳には冷たいかがやきがあった。瞳の蒼氷色（アイス・ブルー）が、このとき、見る者に息をのませるほど美しい。

「ですぎたまねをするな。私は必要のないとき逃亡する戦法を誰からも学ばなかった。卑怯者が最後の勝者となった例があるか」

「あえて申しあげます。ここで戦場を離脱なさっても、敗北を意味するものではありません。諸提督の艦隊を糾合なさり、あらためて復讐戦をいどめばよろしいではありませんか」

金髪の若者はかたくなだった。このとき、彼は、先日エミール少年をさとした彼自身のことばを忘れてしまっている。

「ここでヤン・ウェンリーに殺されるとしたら、私はそのていどの男だ。なにが宇宙の覇者か。私に敗死した奴らが、天上（ヴァルハラ）や地獄で私を嘲笑することだろう。卿（けい）らは私を笑い者にしたいのか」

「閣下、たいせつなお生命を粗末になさいますな。どうか再起を期して、脱出くださいますよう」

黄玉色（トパーズ）の瞳をもつ親衛隊長ギュンター・キスリング大佐が哀願するように訴えたが、ラインハルトの白皙の顔は、磁器の静かさをたもって、その懇請（こんせい）を拒否していた。シュトライトの視線がキスリングの顔をなでた。主君の意志に一時はさからうこととなっても、旗艦から脱出させるべきだ、と、無言で示唆したのである。キスリングがうなずいた。

その瞬間、ブリュンヒルトの直前にいて旗艦を警護していた三隻の戦艦が、集中砲火の犠牲となって爆発した。動力部に直撃をこうむった一隻はめくるめく火球となって消失し、一隻は中央からふたつに折れ、一隻は傷口から破片とエネルギーの奔流を噴きあげつつ、射程外へよろめきでる。

炸裂する閃光はスクリーンをとおしてブリュンヒルト艦内の人々を撃った。解放された大量のエネルギーが、荒れくるう野生馬のようにブリュンヒルトを蹴りつけ、帝国軍の総旗艦ははげしく揺動した。艦橋にいた人々は、ただひとりをのぞいて、みごとに横転した。金髪の若い独裁者ただひとりが、信じえないほどの平衡感覚と柔軟な身ごなしで転倒をまぬがれたのである。

奇妙なことが生じたのはそのときである。同盟軍の猛攻が一瞬とぎれていた。ラインハルトは、傍のエミール少年を助けおこしてやりながらするどい視線をスクリーンに放った。光芒の渦が消えて、画面が宇宙の暗黒をわずかながら回復しつつあった。

オペレーターが不意に絶叫した。

「ミュラー艦隊です。ミュラー艦隊が来援しました——助かった!」

最後の一語は、全艦橋を代表しての本音であった。くるったような歓声がそれにこたえた。

大包囲網を完成させるため、あえて分散出撃した帝国軍の諸将のうち、最初の反転攻勢をおこなったのがナイトハルト・ミュラーであったことについては、多少の理由がある。彼は比較的バーミリオンにちかいリューカス星域の物流基地を接収するよう命じられ、それが完了したらすぐに反転する予定だった。当然ながら実力による抵抗があるものと思われ、その鎮圧に必要な日数が計算されていた。ところが、ミュラーがリューカス星域に達すると、基地のほうから、抵抗はしないむねを通告してきたのである。

　基地と物資を帝国軍に無抵抗でひきわたしたのは、基地の責任者オーブリー・コクランという男だった。むろん部下たちの多くは、現在の同盟にとって貴重きわまる物資のかずかずを帝国軍の手にわたすことのないよう主張した。八〇〇〇万トンの穀物、二四〇〇万トンの食用肉、六五〇〇万トンの家畜用飼料、二六〇万カラットの工業用ダイヤモンド、三八四〇万トンの液体水素、その他膨大な希少金属（レアメタル）や燃料や石油製品を放射能汚染させて使用不可能とすることを迫ったが、コクランはそれを拒否し、こう理由を説明した。

「軍需用ならともかく、ここに集積された物資はすべて民需用のものだ。支配者や政治体制がどう変わろうと、民間人の生活を破壊するわけにはいかない。あるいは私は売国奴と呼ばれるかもしれないが、それは甘受するしかないだろう」

　一時は部下のなかの過激派がコクランを監禁して物資を帝国軍の手にわたすまいとしたが、ほかの部下がそれを鎮圧した。こうして、リューカス星系の物流基地は無血で帝国軍の接収するところとなったのだが、当初、ミュラーはコクランの行為を利己的な売国行為とみなし、彼を嫌悪した。その後、部下たちからコクランの心情を聞いてミュラーは感じいり、彼を自分の幕僚に招いた。物資や金銭の管理を統轄する要職につかせたく思ったのだ。

だが、コクランはそれを謝絶した。自分は小心者なので世間の評判が気になる、地位ほしさに物資を敵に売りわたしたと言われるのにたえられない。この物資をあくまで民需に使用すると確約してもらい、自分と部下が首都ハイネセンに帰還することだけ認めてもらえればよい。そうミュラーに告げ、悠々と立ちさったのだ。だが、コクランの誠意は、相応の評価をもっては迎えられなかった。首都ハイネセンに帰還した彼は、旧部下の告発により、利敵行為のかどで逮捕され、極地にちかい未決犯収容所で裁判を待つ身となった。政治的・軍事的な混乱のなかで、彼の存在は忘却の淵に沈みこんでしまったかにみえたが、ただひとり、忘れなかった男がいる。二年後、バーラト星系動乱が終結すると、ナイトハルト・ミュラーは部下を派遣してコクランの所在を訪ね、収容所において栄養失調のために現世から片足を踏みはずしていた彼を救出した。それ以後コクランはミュラーのもとで主計監をつとめることになるが――それはべつの物語となる。

ナイトハルト・ミュラーの反転と来援は、〝バーミリオン星域会戦〟における三度めの状況変化をもたらした。

五月二日のミュラーの参戦と苛烈な横撃とがなかったら、その日が終わらぬうちに同盟軍はラインハルト・フォン・ローエングラムを捕捉していたであろう――とは、歴史を仮定するという誘惑に抗しえなかった後世の史家が、ひとしく予測するところである。前日からこの日にかけて、ヤン・ウェンリーの戦術指揮はほとんど無謬(むびゅう)であり、たとえ一時のものであるにせよ、ラインハルトの天才をさえ凌駕していたと思われるのだ。だが、それもここで挫折を余儀なくされることとなった。

ミュラー艦隊の参戦によって活気づいた帝国軍は、いっきょに攻勢に転じる構えをみせた。保有するすべてのエネルギーをこの場で消費しようと決意したかのように砲門を開き、ビームとミサイルの豪雨を同盟軍にむかってたたきつける。

同盟軍の艦列には、つぎつぎと光の華が咲き、それが消えると不毛な黒い穴が残った。劣勢に追いこまれながら同盟軍も応射し、帝国軍の艦艇を撃ちくだいた。

同盟軍のダスティ・アッテンボロー中将は、体力の限界に挑戦するがごとく、不眠不休の前線指揮をつづけている。

「一個艦隊の加勢がついたくらいで逃げだすほど、うちの司令官は負けっぷりはよくないはずだがな。〝奇蹟(ミラクル)のヤン〟のお手なみをまた拝見したいものだ」

ひげを剃る余裕もなく、ざらざらの感触をもつあごをなでながらアッテンボローが論評した。

彼の論評は完全には正確ではなかった。ミュラーの艦隊は、あまりの急行動のため脱落者をだし、司令官とともに戦場に到着しえたのは全体の六割強、八〇〇〇隻ほどであった。一個艦隊未満と言うべきであったろうか。これはヤンにとってせめてもの幸運であった。

ヤンにとってミュラーの出現は誤算というより計算外の要素だった。彼としては、帝国軍の全提督中、行動の迅速において比類ないウォルフガング・ミッターマイヤーこそが、もっともはやく反転をおこなって戦場に到着するものと考え、その前にラインハルトを倒す計算をたてていたのだ。そして現在のところ計算は収支がうまくあっていた。このまま事態が推移すれば、勝利は手中にあった。だが、どうやらべつの計算用紙が必要になったようだった。

「こいつはとんだ権威主義におちいっていたかな。ミュラーを無視していたとは……」

ヤンはベレーで顔をあおぎながら苦笑まじりにつぶやいた。帝国軍最年少の大将を軽視していたつもりはないが、結果としてそうなってしまっていたようだ。

ミュラーの攻勢を、最初に正面からうけとめることになったのは、ライオネル・モートン提督の艦隊であった。

それは苛烈きわまる攻撃だった。戦闘開始当時三六九〇隻を算したモートンの艦隊が、一時間後には一五六〇隻にまで撃ちへらされたのである。一時間の損失率五七・七パーセントという数字は、戦史家の目をうたがわせる、しかし完全な事実だった。

むろん帝国軍のはらった代償も小さなものではありえなかった。同盟軍の包囲網はなおくずれてはおらず、その砲火は密で、突進する帝国軍の艦艇は固体と非固体の壁にぶつかっては爆発光とエネルギー流を噴きあげた。だが、外から内へとなだれこむ勢いにおいて、ミュラーはこのときヤンにまさったのだ。

「モートン提督、戦死」

沈痛な調子で報告がもたらされると、ヤンは一瞬目をとじた。若々しいその顔に、失望と疲労の色をはっきりと認めて、ユリアンとフレデリカは顔を見あわせた。

残存のモートン艦隊は指揮官を失い、すさまじい砲火にさらされながら、かろうじて艦列を維持し、ヤンの本隊に合流した。モートンを戦死させたミュラーは、ヤンとラインハルトとのあいだに割ってはいり、敵の攻撃から身をもって主君をまもる構えをみせつつある。

「良将だな。よく判断し、よく戦い、よく主君を救う、か」

敵であろうとその力量に感歎してしまうのは、ヤンひとりの病癖ではない。ラインハルトにもあることで、ときとして軍人の心理や感性は、敵にたいする尊敬と愛情、味方にたいする軽蔑と憎悪、という一種の倒錯をめずらしくないものとするのだ。

だが、じつのところ、感歎している余裕などなかった。ミュラーの攻勢はいよいよ激しく、同盟軍はいたるところで艦列をつきくずされ、うがたれた穴を埋める余裕もすでになく、帝国軍の侵入を許しはじめていた。

同盟軍の艦列のなかに躍りこんだ帝国軍は、戦意の噴火口をいっきょに爆発させた。閃光と曳光の豪雨が同盟軍にふりそそぎ、超高熱の炎が彼らを灼きつくした。光条は縦横に走って、死の世界への暗い道を、一瞬だけ照らしだし、犠牲者のため無音の鎮魂歌(レクイエム)をかなでた。

「ミュラーはよくやる」

退去をまぬがれたブリュンヒルトの艦橋でラインハルトはつぶやき、エミール少年がさしだした熱いタオルで秀麗な顔をぬぐった。文字どおり、金髪の若者はひと息ついたのである。

V

存亡の淵に立たされたのは、今度は同盟軍であるように思えた。ミュラーが本来の全戦力をそろえていれば、彼はヤン艦隊を完全な逆包囲下におきえたであろう。あるいはそれを断念したのがよい効果をもたらしたのかもしれず、同盟軍はうちのめされ、引き裂かれ、核融合爆発の炎と流失エネルギーの煙の下になぎたおされていった。

だが、すべての局面が帝国軍の優位をしめしていたわけではない。包囲の環をくずさない同盟軍とそのなかにとりこめられた帝国軍とのあいだでかわされた戦いは、前者の圧倒的な優位のうちに時間とエネルギーを消費しつつあった。アルトリンゲン、ブラウヒッチの両部隊は、いまやほとんど軍隊の残骸であるにすぎず、長時間の苦闘をしいられたトゥルナイゼン、カルナップ、グリューネマンの各部隊も、外側からのミュラーの攻勢に対応して包囲網をつきくずすだけの戦力を残していなかった。トゥルナイゼンは防御だけで手いっぱいであり、グリューネマンは重傷をおって指揮権を参謀長にゆだねていた。

まる二四時間以上、同盟軍の包囲下にあって死戦をつづけてきたカルナップも、あまりの損害にたまりかね、ラインハルトの本営とのあいだにようやく連絡がとれると、増援部隊の派遣を求めた。通信士官からそれを聞くと、若い独裁者は豪奢な黄金の髪をゆらして答えた。

「吾に余剰（よじょう）兵力なし。そこで戦死せよ。言いたいことがあればいずれ天上（ヴァルハラ）で聞く」

ラインハルトは冷酷だったのではない。事実、彼の本営には一兵一艦の余裕もなかったのだが、この返答は思いきって苛烈だった。

いっぽう、言われたほうの反応も過激だったというしかない。

「死ねだと!? よし、死んでやる。さきに死ねば、天上ではこちらが先達だ。雑用にこき使ってやるからみておれよ、ラインハルト・フォン・ローエングラムめ！」

カルナップは指揮官席から立ちあがり、激減した麾下の全艦隊に号令をくだした。最大戦速による攻勢が開始された。それが一点に集中されれば、あるいは包囲網は破れ、ヤン艦隊は崩壊するかもしれない。カルナップの選択は当然のものであったが、これはヤンのほうに貴重な機会をあたえた。彼が一瞬のうちに計算し決断した戦術は、巧緻をこえて、すさまじいというしかなかった。

「砲撃せよ、なるべく正確に、効率的にだ」

あえてヤンが注釈をつけたのは、同盟軍のビーム用エネルギーやミサイルが、欠乏をきたしはじめたからであった。それと同時に、ヤンは、帝国軍の内と外からの攻勢にたえつづけてきた包囲網の一角を、故意に開かせたのである。

帝国軍は驚喜した。包囲網のなかにあった帝国軍は、外へむけて脱出しようとし、外の帝国軍は、味方を救おうとして乱入する。双方が一点の宇宙空間をめがけて殺到し、過密状態を現出した。そこへヤン艦隊の特技、一点集中砲火が襲いかかったのだ。

カルナップは旗艦もろとも蒸発した。たけりくるう砲火は、一艦をねらって数艦を一度に吹き飛ばし、光りかがやく巨大な墓場を虚空のなかにつくりあげた。

こうして戦況は四たび変わったのである。

ナイトハルト・ミュラーは、最前線にある彼の旗艦が、火球と色彩の竜巻に包囲されるのを砂色の瞳に映した。同盟軍が最後に結集した破壊力の苛烈さと強大さは、驚異的というしかなかった。旗艦は六カ所にわたって破損し、核融合炉が危険にさらされるにおよんで、乗員は退避せざるをえなくなった。

「閣下、脱出なさってください。この艦の命運はつきました」

艦長グスマン中佐が青白んだ顔に汗の玉を浮かべて進言すると、ミュラーはかるく首をかしげてから、それをうけいれた。ただ、たんに脱出をのぞんだわけではない。

「では、他の艦に司令部をうつす。もっともちかい距離にいる戦艦はなにか」

ノイシュタットである、という回答をえると、ミュラーはうなずき、

「卿(けい)もシャトルに同乗せよ」

と命じて艦長の自殺をとどめた。不敗のラインハルトは、みずからもとめて、栄光の鎖で足を縛らざるをえなかったが、かつてヤンのため大敗を喫した経験のあるミュラーは、敗戦によって柔軟な対処法を学んでいた。彼はシャトルに身をゆだね、死に瀕した旗艦を離れた。

だが、ミュラーが旗艦をかえたとき、同盟軍の猛撃はノイシュタットにむかって集中してきた。艦体中央部に被弾したノイシュタットは、たちまち航行不能の状態におちいり、ミュラー

らが退去した五分後に火球と化して消滅した。
「運がよいのか、悪いのか」
と苦笑したミュラーは、戦艦オッフェンブルフに司令部をうつし、さらに二時間後、戦艦ヘルテンに移乗した。これは笑い話ではなく、ミュラーが激戦のただなかにあってどれほどねばりづよく、不退転の決意をもって戦いつづけたかを証明するものであった。

　こうしてナイトハルト・ミュラーは、一度の会戦において、三度にわたって旗艦をかえた提督としての勇名を後世に伝えることになる。しかし、彼の勇猛で献身的な戦いぶりも、ヤン・ウェンリーの攻勢をとどめることは不可能だった。ただひとりの人間が、これほど静かな果敢さと傑出した判断力によって戦いをリードし、幾度かの危機をきりぬけて勝利の尾をつかもうとしたか、ヤンの伝記作家たちはのちに強調してやまない。ヤンはミュラーの参戦という危険きわまる要素を排して、あらたな計算をもとに戦いを構築し、完成させつつあったのだ。

　しかし、五月五日、五たび戦況は急変する。今度の原因は戦場から三・六光年をへだてた同盟首都ハイネセンにあった。この日一二時四〇分、ヤンのもとに超光速通信(FTL)がとどく。同盟最高評議会議長ヨブ・トリューニヒトが無条件停戦を命令してきたのである。命令が伝達されたとき、同盟軍の砲列は、ラインハルト・フォン・ローエングラムの旗艦ブリュンヒルトを、まさに射程内にとらえようとしていた。

第九章　急　転

I

無条件停戦命令――。

衝撃の巨大な混沌(カオス)から、爆発的な怒りが生じたのは、青ざめた天使たちが幾人も通過してからのことである。同盟軍は帝国軍の咽喉に手をかけてしめあげている最中だった。敵がまさに絶息しようとするその瞬間、味方の手で彼らはコーナーにひきもどされたのである。

「どういうつもりだ、ハイネセンの奴らは！」

それは疑問ではなく、言語化した激情であった。

「政府首脳部(おえらがた)は気でもくるったか！　吾々(われわれ)は勝ちつつある。いや、勝っている！　なんだって、いま戦闘を停止せねばならんのだ⁉」

そう怒号して黒ベレーを床にたたきつけたのは、ラインハルトの旗艦ブリュンヒルトを指呼の間にのぞんだアッテンボローだった。

ヤンの旗艦ヒューベリオンでは、ワルター・フォン・シェーンコップがヤンに、するどい声を投げかけた。

「司令官！　お話があります」

ふりむいたヤンはかるく肩をすくめてみせた。

「きみの言いたいことはわかっているつもりだ。だからなにも言わないでくれ」

「わかっておいでなら、いま一度確認しておきましょう」

シェーンコップは両眼を燃えたたせて、メイン・スクリーンを指さした。

「さあ、政府の命令など無視して、全面攻撃を命令なさい。そうすれば、あなたはみっつのものを手にいれることができる。ラインハルト・フォン・ローエングラム公の生命と、宇宙と、未来の歴史とをね。決心なさい！　あなたはこのまま前進するだけで歴史の本道を歩むことになるんだ」

彼が口を閉ざすと、嵐をはらんだ沈黙がヒューベリオンの艦橋全体をわしづかみにした。人人はたがいの呼吸音を聴き、みずからの鼓動の高まりに戦慄した。シェーンコップが口にしたのは、言ってはならないことであった。幼い日、祖父母に手をひかれて帝国から亡命し、能力と武勲によって同盟軍の中将にまでなった三五歳の長身の男は、禁断の果実を衆人環視のなかで枝からもぎとってみせたのである。

だが、その禁断の果実の、なんと甘美に思われることか。それは、勝利と、覇権と、栄光の甘い果汁と芳香にみちていた。そしてヤン自身にとどまらず、周囲の者も、その美味を思うままにあじわうことができるであろう。

ヤンは無言だったが、その沈黙は周囲のそれと微妙にことなっていた。嵐ではなく小春びより(インディアン・サマー)の陽光をはらんだ沈黙のようにフレデリカ・グリーンヒルには思われたが、それが好意のありすぎる誤解でなかったという保証はない。だが、沈黙の檻を、たたき割ったのではなくおだやかにおしひらいたヤンの言葉は、フレデリカに確信を深めさせることになった。

「……うん、その策(て)もあるね。だけど私のサイズにあった服じゃなさそうだ。全軍に後退するよう伝達してくれ、グリーンヒル少佐」

……エリューセラ星域の同盟軍補給・通信基地を制圧して、まさに反転を開始しようとしていたウォルフガング・ミッターマイヤーが、珍奇な客を迎えたのは五月二日のことである。一隻の未確認航行体がミッターマイヤー艦隊の索敵網にかかったが、「停船せよ。しからざれば攻撃す」との信号にたいして、返ってきたのは、「吾は味方なり、司令官との面会を請う」との信号だったのである。

「フロイライン・マリーンドルフ、どうしてここに……?」

目をみはる〝疾風ウォルフ(ウォルフ・デア・シュトルム)〟に、戦艦ベイオウルフの床を踏んだヒルダことヒルデガルド・フォン・マリーンドルフ伯爵令嬢は、肉体的疲労と精神的活力のないまざった微笑であいさつした。短い金髪や男性とことならない服装とあいまって、美貌の少年めいた印象が強い彼女である。

これよりさき、ヒルダは、ひそかにガンダルヴァ星系を発(た)ってバーミリオン星域の外縁部にいたったのである。留守をまもる高級士官たちをなかば説得し、なかば強引な事後承諾のかたちで一隻の高速巡航艦（スピード・クルーザー）を借用してのことであった。そして開戦直後の戦闘、さらにヤンの最初の大攻撃を遠望したあと、人間のつくったものに可能なかぎりの速度でエリューセラ星域に達したのである。ラインハルトを救うにも、彼女には一兵もない。信頼すべき味方に救援をもとめねばならなかった。遠距離で超光速通信（FTL）を使わなかったのは、なにしろ敵国の領土内であるため、傍受の危険が大だったからである。

美しい帝国宰相首席秘書官を司令官室に招き、幼年学校生徒のはこぶコーヒーをすすめながら、ミッターマイヤーは彼女の話を聞いた。

「ふむ、すると、いまからバーミリオン星域へむかってもまにあわない、と、そうおっしゃるのですな」

「ええ、〝疾風ウォルフ〟の快足をもってしても、ローエングラム公を救うのにまにあわないでしょう」

ミッターマイヤーは短い苦笑をおさめると、当然の質問をした。

「ではどうしろとおっしゃるのです？　フロイラインには代案がおありと推測しますが」

ヒルダは首肯し、説明をはじめた。

今日は五月二日。これからバーミリオン星域へ急行しても、到着するのは四日後、五月六日になるであろう。一隻の船ではなく、大艦隊をひきいてのことである。だが、戦況を遠望しかつ今後を推測するに、ヤン・ウェンリーの攻勢は尋常なものではなく、ラインハルトの敗色が濃い。五月六日にいたって戦場に到着しても、ヤンがすでに勝利をおさめていれば、そのヤンを撃ったところで無意味である。ところが、ここから同盟の首都、バーラト星系の惑星ハイネセンまでの里程は、バーミリオンへいたるそれより短く、概算しても四八時間ははやく到着することが可能である。ゆえに急転して、おそらく無防備であろうハイネセンを衝き、同盟政府を降伏させ、彼らからヤンにたいして戦闘停止を命令させれば、ラインハルトを敗北の淵から救いうるであろう……。

このときヒルダは、ナイトハルト・ミュラーが計算より三日もはやくバーミリオンの戦場に到着したことまでは知らない。

「じつは、わたしは一度ローエングラム公にこの提案をして拒否されました。戦って勝つことにこそ意味がある、と。それは正しい価値観だと思いますが、負ければすべてが無に帰してしまいます」

「負けるとお考えですか、ローエングラム公が」

いささか意地の悪い質問を、ミッターマイヤーはこころみた。これはラインハルト自身がミュラーにたいしておこない、その口を封じてしまった質問である。ヒルダは臆する色もなく、銀河帝国軍最高の勇将を直視して答えた。

「はい、今回このまま事態が推移すれば、ローエングラム公は生涯最初で最後のご経験をなさることになるでしょう」

すくなくとも、この二二歳の若い女性は、勇気と行動力において非凡であることを、ミッターマイヤーは認めずにいられなかった。さすが、冗談にせよ女神アテネにもたとえられるだけのことはある。

「その点についてはわかりました。ですが、フロイライン、いまひとつ問題があります」

ミッターマイヤーは香気だけをかいで、コーヒーカップを受け皿にもどした。

「つまり、ヤン・ウェンリーが政府からの停戦命令にしたがうかどうか、ということです。彼にしてみれば、目前に勝利の果実がみのっているのに、なぜその実を捨てて停戦しなくてはならないのか。それを無視したほうが、彼のえるものは、はるかに大きいではありませんか」

ミッターマイヤーの指摘の正しさを、ヒルダは認めた。まったく、誰が九九パーセントまで勝っている戦いを放棄して停戦などするだろうか。命令を無視して戦いをつづければ、まず軍事的勝利が手にはいる。それどころか、その間に政府が崩壊していれば、救国の英雄として、政治権力もやすやすと手にいれることができるのだ。この機会を見すごす者などいようはずはない。だが……

「それはわたしも考えました。ですけど、やはりヤン・ウェンリーへの停戦命令は有効であろうとの結論に達したのです。もし彼が武力と軍事的才能を背景に権力をにぎろうとするなら、これまでに幾度も機会がありました。でも、彼はその機会のすべてを見のがし、辺境守備の一軍人に甘んじてきたのです」

「…………」

「おそらくヤン・ウェンリーは、権力より貴重なものがあるということを、理念でなく、皮膚で感じている人物なのではないかと思います。それは賞賛すべき気質とは思いますけど、卑劣を承知で、この際は利用するしかありません」

「ですが、あるいは、彼は、急に権力への欲望にめざめて、政府の命令を無視するかもしれませんぞ。今回の機会は過去に例がないほど大きくて魅力的なものですからな」

「ええ、ありうることですけど、すると、わたしの提案は無益なもので採用するに値しないとお考えでしょうか」

「いや……」

　ミッターマイヤーは首をふった。

「わかりました。フロイライン・マリーンドルフ、あなたの策にしたがいましょう。どうも、ほかに策がなさそうだ」

　彼の決断のはやさ、状況判断のあざやかさもまた賞賛に値するものだ、と、ヒルダは思った。

「ありがとうございます。ご決断に心から感謝しますわ」

「ですが、私ひとりでというわけにはまいりません。ほかに誰か、僚友の同行をもとめたいのです。明敏なあなたには、おそらく理由がおわかりでしょう、フロイライン」

　ヒルダはうなずいた。ミッターマイヤーの武人としての潔癖さを理解したのである。もしミッターマイヤーが主君ラインハルトを戦場に救いにおもむかず、単独で惑星ハイネセンを攻略した場合、みずからの軍事的・政治的野心のために主君を見殺しにした、あるいは見殺しにしようとした、と言われるであろう。それはミッターマイヤーにとってたえがたいことであるにちがいない。〝疾風ウォルフ〟がそのような男だと思ったからこそ、ヒルダは彼を説得の対象にえらんだのである。彼女の判断は、どうやら正しくむくわれたようであった。

ミッターマイヤーの意を理解すれば、ヒルダには当然、質問すべきことがあった。もっとも、じつのところ、質問する必要もないようなものであったが。

「で、どなたを同行者として功績を分かちあわれるおつもりですの？」

「隣の星系にいて連絡もとりやすく、力量も信頼に値する男です。オスカー・フォン・ロイエンタールです。フロイラインには、異存がおありですか？」

「いいえ、当然のご人選と思います」

ヒルダの言葉に嘘はなかったが、同時に、彼女は考えたことのすべてを口にだしたわけではなかった。彼女がなぜミッターマイヤーをえらんでロイエンタールをえらばなかったか、理由は彼女自身にもかならずしも分明ではなかった。彼女は勘などというものにたいして信をおかない。警察官の勘がかならずあたるなら無実の罪に泣く者はいないだろうし、軍人の勘がつねに正しいなら敗れる者はいないだろう。だが、今回の選択は勘が基底にあってのことで、それを理論づける資料をいまだ彼女はもっていなかった。

II

ミッターマイヤーが、針路を変えて敵国の首都ハイネセンを衝く、それについてはロイエンタール艦隊との共同作戦をとる、と告げると、おもだった部下たちはとまどったようであった。

ミッターマイヤー麾下のカール・エドワルド・バイエルラインは声を低めて司令官に問うた。

「ロイエンタール提督はどうお考えでしょう。もしかして、帝国軍どうしが相撃つことになるのではありませんか?」

「……卿(けい)は意外に文学的想像力がゆたかだな」

揶揄(やゆ)する口調でミッターマイヤーは言ったが、それにさきだつ沈黙が短いながら深刻だったので、さして効果はなかった。それほど潤沢(じゅんたく)な情報があるわけでもないのに、バイエルラインという青年はときとして異常な嗅覚をしめすことがある。単純な力業(ちからわざ)だけの男でないのは貴重なことながら、ミッターマイヤー自身が感情と理性を整合させえないでいる際には、いささかこまるのである。

「ロイエンタールはおれの友人だし、おれはものわかりの悪い男と一〇年も友人づきあいできるほど温和な人間ではない。卿が想像の翼をはばたかせるのは自由だが、無用な誤解をまねくがごとき言動はつつしめよ」

「はい、すみません。ですぎたことを申しました」

頭を深々とさげたバイエルラインだが、自分の旗艦へともどるシャトルのなかで、部下を呼びだし、第一級臨戦態勢をとるよう命じた。おどろいた部下が理由を問うと、バイエルラインは声をいらだたせ、

「つねに敵の奇襲にそなえるのは、武人として当然のことではないか。ここは敵国のただなかであって、故郷の小学校の裏庭ではないぞ。教師の目をぬすんで午睡(ひるね)を楽しんでいるようなわけにはいかんのだ」

彼自身の少年時代を告白するようなことを言って通信をうちきったものである。

もっとも、彼自身、どうも度がすぎていると思わないではなかった。彼の敬愛する上司ミッターマイヤーと、名将ロイエンタールとが親友であることは熟知している彼である。それが相撃つことになるなどと、なぜ考えたのだろうか。赤面する思いが彼をとらえた。よくもあんな想像を口にして、どなりつけられなかったものだ。想像の翼とやらに、おもりをつけておくとしよう……。だが、そう思いながら、部下にだした命令をとりけそうとはなぜか考えないバイエルラインであった。

ミッターマイヤーからヒルダの提案を超光速通信(FTL)で伝えられたとき、オスカー・フォン・ロイエンタールは即答しなかった。明敏で胆力もそなわった彼だが、とっさに返答に窮したのである。

〝反転しなかったらどうなるのか〟とガンダルヴァを出立するときに思った彼だが、自分ひとり反転しなければほかの提督たちに功を奪われ、主君からうける評価が下落するだけのことである。現実のことと考えてはいなかった。しかし事態は彼を煽動でもするかのように急進展しているのだ。

ベルゲングリューン参謀長が、先刻、報告にきた。彼らに隣するミッターマイヤー艦隊のうち、バイエルライン中将の指揮する一隊が、この状況下で不必要なほど厳重な警戒態勢をとりつつある、と。

ロイエンタールはそのとき無言だったが、色のことなる両眼に鋭利な光のはばたきが映った。バイエルラインがミッターマイヤー麾下の提督たちのなかで、もっとも若く、もっとも果敢な指揮官であることを彼は知っていた。なぜ至近に敵がいるかのようなうごきをみせるのか不審に思い、ミッターマイヤーに問いただそうかと考えたのだ。だが、いまロイエンタールはその解答をえたと思った。もしロイエンタールがヒルダの提案を拒否するだけでなく、妨害するうごきをしめしたら一戦も辞さぬということか。彼はミッターマイヤーの表情を観察したが、友はその点にまったく言及しなかった。ミッターマイヤー自身の指示によるものなら、彼の気性からいって無言でいるはずはない。ということはバイエルラインの青二才が独自にやっていることか……。

通信スクリーンに映ったロイエンタールの金銀妖瞳（ヘテロクロミア）は一見、静かだったが、ヒルダは底知れぬ深淵のなかに内面の嵐をみてとっていた。彼女は自分の勘が、すくなくとも今回は的中していたことを知り、急激に深まる不安を自覚した。もしかして、これは、尋常ならざる野心と才能の所有者に、かえって絶好の機会が存在すると知らせる結果になったのではないか。わざわざ、いまから戦場まで主君を救いにいってもまにあわぬと知らされれば、野心なき者さえ不敵な意思を芽ばえさせるであろうに……。自分が愚行のきわみをおこなっているような気がして、ヒルダはおちつかなかった。

だが、ロイエンタールは彼女の危惧と不安を見ぬいたように、声をたてずに笑うと、大きくうなずいてみせた。

「わかった。卿が言うのなら、私もフロイライン・マリーンドルフの提案にしたがおう。ただちに全部隊に惑星ハイネセンへの進攻を指示するが、細部の検討をするためそちらへ出向かせてもらう。むろん艦隊を合流させてからのことだがな」

ミッターマイヤーのほうを呼びよせでもしたら、人質にでもするつもりか、と、バイエルラインが過激な反応をみせるかもしれない。その点をロイエンタールは考慮したのである。

無理をする必要はない。ロイエンタールは、ともすれば理性の手からのがれようとする心に手綱をつけるようつとめた。フロイライン・マリーンドルフは聡明でもあり、機謀にも富んでいる。しかし、なにもかもこの娘の考えどおりにはこぶとはかぎらないのだ。

Ⅲ

ミッターマイヤーとロイエンタール、銀河帝国軍の双璧とうたわれる両名が、合計三万隻におよぶ艦隊をひきいてバーラト星系への突入をはたしたのは五月四日である。翌五日には彼らは首都ハイネセンの衛星軌道に達し、夜空を見あげた市民は銀色の光点群に星々のかがやきをさえぎられて恐慌状態におちいった。歴史上はじめて、首都ハイネセンの市民は帝国軍の姿を肉眼にとらえたのである。

混乱のなかで、惑星上の通信波に介入した帝国軍から、ミッターマイヤーの宣言がとどけられた。

「私は銀河帝国軍上級大将ウォルフガング・ミッターマイヤーだ。卿(けい)らの首都ハイネセンの上空は、すでにわが軍の制圧下にある。私は自由惑星同盟(フリー・プラネッツ)政府にたいして全面講和を要求する。ただちにすべての軍事活動を停止し、武装を解除せよ。しからざれば首都ハイネセンにたいして無差別攻撃をくわえるであろう。返答まで三時間の余裕をあたえるが、その前に、余興をひとつ見せてやろう」

これは恫喝(どうかつ)であるから、ミッターマイヤーの言葉も口調も高圧そのものである。やがて帝国軍の一艦から、六〇〇〇キロへだてた惑星上の一点めがけて発射されたものがあった。

閃光と轟音が大気をうちくだいた。兵士や市民の視界を漂白した光が急速に薄れるとなお鼓膜をなぐりつけてやまぬ音響のなかで、オレンジ色の光彩が球型にもりあがり、統合作戦本部ビルの黒いシルエットがちぎれて、破片を高く舞いあがらせる。咆えたてる爆風になかば身体を浮かせながら、地に伏せた兵士のひとりが声をふるわせた。

「やりやがった。極低周波ミサイルだ」

極低周波ミサイルの直撃は、統合作戦本部ビルの地上部分を完全破壊するに充分だった。スクリーンに映った地上の惨然たる光景を見まもるヒルダに、〝疾風ウォルフ（ウォルフ・デア・シュトルム）〟が声をかけた。

「これでいいでしょう。権力者というものは、一般市民の家が炎上したところで眉ひとつうごかしませんが、政府関係の建物が破壊されると血の気を失うものです」

「市民にはできるだけ害をおよぼしたくないとお考えですのね」

「まあ私も平民の出身ですから……」

苦笑めいた表情のミッターマイヤーに、ヒルダは好感の視線をむけた。

「提督、いまひとつ通達していただけません？　降伏すれば最高責任者の罪は問わない、帝国宰相ローエングラム公爵の名において誓約する、とです。おそらく彼らの決意に、ひとつの方向を指示すると思うのですけど」

「それも筋から言えば、なさけない話ですな。ですが、おっしゃるとおり効果があるでしょう。そう伝えます」

ミッターマイヤーは、もはやヒルダの進言に絶対の信頼をよせるようになっていた。

巨大なスクリーンに地上の風景が映しだされている。地下深く、一般市民よりははるかに安全な場所で、自由惑星同盟(フリー・プラネッツ)の国防調整会議が開かれ、政府と軍部の高官が、凍土(ツンドラ)で造形されたような血の気のうせた顔をならべているのだった。たったいま本来の居場所を消滅させられた統合作戦本部長ドーソン〝元帥〟も、うつろな両眼をスクリーンにむけている。

ときならぬ冬眠からさめて、この会議を招集した最高評議会議長ヨブ・トリューニヒトが沈黙の泥濘をつき破った。

「結論を言おう……」

トリューニヒトの声は陽気ではむろんなかったが、奇妙に危機感も悲壮感も欠落しており、表情とあわせて、仮面をかぶった人形が機械じかけで声をだしているかに思えるのだった。

「帝国軍の要求をうけいれる。無差別攻撃を明言されては、そうするしかあるまい」

アイランズ国防委員長が抗議の声をあげかけると、針を投げつけるような視線が、トリューニヒトの両眼から放たれた。

「私は正式にリコールでもされたのか？　そうではないはずだ。とすれば、戦争終結の決定をくだす責任と資格とが、私の手中にあるということだ。その責任を、その資格においてはたすだけのことだよ」

「どうかやめてください」

国防委員長の声は、怒りよりもなさけなさに揺れていた。

「民主政治の制度を悪用して、その精神と歴史をおとしめる権利は、あなたにはない。あなたひとりで、国父アーレ・ハイネセン以来二世紀半にわたる民主国家の歴史を腐蝕させるつもりなのですか」

トリューニヒトの唇の両端がつりあがると、彼の顔はいちだんと仮面めいた印象を深めた。

「ずいぶんとえらそうなことを言うものだな、アイランズくん。きみは忘れたかもしれないが、私はよく憶えているよ。どうにかして閣僚になりたい、と、私の家へ、高価な銀の食器セットを持参してきた夜のことをね」

これほど卑しい悪意にみちた言葉を、かつて耳にしえた者は、一同のなかにもまれであったろう。

「それに、きみがどういう企業からどれだけ献金やリベートをうけとったか、選挙資金を分配されたとき、そのうち何割をためこんで別荘を買うのにまわしたか、公費をつかった旅行に、奥さん以外の女性をつれていったことが何度あるか、私はみんな知っているんだ」

国防委員長の広すぎる額は、暑さのためではない汗の玉を無数に噴きださせていた。

「私は三流の政治業者です。現在の地位につくことができたのも、あなたのおかげです。あなたには恩義がある。だからこそ、あなたが亡国の為政者として歴史に名を残すのを見すごすわけにいかないのです。考えなおしてください。吾々はここで死ぬかもしれませんが、ローエングラム公をヤン提督が敗死させれば、同盟は救われるのです。一個人の不幸を願うのは品性を欠くかぎりですが、これは事実です。ローエングラム公が死に、帝国軍が本国へ還れば、彼らが次代の覇権をあらそうあいだに、ヤン・ウェンリー提督が国防体制をたてなおしてくれるでしょう。私たちのつぎの政治指導者が彼と協力して……」

「ふん、ヤン・ウェンリーか」

声が毒物になりうるとすれば、トリューニヒトの声はまさにそれだった。

「考えてもみたまえ、ヤン・ウェンリーの愚か者が、かつてこの惑星をまもっていた〝処女神(アルテミス)の首飾り〟を破壊しなければ、吾々は帝国軍の侵略から自分自身をまもることができたのだぞ。こうなったのもヤン・ウェンリーのせいだ。なにが名将だ。将来(さき)の見えない、とんだ無能者ではないか」

宇宙艦隊司令長官ビュコック元帥が、このときはじめて発言した。

「なるほど、〝処女神の首飾り〟があれば、この惑星だけはたしかにまもれたでしょう。しかしほかの星系はどうなります？　この惑星、そしてあなたがたの権力さえ無事なら、ほかの星系がどれほど戦禍をこうむろうと、平然として戦争をつづけるというわけですかな」

七〇歳をこす老将の声は、激しくはなかったが、トリューニヒトの暴言にたいして花崗岩(かこうがん)の壁のごとく立ちはだかった。

「要するに、同盟は命数(めいすう)を費いはたしたのです。政治家は権力をもてあそび、軍人はアムリッツァにみられるように投機的な冒険にのめりこんだ。民主主義を口にとなえながら、それを維持する努力をおこたった。いや、市民すら、政治を一部の政治業者にゆだね、それに参加しようとしなかった。専制政治が倒れるのは君主と重臣の罪だが、民主政治が倒れるのは全市民の責任だ。あなたを合法的に権力の座から追う機会は何度もあったのに、みずからその権利と責任を放棄し、無能で腐敗した政治家に自分たち自身を売りわたしたのだ」

「演説はそれで終わりかね」

ヨブ・トリューニヒトは薄く笑った。ヤン・ウェンリーがそれを見れば、かつて印象づけられた恐怖と嫌悪の念をあらたにしたにちがいない。

「そう、演説すべきときはすでに終わった。もはや行動のときだ。よろしいかな、トリューニヒト議長、わたしは力ずくでもあなたをとめてみせますぞ」

老将は全身に決意の色をみなぎらせて席からたちあがった。この会議の出席者に、武器の携帯は許されていないため、老将は素手だったが、ひるむ色もためらうようすもみせず、自分より三〇歳ほども若い議長にちかづこうとした。

周囲から声があがった。最初は制止の、つぎは狼狽の声だった。地下会議場の扉があけはなたれ、いくつかの人影が躍りこんできたのである。警備の兵士ではなかった。だが、荷電粒子ライフルを手にした一〇人以上の男たちの表情は、兵士たち以上に機械的で没個性的な従順さをあらわしていた。彼らのなかばはトリューニヒトをまもるように肉体の壁をつくり、残るなかばはほかの出席者たちに銃口をむけた。

「地球教徒……！」

立ちすくんだ老提督のうめきが、驚愕に麻痺したはずの一同を生きた化石に変えてしまった。彼らの視線は、男たちの胸の上に凍ていた。そこにはスローガンの文字が、はっきりと刺繍されていたのだ。〝地球はわが故郷。地球をわが手に〟――うたがいようのない地球教徒の象だった。

「彼らを監禁してくれたまえ」

おごそかに議長は命令した。


「自由惑星同盟政府は、銀河帝国からの講和の申しこみをうけいれる。その証として、すべての軍事行動をただちに停止する」

地上からその通告をうけたとき、惑星ハイネセンの衛星軌道上にあって、ヒルダ、ロイエンタール、ミッターマイヤーは、共同司令部となった戦艦ベイオウルフの会議室でコーヒーカップを前にスクリーンに見いっていた。

ミッターマイヤーはうやうやしく蜂蜜色の頭をさげた。

「フロイライン・マリーンドルフ、あなたの智謀は一個艦隊の武力にまさる。どうか今後もローエングラム公のためによき智謀を発揮していただきたいものです」

「おそれいります。両提督のご協力があってこその成功ですわ。おふたかたとも、ローエングラム公の両翼として、公を輔けてさしあげてください」

それはむしろ金銀妖瞳の提督にむけた願いだった。

「正直に申して、ここまでうまくいくとは思いませんでしたな、おみごとです」

ロイエンタールは笑顔をつくったが、心の奥深くで陽が翳ったのを自覚していた。同盟政府が降伏を承知しないという可能性を彼は計算していたのである。民主政治の総本山、砦(とりで)、圧制に対抗する正義の具現者などと胸をはるからには、みずからの生命を賭してそれをまもるだけの気骨をもっているのではないかと思っていた。しかし同盟の権力者にとって、自分たちが権力をもちえないかぎり民主政治の存亡など関係ないということでもあろうか。いずれにせよ、ロイエンタールにとって、ことはひとまず終わったのである。

「まったく、同盟の権力者どもが自己の生命をものともせず、要求を拒否したらどうしようかと私も内心思っておりましたよ。こんなことを言うのも妙なものですが、なさけない権力者どもですな」

ミッターマイヤーが肩をすくめた。ヒルダもうなずいた。成功したとはいえ、釈然としない面があるのはどうしようもない。

「一億人が一世紀間、努力をつづけてきずきあげたものを、たったひとりが一日でこわしてしまうことができるのですわ」

「国が亡びるときとは、こういうものですかな」

さして独創的でもない感慨を口にすると、ミッターマイヤーは傍の僚友をかえりみた。ロイエンタールは、口をつけないままのコーヒーの黒い表面に金銀妖瞳を映していたが、その目をあげて言った。

「ゴールデンバウム朝銀河帝国、自由惑星同盟(フリー・プラネッツ)、そしてフェザーン。吾々は、宇宙を分割支配した三大勢力が、みっつながら滅亡するのを目(ま)のあたりにしたわけです。後世の歴史家がさぞうらやましがるでしょう。トゥルナイゼン中将の表現を借りれば、ですが」

ヒルダもミッターマイヤーも、彼に共感するところがあった。賛同の意を口にしながら、しかし、それぞれの心の水面に、消しえない小さな波紋が輪をひろげつつあった……。

Ⅳ

同盟首都ハイネセンを遠く離れたバーミリオン星域では、兵士たちの心の波紋は狂瀾(きょうらん)の巨大さに達していた。ヤンの命令にしたがって艦隊は後退し、戦闘を停止していたが、完勝の寸前でこちらから停戦を乞わねばならぬ理不尽さに、兵士たちは視野狭窄(しやきょうさく)をおこしかねないほどの怒りと絶望感をおぼえている。

「いったい首都はどうなっているんだ。帝国軍に攻囲されて……」

「降伏したのさ。全面降伏。城下の盟ってやつだ。両手をあげて助けてくれというわけさ」

「では自由惑星同盟(フリー・プラネッツ)はどうなる」

「どうなるだと！　帝国領の一部になるだけさ。かたちだけの自治ぐらいは認めてもらえるかな……しかし、それこそかたちだけ、しかもたいして長いあいだじゃなかろうよ」

「その将来(さき)は？」

「知るか！　ローエングラム公に訊け、金髪の孺子(こぞう)に。奴がこれからおれたちのご主人さまになるんだからな」

怒りくるう者だけでなく、歎き悲しむ者もいる。ある兵士は、友人にむかって、涙ながらに訴えた。

「おれたちは正義だったはずだ。なんだって暗黒の専制勢力にたいして、正義がひざをつかねばならないのか。世の中まちがっているとしか思えん」

素朴すぎるその疑問に同調する者はさすがにすくなかったが、いっぽう、

「これは政府の利敵行為だ」

と糾弾する声は、ひとたびあがると、燎原の火と化して全艦隊にひろがった。

「そうだ、政府は吾々を裏切った。政府こそが国民の信頼と期待を裏切ったんだ」

「奴らは売国奴だ。あんな奴らの命令にしたがう必要はないぞ」

なかには、味方の通信士官を罵倒する者もいた。そんなひどい命令をなぜ受領したのか。いま二、三時間、命令にたいしてそしらぬ顔を決めこんでいれば、自分たちはローエングラム公を捕えるなり殺すなりできていたのだ。それをばか正直に伝達するとは、融通のきかなすぎる低能どもが！

否定の嵐のなかで、おそるおそる肯定の小さな芽を見いだす者もいた。

「……だが、ハイネセンにはおれの家族がいるんだ。もし降伏を拒否して無差別攻撃をうけていたら……政府が降伏してくれたからこそ、家族は助かったんだ」

それ以上の発言は不可能だった。周囲の戦友たちが血相を変えてたちあがったからで、一市

民としての人情を口にするにはおびただしい勇気が必要であることを彼はさとったのである。「ヤン提督にお願いしよう。真の正義をつらぬいてくれ、と。理不尽な停戦命令などにしたがわないでほしい、と……」

「そうだ、そうしよう！」

騒然たる空気のなかを、ユリアン・ミンツは展望室へいそぎ足に歩いていた。シェーンコップ中将と話をしたかったのだ。

シェーンコップはポケットウイスキーの瓶を片手に、窓辺に立っていた。暗黒の静寂(しじま)と星々の円舞曲(ワルツ)を映す目に、にがにがしい失意のもやがかかっていた。ユリアンは足をとめ、失意を共有する者の沈痛な眼光で、しばらく無言のままだった。

「シェーンコップ中将……」

ふりむいたシェーンコップは、かるくポケットウイスキーの瓶をあげて少年にあいさつを返した。

「やあ、わざわざ会いにきてくれたからには期待していいのかな。お前さんもおれと同意見で、ヤン提督は停戦命令なんぞを無視すべきだと思っている、と」

歩みよったユリアンは、ひかえめな、だが譲歩をこばむ表情で応じた。

「お気持ちはよくわかります。でも、もしそんなことをしたら、悪い前例が歴史に残ります。軍司令官が自分自身の判断をよりどころにして政府の命令を無視することが許されるなら、民主政治はもっとも重要なこと、国民の代表が軍事力をコントロールするという機能をはたせなくなります。ヤン提督に、そんな前例をつくれると思いますか」

　シェーンコップの口もとが皮肉にゆがんだ。

「それでは聞くがな、もし政府が無抵抗の民衆を虐殺するよう命令したら、軍人はその命令にしたがわねばならんのかね」

　ユリアンは、はげしく亜麻色の頭をふった。

「そんなことは、むろん許されません。そんな非人道的な、軍人という以前に人間としての尊厳さを問われるようなときには、まず人間であらねばならないと思います。そのときは政府の命令であっても、そむかなくてはならないでしょう」

「…………」

「でも、だからこそ、それ以外の場合には、民主国家の軍人としてまず行動しなくてはならないときには、政府の命令にしたがうべきだと思います。でなければ、たとえ人道のために起ったとしても、恣意によるものだとそしられるでしょう」

　シェーンコップはポケットウイスキーの瓶を意味もなくもてあそんだ。

「坊や、いや、ユリアン・ミンツ中尉、お前さんの言うことはまったく正しい。だが、そのていどの理屈は、おれにもわかっているんだ。わかっていてなお、言わずにいられないのさ」

「ええ、よくわかります」

　それはユリアンの本心だった。シェーンコップにたいする彼の反論は、彼自身の感情にたいする理性の反論であったのだから。

「ヤン提督にはなによりもまず政治的野心がない。政治の才能もないかもしれない。だが、ヨブ・トリューニヒトのように国家を私物化し、政治をアクセサリーにし、自分に期待した市民を裏切るようなまねは、ヤン提督にはできんだろう。ヤン提督の能力は、歴史上の大政治家たちに比較すれば、とるにたりないものかもしれんが、この際、比較の対象はヨブ・トリューニヒトひとりでいいんだ」

「そう思います。ぼくもそう思います」

ユリアンは襟もとのスカーフをゆるめた。呼吸にわずかの困難を感じていた。自分自身を納得させることは、他人を説得するよりはるかに困難な事業だった。

「でも、トリューニヒト議長は市民多数の意思で元首にえらばれたんです。それが錯覚であったとしても。その錯覚を是正するのは、どんなに時間がかかっても、市民自身でなくてはいけないんです。職業軍人が武力によって市民の誤りを正そうとしてはいけないんです。そうなったら二年前の、救国軍事会議のクーデターとおなじです。軍隊が国民を指導し支配することになってしまいます」

シェーンコップはウイスキーの瓶を口もとにはこびかけて、途中でおろした。

「銀河帝国は和平の代償として、ヤン提督に死を命じたら、ヤン提督の生命を要求するかもしれない。政府がそれに応じてヤン提督に死を命じたら、そのときはどうする？　唯々諾々(いいだくだく)としてそれにしたがうのか」

少年の顔が紅潮し、彼は断言した。

「そんなことはさせません、絶対に」

「だが、政府の命令にはしたがわねばならんのだろう?」

「それは提督の問題です。これはぼくの問題です。ぼくはローエングラム公に屈伏した政府の命令になどしたがう気はありません。ぼくがしたがうのはヤン提督ただおひとりの命令です。提督が停戦をうけいれられたから、ぼくもうけいれねばならないんです。でもそれ以外のことはべつです」

シェーンコップはウイスキーの瓶に蓋をして、感銘したようすで一七歳の中尉を見やった。

「ユリアン、失礼な言種(いいぐさ)だが、お前さんはおとなになったな。おれもお前さんに見習ってうけいれるべきはうけいれるとしよう。だが、どうしても譲れないところがある。それもまたお前さんの言うとおりだがな」


旗艦ヒューベリオンの会議室にただよう空気には、なかば固体化したかのような重苦しさがあった。その見えざる流動物のなかに昂然と背筋をのばして立っているのは、客将メルカッツの副官ベルンハルト・フォン・シュナイダーであった。犀利(さいり)な眼光がまともにヤン・ウェンリーを射ている。

「停戦はしかたありますまい。政府の決定ですから。ですが、もし、あなたがた自由惑星同盟(フリー・プラネッツ)軍が、自己保身のためにメルカッツ提督を犠牲の羊に供しようと考えているなら、私はそんなエゴイズムを甘受する気はありませんぞ」

「シュナイダー!」

「いや、メルカッツ提督、シュナイダー中佐の言うことはもっともです」

それだけをヤンは言った。同盟政府にたいする批判の思いは口にしなかった。そもそも、市民を無差別攻撃から救うための降伏が大義名分である以上、批判を口にするわけにはいかなかった。たとえ政府の本心がどういうものであるか見えすいていたとしても……。

「メルカッツ提督には艦をおりていただきます」

つづけて発せられた言葉が、室内をみたす不快な流動物をかきまわし、幕僚たちはむしろ驚愕と疑問によって活性化されたようにすらみえた。

「私には未来を予知することはできません。ですが、シュナイダー中佐が言ったように、同盟政府があなたを帝国軍にさしだして媚をうることは充分に考えられます。私は同盟の人間で、政府の愚行につきあわねばなりません。ですが、あなたにそんな義務はない。沈みかけた船から退去していただかねば、私がこまります」

冗談と決めつけるのはどこかためらわれるヤンの表情である。

「戦艦を何隻かおつれください。むろん、燃料や食糧も、人員もです」

ふたたび流動物は大きくかきまわされた。

「ひとたび敗者の地位にたてば、同盟軍が以前と同水準の武力を保有することは論外となるでしょう。いずれ帝国軍の手で破壊されるものなら、隠しておいてもよろしいと思います。戦闘で破壊されたか、自爆したか、そう報告しておけば確認することは困難ですからね」

「ありがたいお話です、ヤン提督。ですが、あなたが残って責任をおとりになるのに、私だけが逃亡して身の安全をはかれるとお思いですか」

メルカッツが言うと、ヤンはある表情をひらめかせた。ユリアンとフレデリカは、それが会心ともいえる笑いであることを理解した。

「そうおっしゃると思っていました。ですがメルカッツ提督、私はあなたに楽をしていただこうとは思ってないのです。もっと不埒なことを考えているので、後日のために、同盟軍の一部、それももっとも濃いエキスを保存していただこうと思っているのですよ。つまり、大昔のロビン・フッドの伝説でいえば、〝動くシャーウッドの森〟をひきいていただきたいのです」

数瞬の時が刻まれたあと、室内の空気は、エア・コンディショニングの助けを借りることなく、いっきょにいれかわった。つまり再起の希望があるということなのだ！ ざわめきのなかで、ヤンの言葉を完全に理解した人々は、昂揚した視線をたがいにぶつけあった。ヤンは顔をなでた。どうもきざなものいいをしてしまったと思ったのだ。まあ意味はつうじたからいいようなものだが。

高らかな宣告の声があがった。

「その話、のった」

全員の視線が集中したさきに、オリビエ・ポプランがいた。同盟軍屈指の撃墜王は、自分の発言の意味がどれほど重大なものか、さして気にとめるようすもない。

「自由惑星同盟の自由とは、自主独立ということだ。帝国の属領になりさがった同盟に、おれはなんの未練もない。自尊心のない女に魅力がないのとおなじでね。メルカッツ提督についていかせてもらおう」

彼らしい比喩だ、と、聞いた者の多くは思った。そして心がやや明るさのました地平へと歩きだすのを感じた。ひとりが歩きだせば、それにつづくのは、先頭を切るより楽なことだった。すくなくとも孤独な旅を歩むのではないとわかっている。

「シェーンコップ閣下の許可をいただければ私も……」

〝薔薇の騎士(ローゼンリッター)〟連隊長カスパー・リンツ大佐も勢いよくたちあがった。

「私も亡命者の子です。いまさら帝国の下風には立てない。メルカッツ提督のおともをさせていただきます。ですが……」

リンツは黒髪の元帥を見やった。

「私としてはいつかかならずヤン提督に私どもの総指揮をとっていただきたい。あなたがいらっしゃるかぎり、〝薔薇の騎士(ローゼンリッター)〟連隊はあなたに忠誠を誓うものです」

「軍閥化の第一歩だな、国家や政府でなく個人に忠誠を誓うというのは。こまったものだ」

アレックス・キャゼルヌが毒のない口調で言うと、ひとしきり笑い声がおこった。彼自身の去就を問われて、キャゼルヌは答えた。

「私は残る。というより残らざるをえん。将官が大量に消えては帝国軍の疑惑を招くだろう。ヤン司令官とともに処置を待つさ」

シェーンコップ、フィッシャー、アッテンボロー、ムライ、パトリチェフ、マリノ、それにカールセンら将官たちは全員がキャゼルヌとおなじ未来への扉をノックすることになった。メルカッツは長いこと閉ざしていた言葉の窓を開くと、ヤンに一礼した。

「私は亡命してきたとき、あなたにすべての未来をゆだねた。そうしろと言われるなら、喜んであなたのご希望にそいましょう」

「ありがとうございます。ご苦労をおかけする」

幕僚たちがいったん解散すると、フレデリカ・グリーンヒルがヤンとともに残った。そうしてほしい、と、ヤンが目で告げたのである。

「ごめん、フレデリカ」

ふたりきりになると、ぎごちなく、黒髪の若い元帥は言った。

「他人がこんなことをしたら、あほうにちがいないと私も思うだろう。だけど、私はけっきょくこんな生きかたしかできないんだ。かえって、私の好きな連中に迷惑をしているとわかりきっているのになあ……」

フレデリカは白い手をのばして、ヤンの襟もとからのぞくスカーフの乱れをなおしてやった。ヘイゼルの瞳に、相手の黒い瞳を映しながら彼女は微笑した。

「わたしにはわかりません。あなたのなさることが正しいのかどうか。でも、わたしにわかっていることがあります。あなたのなさることが、わたしはどうしようもなく好きだということです」

フレデリカはそれ以上言わなかった。言う必要もないことだった。自分がどんな男を好きになったのか、彼女はよく知っていたのだ。

突然の停戦に驚愕しなかった者が帝国軍にいたとしても、それはラインハルトではなかった。総参謀長オーベルシュタインの報告をうけたとき、金髪の若い独裁者はむしろ自尊心を傷つけられたように身じろぎした。

「どういうことか？」

ラインハルトはするどいというよりけわしい声をだした。理性の許容しえない事実をさしだされると、彼は侮辱と怒りをおぼえるのだ。たとえそれがはなやかなドレスをまとった吉報であっても。

「同盟軍は前進をやめました。それだけではなく停戦を申しでております」

オーベルシュタインは表情と声に甲冑を着せて、予想される主君の激情の発露にそなえた。

「ばかげている。なぜ急にそんなことになるのだ⁉　あと一歩、いや、半歩で、奴らは勝っていたではないか！　目前の勝利を放棄する正当な理由がなにかあったのか」

主君の感情の波だちがおさまるのを待って、オーベルシュタインは事情を説明した。同盟軍からそれを伝えられたとき、彼が完全な冷静さをたもちえたかどうかについては語らなかった。

「……私は勝利をゆずられたというわけか」

事情を諒解したラインハルトが、指揮シートに、黒と銀の服につつまれた優美な肢体を沈めてつぶやいた。

「なさけない話だな。私は本来、自分のものではない勝利をゆずってもらったのか。まるで乞食のように……」

ラインハルトは笑った。彼にしてはまれな笑いかただった。その笑いには華麗さと生気が欠落していたのである。彫刻の笑いだった。

第十章　「皇帝(ジーク・カイザー)ばんざい！」

Ⅰ

宇宙暦(SE)七九九年、帝国暦四九〇年の五月五日二二時四〇分。足かけ一二日間にわたった〝バーミリオン星域会戦〟は終結した。帝国軍の参加兵力は、艦艇二万六九四〇隻、将兵三二六万三一〇〇名。完全破壊された艦艇一万四四八二〇隻、損傷をこうむった艦艇八六六〇隻、損傷率八七・二パーセント。戦死者一五九万四四〇〇名、負傷者七五万三七〇〇名、死傷率七二・〇パーセント。同盟軍の参加兵力は、艦艇一万六四二〇隻、将兵一九〇万七六〇〇名。完全破壊された艦艇七一四〇隻、損傷をこうむった艦艇六二六〇隻、損傷率八一・六パーセント。戦死者八九万八二〇〇名、負傷者五〇万六九〇〇名、死傷率七三・七パーセントであった。

この会戦の勝者は、帝国軍、同盟軍のいずれであったのか、その点にかんしては、戦史家の見解が分裂して統一をみないところである。双方の死傷率がともに七割をこえることは、軍事上の常識をこえており、零コンマ何パーセントという微細な数字によって勝敗をさだめる行為の無意味さを人に印象づけずにおかない。では、はたしてこれは〝引き分け〟だったのであろうか。

同盟軍の勝利を主張する者は、つぎのように理由をのべる。

「バーミリオン星域会戦において、同盟軍司令官ヤン・ウェンリーの戦術指揮は、つねに帝国軍司令官ラインハルト・フォン・ローエングラムのそれを凌駕していた。当初の段階においては互角であり、ローエングラム公の重厚な縦深陣が功を奏するかにみえたが、ひとたびそれが崩れたあと、戦いの主導権はつねにヤンの手中にあった。彼が、敵の脅迫に屈した政府からの命令で停戦を強制されなければ、歴史はヤンの名を完全な勝者として明記したはずである」

いっぽう、帝国軍の勝利をとなえる者は、こう反論する。

「バーミリオンにおける戦闘は、自由惑星同盟（フリー・プラネッツ）の征服と全宇宙の統一とを目的として、ラインハルト・フォン・ローエングラムが構想し展開した壮大な戦略のなかの、ささいな一局面であるにすぎない。敵の主力を戦場にひきつけておいて、別動兵力をもって敵の首都を衝き、降伏させるという手段は、古来からのすぐれた戦法であってなんら恥じる必要のないものである。帝国軍は戦争目的を達し、同盟軍はその阻止に失敗した。いずれの勝利か、悪しき軍事ロマンチシズムを排して結果を直視すれば解答は明白である」

また、みずからの公正さを誇示したいと考える者たちもいる。

「戦場では同盟軍の勝利、戦場以外では帝国軍の勝利」

「戦略的には帝国軍の勝利、戦術的には同盟軍の勝利」

さまざまな論が提出されはしたが、いずれの主張をとなえるにしても、おなじていどに強力で説得力にとんだ反論の存在を覚悟せねばならなかった。この会戦は、後世、無数の著作をうみ、多くの戦史家に日々の糧をあたえることになったのだ。

当事者たちの心境はどうであったろうか。ラインハルトは、自分は勝ったのではなく勝利を盗んだのだ、という嫌悪感から、容易に脱却することができなかった。いっぽう、ヤンはというと、戦術的勝利よりはるかに戦略的勝利をおもんじる彼自身の軍事思想からいって、自己の勝利を確信する気になど、とうていなれなかった。あるいは過大評価であったかもしれないのだが、ふたりとも相手の成功した面を、誰よりも高く評価しており、むしろコンプレックスの存在さえ自覚していたのである。

帝国軍最高司令官ラインハルト・フォン・ローエングラム帝国元帥と、同盟軍イゼルローン要塞駐留艦隊司令官ヤン・ウェンリー元帥とのあいだに会見がおこなわれたのは、停戦が発効してからちょうど二四時間後、五月六日二三時のことである。

その間、双方はどうしていたかというと、食欲や性欲にまさる人間の最大の欲望——睡眠欲をみたしていた。一二日間にわたる死闘のあいだ、小康状態もあり、交替での睡眠やタンク・ベッド睡眠もとってはいたが、ささくれだった神経を全面的に休養させることはとうてい不可能だった。いまようやく、一時の眠りが永遠の眠りに直結する恐怖から解放され、帝国の英雄も、同盟の智将も、睡眠導入剤の助けを借りはしたものの、深い充実した眠りを享受することができたのである。

その間、戦場の周囲には、〝黒色槍騎兵（シュワルツ・ランツェンレイター）〟艦隊司令官ビッテンフェルト、ファーレンハイト、ワーレン、シュタインメッツ、レンネンカンプら戦闘にまにあわなかった帝国軍の領袖たちが駆けつけていた。すでに停戦の報をうけていた彼らは、気恥ずかしさと欲求不満に悩まされながらも、必要な処置をとった。

五月六日一九時にヤン・ウェンリーが私室のベッドで眠りの神（ヒュプノス）からつきとばされていやいや起きだしたとき、彼の周囲は四万隻の帝国軍艦艇——完全に無傷の——にかこまれていた。かさなりあう光点の大群を、感心したようにながめやりながら、ヤンはシャワーをあび、顔を洗い、必要な身だしなみをととのえた。

「四万隻の敵艦にかこまれて紅茶を飲むのは、けっこう乙（おつ）な気分だな」

ヤンはのんびりと紅茶の湯気を顔にあてた。ユリアンのいれてくれたシロン葉の紅茶は、ひさしぶりの甘露（かんろ）だった。食卓には、彼とユリアン、フレデリカ、キャゼルヌ、シェーンコップの合計五人だけが着いていて、突然に狂暴化した帝国軍の砲火による鏖殺（おうさつ）の不安さえなければ、友人どうしのホームパーティーめいた雰囲気さえあった。とはいえ、ヤンの大胆さ、あるいは鈍感さは見あげたもので、ほかの四人はいまさらに司令官の顔を見つめたものであった。

すでにこのとき、メルカッツに指揮された六〇隻の艦隊は戦場を離脱して帝国軍の目と手をのがれ、姿を消しさっている。六〇隻とは、シヴァ、カサンドラ、ユリシーズなどの戦艦八隻、宇宙母艦四隻、巡航艦九隻、駆逐艦一五隻、武装輸送艦二二隻、工作艦二隻であり、事実はいずれも無傷ながら、資料の改竄によって戦場で完全破壊されたことになっている。搭乗した者は陸戦要員、戦闘艇要員などをふくめ総計一万一八二〇名。リンツ大佐、シュナイダー中佐、ポプラン中佐などを幹部とし、むろんすべてがデータ上の戦死者であった。

II

帝国軍総旗艦ブリュンヒルトの内部は、荘重さと優美さの絶妙な調和が、軍艦としての機能性をそこなわない範囲でしめされており、ヤンはおのぼりさんよろしく、率直な感歎の視線を周囲にむけている。

「……あれがヤン・ウェンリーか?」

ささやきかわす声の小さな波がヤンの耳にもうちよせてくる。失望しているのではないかな、と、他人ごとながら思いやる気分になるヤンだった。彼はラインハルトのような絶代の美貌の貴公子ではないし、かつて彼の手で葬りさったカール・グスタフ・ケンプのように風格ある偉丈夫でもなく、冷徹鋭利な秀才タイプでもなく、かといってむろん貧相な小農民タイプでもない。見る者によっては、多少ともハンサムに思えるようである――たとえばフレデリカ・グリーンヒルなどにとっては。全体として、いますこしで助教授の座をつかみえるのに学識より政治力の不足から講師にとどまっている青年学者、というあたりが妥当かもしれなかった。一見、

二七、八歳、本来は中肉中背ながら、このときは連日の戦闘で肉が落ち、ややせぎみだった。おさまりの悪い髪が、軍用ベレーからはみだしており、どうみても軍人らしくない。いずれにしても、業績の巨大さほどには、当人の容姿は他者に強烈な印象をあたえるものではない。

砂色の髪と砂色の瞳をもつ長身の青年士官が進みでると、ヤンにむかって挙手の礼をほどこした。

「小官はナイトハルト・ミュラーと申します。同盟軍最高の智将たるヤン閣下にお会いできて光栄です」

「とんでもない、こちらこそ……」

敬礼を返しながら、芸のない応対をヤンはした。もっとも、ほかに返事のしようがなかったのだ。

ミュラーはヤンにたいして、敗北感や敵対心をもちつづけえないなにかを印象づけられたようであった。すこしのあいだ沈黙していたが、もともとその武勲にたいしては充分に敬意をはらっている彼は、心の整理がついたのか、わだかまりをとく微笑を砂色の瞳の奥にひらめかせた。

「貴官が銀河系の私たちとおなじがわに生まれておいでであれば、私はあなたのもとへ用兵を学びにうかがったでしょう。そうならなかったことが残念です」

ヤンも、しぜんとやわらかい表情になった。

「恐縮です。私はあなたにこそ、銀河系のこちらに生まれていただきたかった。そうであれば私はいまごろ家で昼寝をしていられたでしょうに」

これは儀礼ではなく本音であった。ミュラー級の有能で勇敢な艦隊指揮官が同盟軍にいれば、ヤンの苦労はかなり軽減されたはずである。

うまくいかないものですな、と、笑ったミュラーの案内で、ヤンはラインハルトの私室につれていかれた。扉の前には、黄玉色（トパーズ）の瞳の青年士官がいて、黙然と敬礼したあと、扉をあけて客人をとおした。これは親衛隊長キスリング大佐であった。

こうして、ぬいだ黒ベレーを片手にしたヤン・ウェンリーは、ラインハルト・フォン・ローエングラムと直接、相対したのである。

強大な独裁者の私室にしては、それほど贅をつくした印象はなかったが、それは部屋の主人自身が華麗でありすぎたからかもしれない。むかいあったソファーのひとつから金髪の若者がたちあがったとき、楽の音が聴こえなかったのが不思議に感じられたほどだった。生きた神話、歴史と美神の寵愛を独占する若者の姿を、ヤンは手のとどく距離に見たのである。黒を基調として各処に銀を配した帝国軍の軍服が、ヤンの目にこれほど優美に映ったことはなかった。

一瞬の自失からわれに返ったヤンが敬礼すると、手入れの悪いゆたかな前髪が落ちて、ヤンの目のあたりまで隠してしまった。あわててそれをかきあげ、せいいっぱいていねいに敬礼しなおすと、ラインハルトもしなやかにそれに応じた。ヤンの肩ごしにキスリングにうなずいてみせる。ヤンの背後で扉がしまって、ふたりだけが部屋に残された。ラインハルトの端麗な唇が微笑するかたちにうごいた。

わけだ」

「卿にはぜひ一度会ってみたい、と、長いこと思っていた。ようやくのぞみがかなったというわけだ」

「おそれいります」

またしても芸のない返答だが、この金髪の若者を相手に弁舌の華麗さを競う気にはなれなかった。彼は、ラインハルトのすすめにしたがってソファーに腰をおろし、ベレーをかぶりなおした。つねにまして髪のおさまりが悪いように感じられた。幼年学校の生徒らしい少年が扉をあけ、銀製のコーヒーセットをはこんできて、やがて香ばしい熱気を大理石のテーブルの上にたゆたわせた。少年が、主人に憧憬の、客人に興味の視線をむけて退出すると、ラインハルトは流麗な動作でカップをとりあげた。

「卿とはいろいろ因縁がある。三年前になるが、アスターテ星域の会戦をおぼえているか」

「閣下から通信文をいただきました。再戦の日まで壮健なれ、と。おかげさまで悪運づよく生きながらえております」

「私は卿から返信をもらえなかった」

ラインハルトは笑い、ヤンもひきこまれて笑顔をつくった。

「非礼のかぎり、申しわけございません」

「その借りを返せというわけではないが……」

ラインハルトは笑いをおさめると、カップを音をたてずに受け皿にもどした。

「どうだ、私につかえないか。卿は元帥号を授与されたそうだが、私も卿にあたえるに帝国元帥の称号をもってしよう。今日（こんにち）では、こちらのほうがより実質的なものであるはずだが」

　あとになってヤンは自問したものだ。妄想じみていると思いつつもあらかじめ返事を用意しておかなかったら、はたしてこの勧誘にたえられただろうか、と。

「身にあまる光栄ですが、辞退させていただきます」

「なぜだ？」

　ラインハルトは、さしておどろいたようにも見えなかったが、その質問は当然のものだった。

「私はおそらく閣下のお役にはたてないと思いますので……」

「謙遜か？　それとも、私は主君として魅力に欠けると言いたいのか」

「そんなことはありません」

　口調をやや強くしてヤンは答え、どう説明すれば金髪の若者を傷つけずにすむかと考えた。あきれたことに、彼は、独裁者を怒らせることをおそれたのではなく、親切な申し出を拒絶することに罪の意識を感じてすらいたのである。

「私が帝国に生を享（う）けていれば、閣下のお誘いをうけずとも、すすんで閣下の麾下にはせ参じていたことでしょう。ですが、私は帝国人とはちがう水を飲んで育ちました。飲みなれぬ水を飲むと身体をこわすおそれがあると聞きます」

　われながらへたな比喩であるように思えたので、ヤンは、時間をかせぐためにコーヒーに口をつけた。紅茶一辺倒のヤンでも、最高の豆と最高の技倆が、この黒い液体に投入されていることがわかる。ラインハルトは拒絶されたことを怒るようすもなく、自分もコーヒーカップをとりあげた。

「その水が、卿(けい)にあっているとはかならずしも思えぬ。武勲の巨大さにくらべ、むくわれぬこと、掣肘をうけることが、あまりに多くないか」

年金さえもらえればいいのです。とは、まさか言えないから、ずうずうしくもヤンはしかつめらしい表情をつくって答えた。

「私自身は充分にむくわれていると思っております。それにこの水の味が私は好きなのです」

「卿の忠誠心は民主主義のうえにのみある、と、そういうことなのだな」

「はあ、まあ」

情熱の薄い返答になってしまったが、ラインハルトはカップをおき、まじめに議論をつづけてくる。

「それほど民主主義とはよいものかな。銀河連邦(U・S・G)の民主共和政は、ルドルフ・フォン・ゴールデンバウムという醜悪な奇形児を生んだではないか」

「…………」

「それに、卿の愛してやまぬ――ことと思うが――自由惑星同盟(フリー・プラネッツ)を私の手に売りわたしたのは、同盟の国民多数がみずからの意志によって選出した元首だ。民主共和政とは、人民が自由意志によって自分たち自身の制度と精神をおとしめる政体のことか」

そこまで言われると、ヤンは反論しなくてはならない。

「失礼ですが、閣下のおっしゃりようは、火事の原因になるという理由で、火そのものを否定なさるもののように思われます」

「ふむ……」

ラインハルトは唇をゆがめたが、そのようなしぐささえ金髪の若者の優美さをそこなうことはできないようであった。

「そうかもしれぬが、では、専制政治もおなじことではないのか。ときに暴君が出現するからといって、強力な指導性をもつ政治の功を否定することはできまい」

もの思わしげな表情でヤンは相手を見かえした。

「私は否定できます」

「どのようにだ?」

「人民を害する権利は、人民自身にしかないからです。言いかえますと、ルドルフ・フォン・ゴールデンバウム、またそれよりはるかに小者ながらヨブ・トリューニヒトなどを政権につけたのは、たしかに人民自身の責任です。他人を責めようがありません。まさに肝腎なのはその点であって、専制政治の罪とは、人民が政治の害悪を他人のせいにできるという点につきるのです。その罪の大きさにくらべれば、一〇〇人の名君の善政の功も小さなものです。まして閣下、あなたのように聡明な君主の出現がまれなものであることを思えば、功罪はあきらかなように思えるのですが……」

ラインハルトは虚をつかれたようにみえた。

「卿の主張は、大胆でもあり斬新でもあるが、極端な気もするな。私としては、にわかに首肯はしかねるが、それによって卿は私を説得することをこころみているわけなのか」

「そうではないのです……」

困惑したようにヤンは言った。実際、彼は困惑していた。ラインハルトを説得したり、やりこめたりする気はまったくなかった。彼はつねの癖でベレーをぬいで、おさまりの悪い長めの黒い髪をかきまわし、いささかあわてた。ラインハルトの優美さに対抗するのは無理な話だが、いますこし沈着でありたいものだ。

「……私は、あなたの主張にたいしてアンチ・テーゼを提出しているにすぎません。ひとつの正義にたいして、逆の方角に等量等質の正義がかならず存在するのではないかと私は思っていますので、それを申しあげてみただけのことです」

「正義は絶対ではなく、ひとつでさえないというのだな。それが卿の信念というわけか」

信念という言葉がきらいなヤンは、補足した。

「これは私がそう思っているだけで、あるいは宇宙には唯一無二の真理が存在し、それを解明する連立方程式があるのかもしれませんが、それにとどくほど私の手は長くないのです」

「だとしたら、私の手は卿よりもさらに短い」

ラインハルトはやや皮肉っぽく微笑した。

「私は真理など必要としなかった。自分ののぞむところのものを自由にする力だけが必要だった。逆にいえば、きらいな奴の命令をきかずにすむだけの力がな。卿はそう思ったことはないか。きらいな奴はいないのか」

「私がきらいなのは、自分だけ安全な場所に隠れて戦争を賛美し、愛国心を強調し、他人を戦場にかりたてて後方で安楽な生活を送るような輩です。こういう連中とおなじ旗のもとにいるのは、たえがたい苦痛です」

ヤンの口調は皮肉をこえて辛辣の域に達しており、ラインハルトは興味をこめて相手を注視した。その視線に気づいて、ヤンはせきばらいした。

「あなたはちがう。つねに陣頭に立っておいでです。失礼な申しあげようながら、感歎を禁じえません」

「なるほど、その点だけは私を認めてくれるのだな。すなおに喜んでおこう」

ラインハルトは音楽的な笑い声をたてたが、その表情が不意に透明さをましたように、ヤンには思われた。

「私には友人がいた。その友人とふたりで、宇宙を手にいれることを誓約しあったとき、同時にこうも誓ったものだ。卑劣な大貴族どものまねはすまい、かならず陣頭に立って戦い、勝利をえよう、と……」

ラインハルトは固有名詞をださなかったが、ヤンには推測がつく。その友人とは、彼を暗殺者の手からまもって死んだジークフリード・キルヒアイスのことであろう、と。

「私はその友人のために、いつでも犠牲になるつもりだった」

豪奢な金髪が額に落ちかかるのを、白い指でかきあげながらラインハルトは言った。おそらく彼はヤンをピアノの鍵盤(けんばん)に見たてて、彼の鎮魂歌(レクイエム)を奏でているのであろう。

「だが、実際には、犠牲になったのは、いつも彼のほうだった。私はそれに甘えて、甘えきって、ついには彼の生命まで私のために失わせてしまった……」

蒼氷色(アイス・ブルー)の瞳が照明を反射し、彼は断言してみせた。

「その友人がいま生きていたら、私は生きた卿(けい)ではなく、卿の死体と対面していたはずだ」

ヤンは返答しなかった。金髪の若者が彼の返答など必要としていないことを知っていたからである。

ラインハルトは小さく息をつくと話題を転じた。心を現実にひきもどしたようだった。

「卿らの首都を占領しているわが軍の指揮官から、先刻、報告がとどいた。卿の上官にあたる宇宙艦隊司令長官が申しでてきたそうだ。軍部の責任はすべて自分がとるゆえ、ほかの者の罪をとわないでほしい、と」

ヤンは表情をうごかさずにいられなかった。

「ビュコック司令長官らしいおっしゃりようです。ですが、そのような申し出はしりぞけてくださるよう、閣下にお願いします。長官ひとりに責任をとらせるのでは、私たちに甲斐性がなさすぎるというものです」

「ヤン提督、私は復讐者ではない。帝国の大貴族どもにとってはそうだったが、卿らにたいしては互角の敵手であったと思っている。軍事の最高責任者たる統合作戦本部長を収監するのはやむをえないが、戦火がおさまってのち、無用な血を流すのは私の好むところではない」

ラインハルトの表情には、このとき高潔なまでの誇りがあり、ヤンは完全な信を彼の言葉のうえにおいてごくしぜんに一礼した。

「ところで、卿を自由の身にしたら、卿は今後どうするか」

　この質問には、ためらう必要をいささかも感じないヤンである。

「退役します」

　ラインハルトは一瞬、九歳年長の黒髪の提督を蒼氷色の瞳で見つめ、なぜか納得した気持ちでうなずいたのだった。

　会見は終わった。

　自分の旗艦ヒューベリオンにもどるシャトルのなかで、ヤンは考えこまずにいられなかった。民主共和政にたいするラインハルトの指摘はするどすぎた。

〝自分たちの自由意志によって自分たち自身の制度と精神をおとしめる政体〟……

　地上でもっとも硬い炭素結晶体――ダイヤモンドが生成されるには、膨大な地質の圧力を必要とする。それとおなじく、人間の精神のうちでもっとも貴重なもの――権力と暴力に抗して自由と解放を希求する精神がはぐくまれるには、強者からの抑圧が不可欠の条件となるのだろうか。自由にとってよき環境は、自由そのものを堕落させるだけなのだろうか。

　ヤンにはわからない。彼の知恵では断定できないことが、世の中には多すぎた。これから将来も、はたして、明快な解答をえる日がくるのだろうか。

Ⅲ

　同盟首都ハイネセンの土を踏んだラインハルトは、ロイエンタール、ミッターマイヤー、両提督と首席秘書官ヒルデガルド・フォン・マリーンドルフの出迎えをうけた。初夏にしては皮膚にやさしくない冷たい霧雨の日で、若者の豪奢な金髪は、しっとりと露をふくんだ。

「ラインハルト皇帝ばんざい（ジーク・カイザー・ラインハルト）！」

　この日五月一二日、若い独裁者の警護に動員された兵士は、本来、二〇万人であったが、休暇をあたえられた兵士たちも彼らの忠誠心と崇拝の対象をひとめ見ようとして、割りあてられた宿舎をとびだし、熱狂的な歓声で霧雨のカーテンを引き裂いた。

「皇帝ばんざい（ジーク・カイザー）！　帝国ばんざい（ジーク・ライヒ）！」

　かつては〝帝国を打倒せよ〟という自称愛国者たちの叫びが反響し、反戦主義者たちが暴行された街角に、いまは征服者をたたえる声がみちていた。地上車（ランド・カー）の窓から手をふる金髪の若者の姿を見ると、兵士たちの歓声はひときわ高く、熱をおび、感動のあまり泣きだす者の数は、一個師団を編成するにたりたであろう。彼らが崇拝する若者のために多くの者が死に、これからも死んでいかねばならないのだが、そんなことはいま、彼らの心の外にあった。

　兵士たちの歓迎をうけたために、ラインハルトが先日までの最高評議会ビルに到着したのは予定よりやや遅れた。

ラインハルトは、今回の遠征にどのようなかたちで結着をつけるか、軍人だけでなく、随行してきた行政専門家たちの意見を、ここでまとめさせた。単純に、勝ったからそのまますわって支配するというわけにはいかず、覇権を維持するのに、もっとも効率的な方法を考えねばならないのである。

「膨張すればよいというものではない。すでにわが軍は行動の限界点に達している。ひとまずフェザーンまでの地域を完全掌握することに力をそそぎ、それがなってのちに同盟の支配を完成させるべきだ」

「吾々(われわれ)はいまやフェザーン、イゼルローンの両回廊からいつでも同盟領へ侵攻することができる。この軍事的支配権さえ確保しておけば、あえて形式的な統治権に拘泥する必要はない」

「それに兵士たちも、勝ったうえは本国へ帰りたがっている。長期にわたる占領は彼らの望郷の念を強め、かつローエングラム公にたいする不満をかきたてることとなろう」

「帝政への敵意にみちた一二〇億の人民を、強権をもって支配するのは効率的ではない。くわえて同盟の財政および経済は破綻寸前であり、これを全面的にかかえこむことは、ここ両年の改革によって健全化した帝国の財政に、あらたな負担をしいることとなって好ましくない」

これらの意見を整理して、オーベルシュタインはラインハルトに報告した。

「同盟を形式のうえでも完全に滅亡させ、直接支配下におくことは時機尚早(しょうそう)との意見が多うございます。私も賛成です」

義眼の総参謀長は自己の意見をも述べた。

「ですが、同盟の財政をさらに悪化させる処置はとっておくべきかと存じます。なにしろ、軍事支出が激減するぶん、財政は健全化するものですから、なにも彼らをして第二のフェザーンたらしめる必要はありますまい」

「当然だな」

ラインハルトは報告書をデスクの上に投げだした。そのデスクは、歴代の同盟最高評議会議長が使い、帝国に対する政戦両略の秘策をねってきた、歴史の証人であった……。

五月二五日、〝バーラトの和約〟が成立する。ラインハルトは、自由惑星(フリー・プラネッツ)同盟領の完全併呑(へいどん)を将来に延期し、市民の武装抵抗がかたちとなってあらわれるよりはやく、ひとまず帝国本土に帰還することにしたのである。だが、むろん、充分な収穫をえたうえでのことであった。和約の条文を見れば、たとえラインハルトが完全征服に拘泥していたとしても満足せざるをえなかったであろう――。
一、自由惑星同盟の名称と主権の存続については、銀河帝国の同意によってこれを保障する。
二、同盟はガンダルヴァ星系および両回廊の出口周辺に位置するふたつの星系を帝国に割譲する。
三、同盟は帝国の軍艦および民間船が同盟領内を自由に航行することを認める。
四、同盟は帝国にたいし年間一兆五〇〇〇億帝国マルクの安全保障税を支払うものとする。
五、同盟は主権の象徴としての軍備を保有するが、戦艦および宇宙母艦については、保有の権利を放棄する。また、同盟が軍事施設を建設・改修するにあたっては、事前に帝国政府と協議するものとする。

六、同盟は国内法を制定し、帝国との友好および協調を阻害することを目的とした活動を禁止するものとする。

七、帝国は同盟首都ハイネセンに高等弁務官府を設置し、これを警備する軍隊を駐留せしめる権利を有する。高等弁務官は帝国主権者（皇帝）の代理として同盟政府と折衝・協議し、さらに同盟政府の諸会議を傍聴する資格をあたえられる……。

第八条以降にもつづくこれらの条文は、同盟が帝国の属領と化した事実を、双方に確認させるものであった。同盟元首ヨブ・トリューニヒトは帝国軍兵士の厚い壁にまもられて署名と調印をはたし、その直後、敗戦の責任をとると称して辞任を宣言した。議長が辞任し、国防委員長アイランズは身心の活力をつかいはたし、なかば廃人となって病床についた。青ざめた額を集めた閣僚たちは、トリューニヒトの政敵であった前財政委員長ジョアン・レベロに元首代行を要請した。

レベロは事態の重さに悩みつつも、ついに要請をうけたが、これらの条文が公開されたあと、それを読んで、レベロの友人ホワン・ルイは評したものである。

「首に縄をかけられて、爪先だけはまだ床についているといったところだね。レベロもたいへんだろうな」

彼ほどにさめてもいなければ端的な表現が得意でもないほかの高官たちは、悲憤の涙にくれていた。二世紀半の昔、アーレ・ハイネセンが苦難にみちた一万光年の脱出行をなしたのはなぜか。今日のこの屈辱を見るためか。それも国民の代表の手で毒をもられるとは！

そして、辞任したトリューニヒトが想像したとおり、市民の憤激と憎悪は、ラインハルトよりも、このように屈辱的な和約をうけいれたトリューニヒトへと鋒先(ほこさき)を転じさせつつあった。

そのトリューニヒトが面会を申しこんでいるむねを、首席秘書官ヒルダの口からラインハルトが聞いたのは、和約の調印がなされた翌日、五月二六日のことであった。〝呼吸する不名誉〟ともいうべき前議長の名を耳にすると、白皙の顔に嫌悪の炎が燃えあがった。

「会わぬ！」

「とおっしゃいましても……」

ラインハルトは、きかぬ気の少年のような眼光をヒルダにむけた。

「私は地上で最大の権力をえたはずなのに、会いたくもない男と会わねばならないのか」

「閣下……」

「できることなら奴のようなくずは、復讐心にたけりくるう過激派の群のなかに放りこんでやりたいくらいなのだ、私は」

「お気持ちはわかりますが、最高責任者の罪は不問にふす、と、ローエングラム公の御名において誓約してしまいました。お心にそまぬことと思いますけど、それを破棄されては、帝国は誓約をまもらぬもの、和約もあてにならぬ、と不信をかうことになりましょう」

ラインハルトは激しく舌打ちすると、デスクに掌をたたきつけた。感情の水面になお波だちを残しつつ、ヒルダに視線をむける。

「それで、奴はなにを要求しているのか」

「生命と財産の保障、そして帝国本土における居住権です。なにか地位をいただければ、閣下のおんために働くと申しております」

にがにがしい笑いが独裁者の端整な口もとを飾った。

「裏切った国民とともに生活するだけの厚顔さは、さすがにないとみえるな。帝国領であれば、私の庇護をうけられるというわけか。よし、要求は認めてやる。認めてやるから、会う必要はあるまい。帰らせろ」

これ以上の譲歩は不可能とみてとったヒルダが退出しかけると、ラインハルトは彼女を呼びとめ、一瞬ためらったのち、それをふりきるように言った。

「フロイライン・マリーンドルフ、私は心の狭い男だ。あなたに生命を救ってもらったとわかっているのに、いまは礼を言う気になれぬ。すこし時を貸してくれ」

ヒルダに否(いな)やはなかった。むしろ、金髪の若者の無器用な謝意の表現に、胸をうたれずにいられなかった。冷徹非情な謀略家の仮面の下に、やさしい姉アンネローゼの愛情にはぐくまれた少年の顔がある。

「こちらこそ、ですぎたまねをいたしまして。どんなお叱りをうけても当然のところですのに、そんなふうにおっしゃられては赤面のいたりです。ただ、ご寛容に甘えまして、お願いいたします。ミッターマイヤー、ロイエンタール、おふたかたの功績にたいしましては、どうか充分に酬いてやってくださいますよう」

「ああ、そうしよう」

ラインハルトがかるく片手をあげたので、一礼してヒルダは退出した。部屋からでるとき、ヒルダが短い金髪を揺らして肩ごしに視線を投げると、デスクに頬杖をついて思案にふけるラインハルトの姿が、急速にせばまる視界のなかに映った。


同盟首都ハイネセンに派遣する高等弁務官を人選するに際し、ラインハルトはロイエンタールを候補者として考えた。高等弁務官はたんに外交代表というにとどまらず、同盟の国政を監視し、帝国の利益を最大限に擁護しなくてはならない。さまざまな反抗や抵抗に対処し、武力叛乱を鎮圧することもあろう。ロイエンタールの才幹は充分それらを処理しうると思われたが、総参謀長オーベルシュタインが反対した。ミッターマイヤー、ロイエンタールの両将は本国にあって、帝国軍実戦部隊を統轄しなくてはならないというのがその理由であった。だが、あるとき、オーベルシュタインは、反対した真の理由を部下のフェルナー大佐だけに告げた。

「ロイエンタールは猛禽だ。遠方においておいては危険きわまりない。あんな男は目のとどく場所で鎖につないでおくべきなのだ」

もっともこれは後世の創作であろうとする説もある。いずれにしてもラインハルトはロイエンタールを候補からはずし、レンネンカンプをその任にあてた。ローエングラム独裁体制は基本的に軍人の政治支配を制度化したものであるから、文官をもってこの要職にあてることは考慮されなかったのである。ただ、当然ながら、レンネンカンプの配下には多数の文官――外交、財務、行政の専門家が配属されることになった。

ところで、オーベルシュタインは、レンネンカンプという人選にも反対している。理由はむろんロイエンタールのときとことなり、レンネンカンプが軍人の型にはまりすぎて思考が硬直しがちであること、とくにヤン・ウェンリーに不名誉な敗北をしいられているため、同盟にたいする態度が柔軟さを欠くおそれがある、というものであった。それを聞くと、ラインハルトは一笑して答えた。

「レンネンカンプが失敗すれば彼は切りすてる。同盟にも責任があるとすれば、その罪をも問う。それだけのことだ。なにを思いわずらうか」

オーベルシュタインは一礼して、主君の正しさを認めた。これはフェザーン占領の際の処置に似たものだが、このような言葉を聞くとき、オーベルシュタインは、若い主君の才能と度量に敬意をはらうのである。

また、ラインハルトは、帝国の直轄領となったガンダルヴァ星系の基地司令官としてシュタインメッツを任命した。本来、高等弁務官と駐留司令官とは一人が兼任したほうがよいのであろうが、それは後日、完全な同盟領征服がなったときの課題であろう。

旧貴族派の亡命政権である銀河帝国正統政府は、むろん帝国軍の敵視するところであったから、弾圧の手がのびた。軍務尚書メルカッツは、すでにバーミリオンにおいて戦死したとの記録が提出されており、彼の死は帝国軍の高官たちも粛然と襟をただすものだった。

銀河帝国正統政府の首相であったレムシャイド伯ヨッフェンは毒をあおいで自殺した。私邸をロイエンタール麾下の兵士に包囲された直後である。金銀妖瞳(ヘテロクロミア)の提督は、レムシャイド伯に敬意を表して自殺のための時間をあたえたのだ。亡命政権ははかなく消失した。

ところが、彼らにたてまつられた幼帝の姿が見えないのである。捜査の結果、判明したのは、正統政府の軍務省次官であり、幼帝を帝国首都オーディンから誘拐した犯人であるランズベルク伯アルフレットが、八歳の男児をともなって姿を消したことであった。

ロイエンタールもミッターマイヤーも、さすがにおちつきはらっていられず、捜索の網をひろげるとともに、ラインハルトに報告したが、若い独裁者は彼らの手おちをとがめなかった。

「どこへでも行くがいい。滅びるべきときに滅びそこねたものは、国でも人でも、みじめに朽ちはてていくだけだ」

ラインハルトの声には、ひややかさだけでなく憐憫の微粒子がふくまれているようであった。

「ゴールデンバウム家再興の夢を見たいというのであれば、いつまでもベッドにもぐりこんで現実を見なければよい。そんな奴らに、なぜこちらが真剣につきあわねばならぬ？」

ラインハルトは、実際、非現実的な浪漫主義者の夢想につきあう暇などないのだった。即位と戴冠の準備もしなくてはならず、ちかい将来の同盟領の完全併合と、彼にとっては既定のものとなりつつあるフェザーン遷都の計画に頭脳を使わねばならなかった。さらに、新帝国が発足したあとの人事がきわめて重大な課題となっていた。新帝国は皇帝親政であるから宰相は不要だがむろん閣僚は必要だし、軍隊組織の改制もおこなわねばならない。オーベルシュタインに忠告され、いちおうの捜査は命じたものの、すぐに忘却の井戸に放りこんで蓋をしてしまった。

同盟の人々も、過去にこだわって未来を軽視する贅沢を許されることはなかった。アレクサンドル・ビュコックは老いた失意の身を公職から解放して、老妻のもとで心の傷をいやすことになった。

ヤン・ウェンリーは退役し、一二年におよぶ不本意な軍人生活に、ついに終止符をうった――かにみえる。かわって平穏な年金生活がはじまり、近日中に、これも退役したフレデリカ・グリーンヒルと結婚する予定である。これは彼としては、むしろのぞましい生活を確立したようだが、このささやかな幸福をえるために、どれほど膨大な人命を失ったか、という思いが脳裏から完全に消えさることは、けっしてないであろう。とはいえ、彼が不幸になれば戦死者が生きかえるわけでもないので、彼は帝国軍の監視の目と耳を多少は気にしながらも、フレデリカと連絡をとって将来の生活設計を語るなどという、人なみの経験をかさねていた。もっとも、彼には家庭レベルでの構想力などなきにひとしかったので、フレデリカのひかえめな提案に賛成するだけのイエスマンでしかなかったが。

ユリアンは帝国領の奥深くに位置する地球へ潜入する準備をひそかにすすめている。地球教のデグスビイ主教から聞いたわずかな情報にくわえ、トリューニヒト議長の一種の逆クーデターを成功させた蔭の力として地球教徒の存在があったということになれば、〝地球へ行けばすべてがわかる〟という言葉には誇張の調味料がかけられているにせよ、真実であるかもしれない。調査する価値は充分にあるはずだった。

くわえて、かつてキャゼルヌに言明したように、ユリアンは、ヤンとフレデリカの新婚生活を邪魔する意思はなかった。彼らふたりが、ユリアンを邪魔になどしないことはわかっている。わかっているが、あるいはわかっているからこそ、ユリアンはすくなくとも半年か一年のあいだ、彼らの前から姿を消したいと思うのだ。フェザーンでの短い生活は、多少なりとも彼をおとなにした。今度の旅で、またすこしおとなになって、彼の好きなふたりに再会したいと思っている。

黒い肌と丸い目の巨人ルイ・マシュンゴ少尉は、当然のごとくユリアンにしたがって地球へおもむく準備をしている。彼に言わせると、「運命にはさからえませんので」ということになるのだが、彼がのぞみもしない運命に強制的にしたがわされている、と考える者など、ひとりも存在しなかった。まだ受理されてはいないが、ユリアンもマシュンゴも軍部に辞表を提出して、それが受理されるか否かは自分には関係ないと言わんばかりであった。なにしろ彼はハイネセンに帰還した直後からヤンとユリアンに同行してシルバーブリッジ街の官舎に住みこんでしまい、あとから監視にやってきた帝国軍の兵士も、最初からのヤン家の住人と思いこんだほどである。

ヤンは肩をすくめてマシュンゴの存在をうけいれたが、ユリアンの身をまもってくれることへの期待を黒い巨人に託したことはうたがいなかった。またヤンは、社会的には姿を消したメルカッツたちの今後にも、責任があったし、完全な隠者にはとうていなれそうもない。この事実が帝国軍に知れれば、あらたな秩序のなかでヤンの立場は困難なものになるであろう。

往年の〝悪たれボリス〟ことボリス・コーネフは、フェザーンから到着したマリネスク事務長と再会したが、愛船ベリョースカ号を失ったと聞いては、無制限の楽天的気風にひたっているわけにもいかなかった。

当時、同盟に在留するフェザーン人たちは、存在の法的根拠を失った弁務官事務所に集まって、不安とともしい情報とを共有しあっていたが、ボリス・コーネフはそこからまずヤン・ウェンリーの官舎へでかけていった。すでに帝国軍の兵士が門前を警備しており、ヤンは軟禁状態にあったが、自分はヤン提督の無二の親友である、といういささか誇張した話に、玄関からでてきたヤンの願いもあって、コーネフはヤン家の客となることができた。コーネフは一六、七年ぶりに旧友と会い、ユリアンの紅茶を賞味し、さらに、従弟のイワンが戦死したという情報もえることができたのである。

「ユリアンを助けてくれて礼を言う。ベリョースカ号、だったな、君の船の人たちにはずいぶん世話になったそうだが」

「その功はマリネスクのものなんで、おれが礼を言われるようなものじゃないが、問題はおれの船だ。同盟政府はあってなきがごとしだし、まさか帝国軍に訴えるわけにもいかんしなあ」

「その点は私がなんとかしよう」

ヤンはさりげなく約束し、旧い友人に、いささか意味ありげな笑顔をむけた。

「ただ、そのかわり、ひとつ私の頼みをきいてくれないか……」

ヤンにしたがって首都にもどった将官たちのうち、シェーンコップとアッテンボローは強引に辞表を提出し、野にくだった。キャゼルヌは辞表を却下され、かえって懇請をうけて後方勤務本部長代理をひきうけざるをえなかった。フィッシャー、ムライ、パトリチェフ、カールセンらは自宅待機の状態で日を送ることとなった。そしてそれぞれのうえに時の影がすこしずつ移動していくのだが、冬の長さ、あるいは短さを知る者はいないのだった。

Ⅳ

太陽は地平にかたむき、色あせた光は大気中の微粒子に乱反射して、世界をオレンジ色の波にひたした。かつて人類に豊穣(ほうじょう)なみのりを約束した大地は、不毛と化したわが身を恥じるように、夜の翼に庇護をもとめている。

老衰と疲労の皺を深くたたみこんだその地は、かつて地球という惑星の中心であり、全宇宙の中枢であった。遠い昔、三〇世代も過去のことである。

年おいた石造の建物のなかを、黒衣に身をつつんだ壮年の男が、正確だが緩慢な足どりで歩いていた。とある扉の前に立つと、侍衛の者が一礼してそれを開く。室内は鈍い白濁した光にみたされていた。男よりはるかに長く時間との交際をつづけてきたらしい老人が、羊皮の上にすわっているのが見える。

「総大主教猊下(グランド・ビショップげいか)……」

うやうやしく呼びかけた男は、反応をしめさぬ相手に、さらに語りかけた。

「ラインハルト・フォン・ローエングラムが自由惑星同盟(フリー・プラネッツ)を征服いたしました」

それを聞くと、黒衣の老人ははじめて顔をあげ、ひからびた皮膚におおわれた手で男をさし招いた。男の背後で扉が閉ざされた。

「……それでその後はどうなっておる」

発せられた声にもうるおいがない。

「征服地にとどまらず、レンネンカンプなる者に大軍をあずけて監視役とし、自分は帝国本土へ帰還した由(よし)にございます。その際、例のトリューニヒトなる者をともないましたとか……」

「あの男もけっこう役にたったようじゃな。それでそのまま帝国でも、彼を籠のなかの腐った林檎(りんご)として使うのか」

「いえ、帝国におきましては、ハインリッヒ・フォン・キュンメル男爵なる者を一年以上も前から用意しております。いますこしのご猶予(ゆうよ)をいただきたく存じます」

「たしか重い病人と聞いたが、役にたつことはたしかであろうな」

「あと半年も保(も)ちましたら、私どもの目的は達せられましょう。医師も派遣してございますし、もともとローエングラムの器量と健康に嫉妬しておりますれば、あやつるのは困難ではございません」

「ではよい、そなたにまかせる。フェザーンのほうはどうなっておるか」

「はい、フェザーンにかんしましては、いささか不確定の要素が多すぎます」

男の声が、はじめて自信と余裕を失った。黄色っぽい両眼に、疑惑のオーロラがゆらめいている。さらに総大主教は問いかけた。

「ルビンスキーとの連絡はとれているのであろうな」

「いちおうは。ですが、あの男、どうにも心の底がしれませぬ……」

誰も聞いていないと知りながら、総大主教の部下は声をひそめ、ひざをのりだした。みずからの疑惑を老人にむけて吹きつける。

「たんに服従の精神がうたがわれるだけにとどまりません。おそろしく不逞な野心をいだいておるやに思われます。ご用心のほどを……」

「そんなことは承知のうえじゃ」

老人の声はこともなげであった。

「われらの掌のうえで踊るかぎり、どんなかたちで舞おうとも意に介するにはおよばぬ。それより、あの不肖者のデグスビイについては、その後、なにかわかったかな」

「デグスビイが死にましたのは確実でございますが、問題は、死ぬ前に秘密を洩らしたや否やでございます……」

歴史の逆転を願ってひそやかに語らいつづける彼らのはるか頭上を、繚乱(りょうらん)たる星々の光が飾りはじめていた。

帝国に凱旋したラインハルトは、実質に形式をともなわせるため、活発な行動を開始した。処理されるべきさまざまなことがらが、彼の判断と決定を待っていた。

最初に彼が処理したのは、完全に私的な義務感とやや臆病な満足感のためにおこなったものであった。姉アンネローゼ、現在はグリューネワルト伯爵夫人の称号をもつ彼女に、大公妃の称号を贈ること。故人たるジークフリード・キルヒアイスに大公の称号を贈り、彼の名を冠した勲章を制定すること。このふたつをまずさだめたとき、オーベルシュタインは眉をひそめないではなかったが、

「この処置で誰が傷つくのか」

と言われては、反論の余地がなかった。

それを裁定したあと、ラインハルトは有能な構想家・実務家に精神の衣をかえて、人事や組織や制度をさだめていった。軍事面では、ロイエンタール、ミッターマイヤー、オーベルシュタインが帝国元帥となり、オーベルシュタインが軍務尚書をかねる。一〇名の大将は上級大将となったが、最年少のミュラーがバーミリオンにおいてラインハルトの急を救った功績を賞され、一〇名のなかで首席の序列をうけることになった。文官関係の人事もさだまり、ヒルダの父マリーンドルフ伯フランツが国務尚書に推された。オイゲン・リヒターが財務尚書、カール・ブラッケが新設の民政尚書となった。

六月二〇日、つい一年たらず前に、生後八カ月の女帝の父親として、子爵から公爵へ三段階の出世をとげたペクニッツ家の当主ユルゲン・オファーは、不安と不審に背中をつきとばされながら帝国宰相府の門をくぐる。象牙細工の収集に情熱と財産のほとんどをそそぎ、政治にも軍事にもまったく興味のない三〇代前半の青年貴族は、彼の一万倍も冷徹なオーベルシュタインに一枚の紙片をさしだされる。女帝の退位宣言書である。つぎに提示されたのは、帝位をローエングラム公ラインハルトに譲る、との宣言書である。汗を流すだけの青年貴族に三枚めの紙片がしめされる。それにはすでにラインハルトの署名がしるされている。ペクニッツ家の爵位と財産と安全を保障し、今後、女帝が死去するまで毎年一五〇万帝国マルクの年金が支給されるむねが明記されている。ペクニッツ公爵は安堵のために、より大量の汗で高価な服を湿らせ、ハンカチで顔じゅうをなでまわし、さしだされたペンをとると、一歳八カ月の女帝の親権者として二枚の文書に署名する。

開祖ルドルフ大帝以来、四九〇年にわたって人類を支配し、三八人の皇帝を玉座に送りこんだゴールデンバウム王朝の、これが終焉であった。

六月二二日、新皇帝ラインハルトの即位および戴冠式の日である。この日以後、彼は、ラインハルト・フォン・ローエングラム公爵閣下ではなく、ラインハルト皇帝陛下と呼ばれることになるのだ。かつて彼から姉アンネローゼを奪ったゴールデンバウム王家は、すべてのものを失って、過去の領域へ、ぼろをまとったみじめな姿を隠しさってしまった。

新無憂宮(ノイエ・サンスーシー)の広大な〝黒真珠の間〟は、新王朝に忠誠を誓約した数千人の文武の高官で埋めつくされる。そこには、だが、ラインハルトがもっとも欲するふたりの人物がいない。彼とおなじ黄金色の頭と、燃えあがる炎にも似た赤い頭がない。

「皇帝(ジーク・カイザー)ばんざい」の叫びが広間全体を圧するなか、ラインハルトは紫の絹にのせられた黄金の帝冠をとりあげ、無造作に、しかし誰ひとりまねしようのない優雅さをもって、みずからの頭上にそれをいただく。黄金の冠と黄金の髪はひとつに溶けあい、この若者こそが何世紀も前から正統の所有者であったことを無言のうちに語りかけるかにみえる。

ローエングラム王朝が、ここにはじまる。

銀河の歴史

日下三蔵

創元SF文庫版の『銀河英雄伝説』も本書で、とうとう折り返し点を迎えた。この解説を書くために、書架から久しぶりにトクマ・ノベルズ版を出してきたが、第五巻のカバーにはこんな紹介文が書かれている。

> 『銀河英雄伝説』がついに五巻を数えた。全十巻、五千枚余の構想のなかで、折り返し点にきたわけだが、読者の圧倒的な支持を受け、田中芳樹も意気盛ん。原稿執筆のスピードも増し、残り五巻も宇宙を舞台に気宇壮大な叙事詩を描いてくれるであろう。魅力的な登場人物たちの運命を、読者とともに見守りたい。

ストーリーの内容を云々するのが野暮に思えるほど物語は盛り上がりを見せていて、本巻も、ラインハルトとヤンの初めての対面や、ヤンのフレデリカへのプロポーズなど、見逃せない名シーンが満載である。

記憶も鮮明で、この巻を夢中で読んだのはつい最近のように思えるが、奥付を見るとトクマ・ノベルズ版が刊行されたのは一九八五年の四月。実に二十二年も前のことになるのだ。読者の中には、まだ生まれていなかったという人もいるのではないか。

そこで本稿では、書誌的なデータをまとめつつ、『銀河英雄伝説』の辿(たど)ってきた歴史を振り返ってみることにしたい。

■『銀河英雄伝説』以前

田中芳樹のデビュー作は、探偵小説専門誌《幻影城》の第三回新人賞に入選した「緑の草原に……」(李家豊(りのいえゆたか)名義)である。同時受賞者の一人に連城三紀彦がいた。《幻影城》七八年一月号には、「受賞のことば」として、以下の文章が寄せられている。

守備範囲を広く　　李家豊

弱小チームの頃から十四年、応援を続けてきた阪急ブレーブスが、三年連続日本一を成し遂げた。嬉しさ、これに過ぎるものはない。阪急は守備力の卓絶したチームだが、私にとっての理想も、「守備範囲の広い作家」と呼ばれるようになることだ。出発点はＳＦになったが、冒険小説、サスペンス、近世以前の中国を舞台にした歴史ロマンス――あらゆる分野に挑戦してみたい。エラー続出ということになるかもしれないが、怖い物知らずの若さだけが取柄だから。

この短い抱負のなかに、後の自らのレパートリーが早くも列挙されているのが興味深い。デビューから一年半の間に、三篇一挙掲載を含む十篇のSFミステリを、《幻影城》に矢継ぎ早に発表した新人・李家豊だが、同誌が七九年七月号で休刊したことによって、一年近い雌伏を余儀なくされることになる（もっとも著者は当時、まだ学習院大学大学院に在籍していたので、作家専業というわけではなかったが）。

八〇年十月に「白い顔」で《SFアドベンチャー》に初登場し、八一年五月には初めての著書となる書下し冒険小説『白夜の弔鐘』をトクマ・ノベルズから刊行した。

■『銀河英雄伝説』本編

八二年十一月にトクマ・ノベルズから刊行された書下し長篇『銀河英雄伝説』から、ペンネームを現在の田中芳樹に変更。中川透が『黒いトランク』で鮎川哲也になったり、白家太郎が『氷柱』で多岐川恭になったりと、ペンネームの変更を契機として作家として大きく躍進した例がいくつかあるが、振り返ってみると田中芳樹の場合も、これ以上ない絶妙のタイミングでの改名だったといえるだろう。

全十巻の刊行データは、以下の通り（いずれもトクマ・ノベルズ）。

1	銀河英雄伝説	I 黎明篇	82年11月30日
2	銀河英雄伝説	II 野望篇	83年9月30日
3	銀河英雄伝説	III 雌伏篇	84年4月30日
4	銀河英雄伝説	IV 策謀篇	84年10月31日
5	銀河英雄伝説	V 風雲篇	85年4月30日
6	銀河英雄伝説	6 飛翔篇	85年10月31日
7	銀河英雄伝説	7 怒濤篇	86年5月31日
8	銀河英雄伝説	8 乱離篇	87年1月31日
9	銀河英雄伝説	9 回天篇	87年5月31日
10	銀河英雄伝説	10 落日篇	87年11月15日

第一巻の刊行時には副題どころか巻数表示もなく、単に『銀河英雄伝説』というタイトルだったが、第二巻において全十巻という構想が明らかにされ、それに合わせて通巻ナンバーが付された。

初版部数は第一巻が一万八千部、第十巻が五万五千部。熱狂的なファンを獲得して人気シリーズに成長したものの、メディアミックスによって広くその名が知られる以前に完結を迎えているため、この時点での部数は比較的おとなしいものだった。

■『銀河英雄伝説』外伝

本編とは別に外伝が四冊刊行された（いずれもトクマ・ノベルズ）。

1　銀河英雄伝説　外伝1　星を砕く者　86年4月30日
2　銀河英雄伝説　外伝2　ユリアンのイゼルローン日記　87年3月31日
3　銀河英雄伝説　外伝3　千億の星、千億の光　88年3月31日
4　銀河英雄伝説　外伝4　螺旋迷宮（スパイラル・ラビリンス）　89年7月31日

八六年八月には著者の書下し原作による道原かつみのマンガ版『銀河英雄伝説外伝　黄金の翼』（アニメージュコミックス）も刊行されている。『ノリ・メ・タンゲレ』などで気鋭のＳＦマンガ家として注目されていた道原かつみは、後に『銀河英雄伝説』本編のマンガ化も手がけることになる（後述）。

他に、「ダゴン星域会戦記」「白銀の谷」「汚名」「朝の夢、夜の歌」と短篇が四本あり、徳間デュアル文庫『銀河英雄伝説外伝1　黄金の翼』（02年3月）に「黄金の翼」の原作小説版とともに収められた。

■アニメ版

劇場版三作、OVA百六十二話（正伝110話、外伝52話）という類を見ないロングシリーズとしてアニメ化されたのも、ファン層の拡大に繋（つな）がった。テレビアニメならばともかく、オリジナル・アニメとしては間違いなく日本最大級の作品である。

銀河英雄伝説　―わが征（ゆ）くは星の大海―　88年2月6日　※劇場版
銀河英雄伝説（第1期）　88年12月21日～89年6月20日（全26話）
銀河英雄伝説（第2期）　91年6月25日～92年2月20日（全28話）
銀河英雄伝説外伝　黄金の翼　92年10月25日（全1話）
銀河英雄伝説　新たなる戦いの序曲　93年12月18日　※劇場版
銀河英雄伝説（第3期）　94年7月20日～95年2月22日（全32話）
銀河英雄伝説（第4期）　96年10月16日～97年3月14日（全24話）
銀河英雄伝説外伝（第1シリーズ）　98年2月27日（全12話）
銀河英雄伝説外伝（第2シリーズ）　98年10月21日（全12話）
銀河英雄伝説外伝（第3シリーズ）　99年12月24日～7月21日（全28話）

当初、劇場用アニメとして製作された「黄金の翼」は、ビデオとしての発売が先になったが、同年の十二月十二日には劇場公開もされた。

外伝は、第一シリーズが「白銀の谷」（全4話）、「朝の夢、夜の歌」（全4話）、「汚名」（全4話）、第二シリーズが「千億の星、千億の光」（全12話）、第三シリーズが「螺旋迷宮」（全14話）、「叛乱者」（全4話）、「決闘者」（全4話）、「奪還者」（全4話）、「第三次ティアマト会戦」（全2話）から成る。

小椋佳らによるテーマソングや、オーケストラを多用した壮大なBGM、多数のキャラクターを演じた豪華な声優陣と、音の面でも注目を集めた作品であった。

■マンガ版

書下し原作による外伝『黄金の翼』を手がけた道原かつみは、八九年から《少年キャプテン》に『銀河英雄伝説』本編のマンガ版を描きはじめる。この連載は、アニメージュ増刊《Noël》（後に《Chara》として独立創刊）に掲載誌を移して二〇〇〇年まで続き、単行本は十一巻（90年12月～00年3月）を数えた。

しばらく中絶していたが、〇六年に創刊された《月刊ＣＯＭＩＣリュウ》で再び連載が始まり、既刊単行本に『黄金の翼』を加えた十二冊を二冊ずつ合本にして、『銀河英雄伝説　愛蔵版』全六巻（07年4～8月／徳間書店）が刊行された。

■愛蔵版・文庫版

オリジナルのトクマ・ノベルズ版が累計で六百万部を超える超ロングセラーとなっていたためか、『銀河英雄伝説』はなかなか文庫化されなかった。

八八年二月、劇場アニメ「わが征くは星の大海」の公開に合わせて、外伝の第一巻『星を砕く者』が徳間文庫に収録されてから、本編の文庫化までには、さらに八年を要している。本編全十巻は、九六年十一月からほぼ隔月ペースで刊行され、九八年六月に完結。外伝の第二巻以降は徳間文庫には収録されなかった。

他に、九二年六月に本編を二冊ずつ合本にした愛蔵版（全五巻セット）、九八年三月に外伝を二冊ずつ合本にした愛蔵版（全二巻セット）が刊行されている。化粧箱の中に堅牢な造本の銀色のハードカバーを収めたもので、限定発売されたコレクターズ・アイテムである。

二〇〇〇年八月から〇二年十一月にかけて刊行された徳間デュアル文庫版は、既刊十四冊をすべて二分冊にしたうえで、初の単行本化となる短篇集『黄金の翼』を加えた全二十五冊。若い読者を意識した造本で、道原かつみの挿絵や巻末著者インタビューなど、付録も充実していた。

〇七年二月から隔月で刊行中のこの創元ＳＦ文庫版（全十五巻）は、五度目の刊行、三度目の文庫化ということになる。八二年から八九年までシリーズは完結しているにも関わらず、アニメ化、マンガ化、再文庫化と、ほとんど途切れることなく「現役」のエンターテインメントで在り続けている『銀河英雄伝説』という作品の息の長さは驚嘆に値する。SFやスペース・オペラといったジャンルに興味のない読者でも——いや、おそらくは、そんな名前すら知らない読者でさえも——容易く虜にする強靭な物語性は、現代エンターテインメントの新たな古典といっても過言ではないように思う。

創元SF文庫版で初めてこの作品に触れて五巻まで読み、続きが気になって仕方がないという読者。あなたの存在が、その何よりの証明なのである。

本書は一九八五年にトクマ・ノベルズより刊行された。九二年には『銀河英雄伝説6　飛翔篇』と合冊のうえ四六判の愛蔵版として刊行。九七年、徳間文庫に収録。二〇〇一年、徳間デュアル文庫に『銀河英雄伝説 VOL.9, 10［風雲篇上・下］』と分冊して収録された。創元SF文庫版では徳間デュアル文庫版を底本とした。

検　印
廃　止

著者紹介　1952年，熊本県生まれ。学習院大学大学院修了。78年「緑の草原に……」で幻影城新人賞受賞。88年《銀河英雄伝説》で第19回星雲賞を受賞。《創竜伝》《アルスラーン戦記》《薬師寺涼子の怪奇事件簿》シリーズの他，『マヴァール年代記』『ラインの虜囚』『月蝕島の魔物』など著作多数。

銀河英雄伝説5　風雲篇

2007年10月31日　初版
2023年2月3日　22版

著　者　田中芳樹（たなかよしき）

発行所　（株）東京創元社
代表者　渋谷健太郎

162-0814/東京都新宿区新小川町1-5
電　話　03・3268・8231-営業部
　　　　03・3268・8204-編集部
URL　http://www.tsogen.co.jp
振　替　00160—9—1565
DTP　フォレスト
暁印刷・本間製本

ISBN 978-4-488-72505-1　C0193